L'ESTHETIQUE
DE LA FONTAINE

Collection « ESTHETIQUE »

Volumes parus

L'Esthétique d'Apollimaire, par Laurence Campa
L'Esthétique de Du Bellay, par Josiane Rieu.
L'Esthétique de La Fontaine, par Emmanuel Bury.
L'Esthétique de Malraux, par François de Saint-Cheron.
L'Esthétique de Marcel Proust, par Luc Fraisse.
L'Esthétique de Montherlant, par André Blanc.
L'Esthétique de Musset, par Alain Heyvaert.
L'Esthétique de Rabelais, par Guy Demerson.
L'Esthétique de Voltaire, par Sylvain Menant.

DANGER
LE PHOTOCOPILLAGE TUE LE LIVRE

© 1996, Editions SEDES
ISBN 2-7181-9506-1
ISSN 1264 -1669

Collection « ESTHETIQUE »

dirigée par Gabriel CONESA

L'ESTHETIQUE
DE LA FONTAINE

par

Emmanuel BURY

SEDES

INTRODUCTION

Entreprendre aujourd'hui une mise au point sur l'esthétique de La Fontaine peut sembler une gageure, tant est vaste la bibliographie récente sur ce poète, et tant sont nombreuses et diverses les avenues que ces travaux ont tracées dans le massif de son œuvre. On ne peut que s'en réjouir, dira-t-on, puisque cela témoigne d'une vitalité encore inépuisée du poète des *Fables* et des *Contes*, redécouvert ces dernières années comme auteur des *Amours de Psyché*, du *Songe de Vaux*, ou plus simplement des pièces galantes de sa « pension poétique » auprès de son protecteur Foucquet. Mais cela pose d'emblée le problème d'*une* esthétique de La Fontaine ; tant de diversité effraie : le « papillon du Parnasse » qu'il se vante d'être vole, de son propre aveu, « à tout sujet [1] ». Peut-on, pour autant, renoncer à la tentation de saisir l'œuvre dans son ensemble, de partir en quête d'éléments qui seraient les constantes d'un projet poétique derrière la bigarrure apparente des réalisations, que le poète lui-même a placées sous le signe de la « diversité » ? Voilà le but que se propose le présent ouvrage, qui fera son miel de l'abondante recherche déjà existante sur le sujet, et ne prétend que baliser quelques-unes des voies que l'on peut parcourir dans la silve lafontainienne, sans préjuger des chemins de traverse qu'il semblera bon à chacun de prendre, selon son goût et ses affinités avec tel ou tel texte du poète.

Avant de prendre la route, il convient rapidement de s'assurer de l'équipement dont nous disposons ; pour ne point errer, il faut se munir de quelques cartes déjà bien établies du territoire lafontainien : la meilleure, de ce point de vue, demeure avant tout une bonne édition du texte. Nous avons aujourd'hui la chance de bénéficier d'excellents travaux, à commencer par la savante et élégante édition des *Fables et Contes* de la « Bibliothèque de la Pléiade » due à Jean-Pierre Collinet [2] (0) ; y lire

---

1. *Discours à Madame de La Sablière*, v. 69 (texte 50 de notre anthologie, ci-dessous) ; pour éviter les constants appels de notes, je donnerai, entre parenthèses dans le corps du texte, les références aux extraits qui figurent dans cette anthologie.

2. Une nouvelle fois, pour alléger les références en bas de page, je citerai en abrégé les principaux titres d'ouvrages auxquels j'aurai recours, me réservant de préciser les adresses exactes dans la bibliographie indicative que l'on trouvera en fin de volume (p. 207 et suivantes).

l'introduction, puis le texte même à la lumière du très riche apparat de notes offre déjà la meilleure préparation au voyage [3]. Pour les *Fables*, on peut d'ailleurs s'aider d'une autre édition fort savante et très commode depuis sa récente réédition dans « La Pochothèque » (1995), celle de Marc Fumaroli, dont l'introduction est une synthèse brillante sur La Fontaine, sa formation, son milieu et le sens de son entreprise de fabuliste en plein âge classique. Autre mérite majeur, cette introduction est suivie d'une mise au point claire, savante et suggestive sur « Les *Fables* et la tradition humaniste de l'apologue ésopique ». Pour les autres textes, il demeure l'édition déjà ancienne – mais encore indépassée – des *Œuvres diverses*, due à P. Clarac, dans la « Bibliothèque de la Pléiade » (1958, réimp. 1967) : placée sous le signe de la biographie, cette édition a l'avantage de mettre en perspective les œuvres du poète au fil d'une chronologie établie le plus précisément possible, avec une annotation historique très utile [4]. On peut lire conjointement ce texte avec la présentation que le même auteur avait faite de « l'homme et l'œuvre » en 1947, dans la collection « Connaissance des Lettres » (rééd. 1969) ; petit livre un peu daté, certes, mais il réunit l'essentiel des informations sûres concernant la biographie du poète. Enfin, le récent regain d'intérêt pour La Fontaine « romancier » permet au lecteur curieux de bénéficier aussi d'une bonne édition – illustrée et commentée – des *Amours de Psyché et de Cupidon* en « Livre de Poche » (1991), établie par M. Jeanneret et S. Schœttke.

Parler d'« esthétique » pourrait, au premier abord, donner à penser qu'il convient de négliger le contexte biographique de l'œuvre, pour se tourner vers le ciel des idées poétiques. Cela n'est sans doute pas justifié en général, et l'est encore moins pour La Fontaine, qui fut bien un poète de son temps, avant de devenir notre « Homère national » (Sainte-Beuve). L'intérêt pour les questions formelles ne doit donc pas faire perdre de vue le contexte dans lequel elles ont pris sens – comme le rappelle J. Grimm dans un article récent [5]. P. Clarac avait naguère insisté sur ce point, en mettant l'accent sur la carrière de La Fontaine, et G. Couton a même écrit *La Politique de La Fontaine* (1959) ; récemment encore, à l'occasion du catalogue de l'exposition *Jean de La Fontaine* (Bibliothèque Nationale de France, octobre 1995-janvier 1996), M. Fumaroli a proposé une réflexion sur le thème « De Vaux à Versailles : la politique de la poésie ». Il convient donc de s'armer, pour notre exploration, de quelques outils biographiques et

---

3. Pour toutes les citations des *Fables* et des *Contes*, je renverrai à cette édition.

4. Pour les œuvres autres que fables et contes, je renverrai à cette édition, sous le sigle *O.D.*

5. « Pourquoi La Fontaine écrit-il des fables ? », dans *Le Pouvoir des fables*, 1994, p. 260-276.

historiques : la mise au point la plus récente concernant la biographie est le livre de R. Duchêne, *La Fontaine* (1990), qui met à profit tous les acquis récents de la recherche, et offre un tableau animé et vivant de la vie du fabuliste[6]. Dans le style de l'essai cursif, richement illustré et non sans élégance de plume, on trouvera l'essentiel des données bio-bibliographiques dans le petit livre de P. Dandrey, *La Fontaine ou les métamorphoses d'Orphée* (1995); c'est aussi avec profit et agrément que l'on pourra lire le *La Fontaine* que R. Bared vient de procurer dans la collection « Écrivains de toujours » au Seuil (1995). Ce petit livre, à la fois dense, bien informé, et illustré avec bonheur, est exemplaire de l'exégèse actuelle sur le poète, qui juge nécessaire de ne plus isoler les *Fables* du reste de l'œuvre.

Une fois équipés de ces cartes et des premiers guides d'ensemble, il nous faut remplir la musette de quelques nourritures roboratives, qui nous sustenteront pendant la marche : la plus riche sera sans conteste celle qu'offre l'ouvrage fondamental de J.-P. Collinet, *Le Monde littéraire de La Fontaine* (1970), qui embrasse l'ensemble de l'œuvre et offre une série de synthèses sur la création poétique de l'auteur et les divers ouvrages qui en sont issus, selon un canevas chronologique, qui va de *L'Eunuque* aux dernières œuvres, avec des haltes régulières sur des problèmes clés de l'esthétique classique (question des genres, des styles, des tons, rhétorique des passions et conception du sublime, tension entre la prose et la poésie, etc.). Ce serait toutefois commettre un oubli coupable que de négliger un ouvrage antérieur, qui fut pionnier et fondateur : *La Poétique de La Fontaine* de G. Couton (1957), qui ouvrit la voie aux recherches sur l'emblème et mit l'accent sur la tradition pédagogique des fables. A propos de la genèse de sa poétique, remise à l'honneur par les travaux récents d'Alain Génetiot (*Poétique du loisir mondain...*, 1996), La Fontaine avait bénéficié dès 1952 d'un analyste attentif – mais qu'il faut pouvoir lire en anglais ! –, P. A. Wadsworth, auteur d'un *Young La Fontaine : A Study of his Artistic Growth in his Early Poetry and First Fables*. L'attention actuelle portée à l'esthétique galante (travaux de J.-M. Pelous, 1980, A. Viala, 1989 ou A. Génetiot, 1990) permet de relire les premières productions du poète à la lumière des exigences de son temps – ce que M. Fumaroli appelle la « leçon de Paul Pellisson[7] ». Enfin, chapitre majeur de l'œuvre, les *Fables* ont donné lieu à de nombreuses monographies qu'il ne

---

6. A compléter par les sources documentaires réunies par G. Mongrédien, *Recueil des textes et des documents du XVIIe siècle relatifs à La Fontaine*,1973.

7. *Fables*, 1995, p. XXVIII-XXXIV.

saurait être question de passer en revue ici. Je préfère renvoyer aux bibliographies de J.-P. Collinet (1970), de J. Grimm (1994), ainsi qu'aux précieuses mises au point de la revue *Le Fablier*, entièrement consacrée à La Fontaine et à son œuvre [8] (depuis 1989). P. Dandrey, auteur d'un important essai intitulé *La Fabrique des Fables. Essai sur la poétique de La Fontaine* (1991), a rassemblé récemment un ensemble d'articles sur les *Œuvres galantes* de La Fontaine (1996), ce qui permet de lire des contributions de plusieurs grands spécialistes sur *Adonis*, *Le Songe de Vaux*, ou *Les Amours de Psyché* [9]. On pourrait mentionner aussi le recueil d'articles de J. Brody, *Lectures de La Fontaine* (1994) qui regroupe une série de « lectures philologiques », selon le terme cher à ce savant ; on renverra d'ailleurs, à propos de cette méthode, si féconde lorsqu'il s'agit d'interpréter La Fontaine, à l'article fondateur de L. Spitzer – qu'on ne peut pas ne pas citer ici –, sur « L'art de la transition chez La Fontaine » (1938, traduit en français dans *Études de style*, 1970).

A voir l'intensité de la production actuelle sur notre auteur, il serait presque légitime de s'interroger sur la portée d'une *Esthétique de La Fontaine*, qui menace d'être bientôt submergée sous un flot de travaux encore inédits, portant de surcroît sur de nombreux aspects de l'œuvre que la critique avait sans doute un peu trop négligés : est-il déjà temps de faire le point ? me demandera le lecteur sourcilleux. Je ne pourrais que répondre ce que disait La Fontaine en épilogue du XIe livre des *Fables* :

> Si mon œuvre n'est pas un assez bon modèle,
> J'ai du moins ouvert le chemin :
> D'autres pourront y mettre une dernière main.

Après ces ultimes précautions oratoires, et munis de notre viatique, nous pouvons donc à notre tour nous mettre en chemin.

---

8. Avec notamment une « Bibliographie analytique 1980-1989 » due à P. Dandrey dans le n° 3, 1991, p. 45-65.

9. Il ne m'a pas été donné l'occasion de consulter l'ouvrage récent de B. Donné sur *La Fontaine et la poétique du songe.*, Champion, 1995, qui porte notamment sur *Le Songe de Vaux* et *Les Amours de Psyché* ; S. Schœttke, co-éditeur de cette œuvre au Livre de Poche, annonce quant à lui une thèse à paraître sur la poétique de La Fontaine.

CHAPITRE I

LA FONTAINE ET LA POESIE DE SON TEMPS

Pour mieux comprendre la prise de parole poétique de La Fontaine, il est indispensable de bien avoir à l'esprit les conditions de celle-ci dans le cadre de la société et de la vie littéraire du XVIIe siècle. Nous verrons en effet que, lorsqu'il réfléchit sur sa pratique, La Fontaine retrouve des enjeux esthétiques qui sont indissociables des problèmes posés alors par la poésie en général. Il ne s'agit pas ici de récrire les pages de J.-P. Chauveau ou de H. Lafay sur la question [1] ; contentons-nous de quelques rappels d'ensemble, en nous appuyant notamment sur les travaux récents d'A. Génetiot (*Les genres lyriques mondains 1630-1660*, 1990 et *Poétique du loisir mondain*, 1996) [2]. Nous verrons d'abord la question de la prise de parole poétique dans son rapport à la société mondaine, puis quelques points concernant l'univers des formes, avant de nous interroger sur les liens entre poétique et rhétorique, dans le cadre de la création littéraire au XVIIe siècle.

PRISE DE PAROLE POETIQUE ET SOCIETE MONDAINE.

La poésie comme lieu d'échange.

L'indulgence que l'on a eue pour quelques-unes de mes fables me donne lieu d'espérer la même grâce pour ce recueil.

En s'exprimant ainsi en tête de sa préface de 1668 [• Anthologie, p. 137, texte 12], La Fontaine rappelle au lecteur actuel une réalité cruciale

---

1. J.-P. Chauveau et J.-C. Payen, *La Poésie des origines à 1715*, 1968 ; J.-P. Chauveau, *Anthologie de la poésie française du XVIIe siècle*, 1987 ; H. Lafay, *La Poésie française du premier XVIIe siècle (1598-1630)*, 1975.

2. A compléter par « La poétique de La Fontaine et la tradition mondaine… », *L'Information littéraire*, 1992, 1.

de la vie littéraire de son temps : il n'est pas de publication qui ne soit issue d'un échange préalable, d'une première diffusion « restreinte » ayant déjà donné lieu à une évaluation de l'œuvre. A cet égard, toute préface est à lire comme le volet d'un dialogue entre l'auteur et son public – et heureux l'éditeur ou le critique qui retrouve l'autre volet de celui-ci ! –; toutes les grandes œuvres poétiques du XVIIᵉ siècle sont nées dans de telles conditions. Est-il nécessaire de rappeler, par exemple, que Voiture dut le succès à son activité mondaine au sein de l'hôtel de Rambouillet, alors que ses œuvres ne furent regroupées et imprimées qu'après sa mort ? Ici, le poète est d'ailleurs indissociable de l'épistolier, et l'art de tourner une nouvelle, de conter une anecdote, en vers ou en prose, est, avant tout, un talent mondain [3]. Cela demeure vrai pour La Fontaine, comme en témoigne le caractère épistolaire des nombreuses pièces datant de la période de Vaux (*Œuvres diverses*, p. 491-527) : on pourrait simplement citer la longue lettre à Maucroix où le poète relate la fameuse fête que Foucquet offrit au roi le 17 août 1661 ; la prose narrative y alterne élégamment avec les descriptions en vers. La synthèse des arts y est célébrée, avec, en particulier, un éloge de Molière associé au « bon goût et [à] l'air de Térence » (p. 525). C'est tout l'esprit d'une nouvelle Arcadie qui est fêté, pour le plus grand plaisir de l'ami demeuré à Reims. La leçon de Voiture, qui a si souvent relaté à ses amis et correspondants les fêtes qui se donnaient à l'hôtel de Rambouillet ou les collations qui se faisaient à la campagne, porte ici ses fruits. L'auteur du *Voyage en Limousin* s'en souviendra encore, lorsqu'il correspondra avec sa femme, en 1663 (*O. D.*, p. 533-568) : la prose épistolaire s'y égaie sans cesse de petits tableaux ou de récits en vers [4]. D'autre part, l'épître en vers connaît au XVIIᵉ siècle une véritable « résurrection » (J.-P. Chauveau [5]), qui correspond moins à une activité théorique sur le genre, délaissé par les doctes, qu'à une prolifération libre et variée des pratiques, liées notamment à la vie mondaine, avide de formes adaptées aux exigences nouvelles de la sociabilité.

Cette disposition à l'échange et à la communication est d'autant plus importante que cette sociabilité s'élabore dans un monde assez fermé : c'est au cercle des amis qu'il s'agit de faire partager ou de remémorer les

---

3. Voir Génetiot, 1990, p. 139-169 : « Fonctions sociales de la poésie » et le chapitre V de *Poétique du loisir mondain*.

4. Sur l'esthétique du voyage galant, voir N. Doiron, *XVIIᵉ siècle*, 1995, 2.

5. « Avatars de l'épître en vers au XVIIᵉ siècle », *Littératures classiques*, 18, 1993, p. 18 ; dans le même numéro, consacré à ce genre, on se reportera particulièrement à la section « L'épître et l'essor de la vie mondaine » (contributions de D. Lopez et A. Génetiot pour une perspective générale).

instants heureux d'une conversation évanouie. Univers réservé aux *happy few*, ce monde des lettres où ont régné, avant La Fontaine, un Voiture ou un Sarasin, goûte les jeux de masques, les énigmes et les allusions, ne serait-ce que dans la mode des pseudonymes : Catherine de Rambouillet se fait appeler Arthénice (par Malherbe, qui lui donna ce nom de Parnasse, si l'on en croit Racan [6]), Mademoiselle de Scudéry, Sapho ; La Fontaine y porte volontiers le nom d'Acante (voir *Le Songe de Vaux*, *Clymène*) [• Anthologie, texte 28]. L'art de l'allusion voilée et de la complicité littéraire est donc une règle sociale, avant de devenir un jeu poétique : le narrateur narquois des *Contes*, puis le fabuliste se souviendra constamment de cet art de la fine raillerie, qui ne s'attarde ni ne pèse, et qui laisse toujours « quelque chose à penser » [• Anthologie, texte 44, v. 14]. Cette exigence était précisément un des lieux communs répété par les théoriciens de l'honnêteté, comme Faret (*L'Honnête Homme*, 1630) ou, plus tard, Méré (*Conversations*, 1668) : il ne faut jamais épuiser la matière dont on traite, au risque de passer pour pédant, ou simplement d'ennuyer par le bavardage. Il pèse donc sur la poésie mondaine à laquelle s'initie alors La Fontaine les mêmes impératifs que sur la conversation des honnêtes gens. La poésie appartient alors de plein droit à l'art de plaire, valeur suprême d'une société, avant de devenir le mot d'ordre de la poétique « classique » :

> On ne considère en France que ce qui plaît ; c'est la grande règle, et pour ainsi dire la seule [• Anthologie, texte 12].

Les impératifs de la conversation

Dans son livre sur *La Poétique du loisir mondain* (1996), A. Génetiot a mis l'accent sur ce qu'il appelle une « poésie de conversation » (chap. V) : la familiarité complice, le goût de l'« urbanité », les différentes fonctions d'échange (éloge, remerciement, demande, etc.) sont les constantes de cet art de vivre que représente la poésie galante. L'accent doit être mis aussi sur le caractère oral de cette communication lettrée : comme voudra le faire Oronte, dans le *Misanthrope* de Molière (I, 2), il s'agit de faire agréer son ouvrage au fil d'une conversation. Les pièces circulent ainsi, parmi les proches et les amis du cercle, avant tout souci de publication imprimée. Celle-ci n'est d'ailleurs justifiée, et envisageable,

---

6. *Vie de Monsieur de Malherbe*, 1991, p. 58 ; sur l'univers de Tendre, voir Chantal Morlet-Chantalat, *La Clélie de Mlle de Scudéry*, 1994 et A. Niderst, *Madeleine de Scudéry, Paul Pellisson et leur monde*, 1976.

que si l'approbation d'un cercle de connaisseurs a déjà été recueillie. Les préfaces et avertissements de La Fontaine [• Anthologie, textes 6, 12 et 38], ainsi que certains contes ou fables liminaires [• Anthologie, textes 15, 16, 18, 32], témoignent de ce dialogue avec un premier public[7].

Dans un tel contexte, on ne sera pas non plus choqué de voir les « morceaux choisis » de La Fontaine, réunis au gré des circonstances, avec d'autres pièces galantes, comme ce fut le cas, par exemple, de la fameuse *Elégie* aux Nymphes de Vaux (*O. D.*, p. 528), qui après une publication à part sur feuille volante fut intégrée à la seconde édition du *Recueil de pièces galantes* de Mme de La Suze[8] (1666). Même à la fin de sa carrière, La Fontaine n'hésitera pas à faire paraître certaines fables dans le *Mercure galant* (« Les Compagnons d'Ulysse », par exemple, en 1690, trois ans avant la parution de l'ultime livre XII). En 1693, le père Bouhours accueillera, avant sa publication par La Fontaine, la dernière fable de ce même livre XII (XII, 29 : « Le juge arbitre, l'hospitalier et le solitaire ») dans son *Recueil de vers choisis.*

La composition de deux recueils dûs au poète lui-même reflète encore cette diversité « galante » : les *Fables nouvelles et autres poésies* de 1671, et les *Ouvrages de prose et de poésie des Sieurs de Maucroix et de La Fontaine* (1685). Dans le premier ne paraissent que huit fables nouvelles, pour plus de trente autres pièces, dont trois fragments du *Songe de Vaux* [• Anthologie, texte 4] et *Adonis*[9]; le second offre dix fables nouvelles et une série de pièces diverses, dont cinq nouveaux contes, le discours à Mme de La Sablière [• Anthologie, texte 51] et le remerciement à l'Académie française (1684) [• Anthologie, textes 49 et 50]. D'autres textes, longtemps conservés manuscrits, et connus des seuls initiés, sont imprimés tardivement : un exemple célèbre est celui de l'épître « A Mgr l'évêque de Soissons » (le plus souvent appelée *Epître à Huet* [• Anthologie, texte 35], rédigée vers 1674, mais publiée seulement en 1687, à l'occasion de la querelle des Anciens et des Modernes[10], où son propos prenait encore plus de poids. Les circonstances mêmes, propres au genre de l'épître, expliquent le sort varié qui a été réservé aux nombreuses

---

7. Sur La Fontaine éditeur de ses œuvres, voir la précieuse mise au point de T. Allott, *XVIIe siècle*, 1995, 2.

8. *Recueil de pièces galantes en prose et en vers de Madame la Comtesse de La Suze et de Monsieur Pellisson*, publié à partir de 1663 avec des augmentations successives au moins jusqu'en 1691 (6e édition) : c'est l'exemple même du recueil collectif de poésie, comme il avait cours au XVIIe siècle.

9. On trouvera la table de ce recueil dans *O. D.*, p. 950-951.

10. Sur ce problème de datation, voir J.-P. Collinet, *Fables...*, 1991, p. XLIII et *Chronologie*, p. CLVII; cf. Huet, *Mémoires*, 1993, p. 119.

pièces que La Fontaine a pu écrire, soit pendant sa « pension poétique » auprès de Foucquet, soit plus tard, lorsqu'il fut le protégé de la famille de Bouillon : certaines épîtres ont été publiées dès 1671, d'autres dans les œuvres posthumes de 1696, d'autres enfin ont attendu l'attention des érudits du XIXe siècle pour être imprimées [11].

Le problème de la publicité donnée aux œuvres, dans la tradition galante, est d'autant plus central qu'une bonne part de leur valeur est déterminée par cette divulgation progressive, avec les enjeux de la mode, les secrets d'intrigues privées et le jeu social de la « distinction », qui suppose séparation et élite. A. Génetiot insiste à juste titre sur le caractère intermédiaire de cette société galante, à mi-chemin entre le public et le privé [12]. Dans ces années 1650-1660, la cour de Versailles n'existe pas encore, les salons d'avant la Fronde ne sont plus qu'un souvenir nostalgique ; d'autre part, dans le monde des lettres, se mêlent rêverie académique et quête d'un mécénat éclairé, aux confins du monde retiré des savants et de l'éclat de la réussite mondaine [13]. Un Pellisson, par exemple, arrive à Paris en 1650 avec les habitudes d'une Académie savante provinciale (celle de Castres), il découvre alors les prestiges d'une littérature galante (on vient d'éditer les œuvres de Voiture), fréquente le tout nouveau salon de Mlle de Scudéry et se lie avec Jean-François Sarasin.

La fonction sociale de la littérature est alors en pleine évolution [14] : sous l'emprise des « nouveaux doctes » (A. Viala, 1985, p. 33), celle-ci quitte peu à peu les cabinets savants pour les salons mondains. Le jeune La Fontaine, issu du milieu humaniste et savant de la Champagne, arrive à Paris au moment même où s'affirment les nouvelles exigences de l'honnêteté : fréquentant Pellisson, Tallemant des Réaux ou Perrot d'Ablancourt [15], il est au contact des deux univers, savant et mondain, où s'élabore l'idéal de l'honnête homme. Sa « double carrière » poétique et la diversité des genres qu'il pratique seront exemplaires de la synthèse que l'on pouvait tenter alors.

---

11. Voir, entre autres, les annotations de P. Clarac dans *O. D.*, p. 917-928 ; sur les épîtres de La Fontaine et leur contexte, on peut se reporter à J. Grimm, *Littératures classiques*, 18 (1993), p. 213-231 et J.-P. Collinet, *ibid.*, p. 233-246.

12. 1990, p. 176-179 et 1996, chapitre II ; cf. J.-M. Pelous, 1980, p. 9-11 et E. Bury, « Le monde de l'honnête homme », *Littératures classiques*, 1994.

13. Voir A. Viala, *Naissance de l'écrivain*, 1985 et R. Zuber, « Malaises d'une littérature sans cour », dans *Précis*, 1990, p. 171-186.

14. Voir E. Bury, *Littérature et politesse*, 1996, notamment « L'esthétique des salons », p. 105-111.

15. R. Bared, 1995, p. 18-20 ; P. Dandrey, 1995, p. 23-25.

L'UNIVERS DES FORMES

La diversité des circonstances auxquelles doit se plier la poésie du XVIIᵉ siècle explique la variété et la plasticité des genres qu'elle illustre ; on peut s'en convaincre en lisant les diverses anthologies aujourd'hui disponibles [16], mais aussi en feuilletant les œuvres des plus brillants de ces poètes, Théophile de Viau, Tristan l'Hermite, Voiture, Sarasin et, bien sûr, La Fontaine. Le renouveau des études autour de la poésie « baroque », et l'intérêt porté aux questions de l'esthétique galante fournissent en outre de nombreux outils au lecteur curieux [17].

Le jeu mondain conduit à la fois à la répétition des thèmes – où chacun rivalise d'habileté sur un même sujet – et à la variation formelle : d'où une richesse incontestable de la production poétique. Il est vrai qu'à l'âge de La Fontaine, l'esthétique galante a su prendre ses distances par rapport à ce qu'une rhétorique un peu ancienne a de répétitif et de daté : on se méfie des figures trop voyantes, on prône un naturel plus aisé et une négligence qui sied mieux à l'esprit de la conversation. L'« ironie galante » (Pelous, p. 159-193) met à distance un certain esprit de sérieux encore attaché à la génération de Chapelain ou de Balzac.

Du bon usage des genres

Cela n'ôte rien cependant à la valeur reconnue des genres qui ont, comme le note A. Génetiot, une « fonction d'introduction, de *captatio benevolentiæ* » à l'égard d'un public informé (1990, p. 25). Le genre crée un « horizon d'attente » avec lequel il s'agit de jouer, soit en le comblant par une exécution parfaite – ainsi en amenant le mieux possible la pointe finale d'un sonnet (voir Oronte) –, soit en le décevant par la parodie et la subversion burlesque (leçon que La Fontaine retiendra de Scarron et de Voiture). Dans ce cadre, les genres fixes, sonnet, rondeau, ballade, alternent avec des genres plus variables, comme l'ode, la stance, le madrigal ou la chanson. Il suffit de lire le *Recueil* de Mme de La Suze pour juger du succès de ces formes, et du modèle qu'elles offrent au gentilhomme qui veut, comme Oronte, trousser élégamment un poème de circonstance :

---

16. Voir, outre l'anthologie déjà citée de J.-P. Chauveau, *La Poésie française de 1640 à 1680*, choix de textes (classés par genres) par R. Picard, 1965-1969 (en deux volumes) et, plus ancienne, classée chronologiquement et par auteur, l'*Anthologie poétique française, XVIIᵉ siècle*, par M. Allem, Garnier-Flammarion, 2 vol., 1966.

17. Voir H. Lafay, 1975, J.-M. Pelous, 1980, D. L. Rubin, 1986 et les ouvrages déjà cités d'A. Génetiot ; sur le baroque, voir la mise au point de B. Chedozeau, *Le Baroque*, 1989, surtout le chap. 2, sur la poésie (p. 35-88).

élégies, sonnet, « relation » en vers et en prose, maximes sous forme d'épigrammes, chansons, dialogues en vers se succèdent ainsi au hasard des pages [18]. Un véritable art poétique par l'exemple nous est offert. On y voit régner les vers mêlés et le prosimètre (qui alterne vers et prose) : l'influence de la pastorale italienne et du burlesque ont en effet mis à l'honneur les premiers, qui permettent d'assouplir les contraintes du mètre. Exemplaire réussite de la poésie mondaine, *La Guirlande de Julie* (1633-1641) marque l'apogée des vers mêlés dans le madrigal [19]. Le prosimètre était déjà constant dans l'*Astrée*, chef-d'œuvre d'Honoré d'Urfé qui fut le bréviaire de tous ces bergers-poètes. Il est aussi, comme le rappelle N. Doiron (1995, p. 194), le mode d'expression favori du voyage galant : il suffit de relire le *Voyage en Limousin* pour s'en convaincre.

D'*Adonis* à l'ultime fable du livre XII, La Fontaine gardera en mémoire toutes ces formes, ce qui confère élégance et plasticité à son art : la conscience des difficultés techniques est d'ailleurs explicitement présente dans ses textes liminaires. L'avertissement d'*Adonis* (1669-1671) [• Anthologie, texte 27] pose la question des rapports entre genre héroïque et idylle [20]; la préface des *Amours de Psyché* [• Anthologie, texte 22] met en avant la difficulté de la narration en prose [21] (« je confesse qu'elle me coûte autant que les vers » écrit-il). La réflexion sur les styles (héroïque et lyrique) réapparaît dans l'avertissement du *Songe de Vaux* (1671) [• Anthologie, texte 31], et, après avoir défendu le choix du mode allégorique (en l'occurrence ici l'usage du songe [22]), l'auteur conclut sur la nécessité de varier les tons, au nom de l'agrément. Il suffit enfin de se reporter aux préfaces des *Contes* [• Anthologie, textes 6 et 8] et à celle des *Fables* [• Anthologie, texte 12] pour se convaincre de la méditation constante du poète sur la nécessité et les moyens de plaire, tant en prose qu'en vers. Même la plus haute poésie religieuse – abondante pendant tout le XVIIe siècle [23] – ne lui est pas étrangère : il paraphrase le *Psaume* XVII

---

18. Dans l'édition de 1693 que j'ai consultée — et qui reprend sans doute l'édition Cavelier de 1691 en quatre tomes — voir, au t. 1, les p. 3, « Élégie », p. 9, « Jouissance. Sonnet », p. 24, Relation du « Séjour des Ennuis », p. 57, « Maximes d'Amour », p. 81, « Musique de la Grotte de Versailles » *(Chanté par deux Bergers)*, et p. 135, « La Fauvette. Dialogue ».

19. A. Génetiot, 1990, p. 62 ; cf. J.-P. Chauveau, *Anthologie*, 1987, p. 336-338.

20. Voir J.-P. Collinet, 1970, p. 53-59, sur le problème de la manière « fleurie ».

21. Problème qui s'est souvent posé à La Fontaine, comme le rappelle J.-P. Collinet, 1970, p. 352-354, à propos de la double traduction, en prose et en vers, de l'*Inscription tirée de Boissard* (*O. D.*, p. 769-773).

22. Voir, à ce propos, B. Donné, « Le Parnasse de Vaux… », *XVIIe siècle*, 1995, 2, p. 206-209.

23. Voir J.-P. Chauveau, *Anthologie*, 1987, *Préface*, p. 21-24 ; R. Picard, *La Poésie française…*, t. 1, deuxième section, « Poésie religieuse ».

dans le *Recueil de poésies chrétiennes et diverses* de 1671 (*O. D.*, p. 591) et traduira, à la fin de sa vie, le *Dies iræ* (*O. D.*, p. 734). Il s'est même essayé – non sans succès – à l'idylle chrétienne dans son *Poème sur la captivité de Saint-Malc* (1673), où il désire, de son propre aveu, joindre la « sainteté du sujet » (l'histoire d'un martyr) aux « beautés de la poésie » [• Anthologie, texte 33]. Le *Poème du Quinquina* (1682) [• Anthologie, texte 48] sera enfin une des rares tentatives notables de poésie didactique au XVIIᵉ siècle. A sa façon, La Fontaine a parcouru toutes les terres de « l'empire de poésie » que Fontenelle, quelques années plus tard, s'amusera à décrire sur le mode cartographique dans le *Mercure Galant* [24] (1678).

La lecture des *Œuvres diverses* suffit à nous convaincre de cette fécondité : on verra par exemple le « Sonnet pour Mlle d'Alençon » (écrit vers 1665, publié en 1671, *O. D.*, p. 583) qui mêle habilement, sur le ton de l'ode, éloge de la beauté et éloge de la paix, suivi d'un sonnet beaucoup plus galant pour Mademoiselle de Poussay *(ibid.)* :

> Que de grâces, bons dieux ! tout rit dans Luxembourg :
> La jeune Olympe voit maintenant à sa cour
> Celle que tout Paphos en ces lieux a suivie.

La « pension poétique » définie dans la fameuse épître à Foucquet (*O. D.*, p. 494-495), que l'on peut dater de 1659, est faite de cette « monnaie légère » et de ces « menus vers [qui] sont en vogue à présent » : madrigaux, ballades, dizains, épigrammes, mais aussi odes et épîtres [25]. Gardons à l'esprit que, comme le remarque La Fontaine en tête du *Songe de Vaux* [• Anthologie, texte 31], il faut « entremêler » les épisodes sérieux d'épisodes galants pour « égayer » le poème et le « rendre plus agréable » : le mélange des tons n'est donc pas un simple fruit des circonstances, mais bien le résultat d'une poétique concertée qui repose, une fois de plus, sur la conviction que le « principal but est toujours de plaire » [• Anthologie, texte 22].

Clymène ou l'exercice de la nuance

La variété des tons, plus subtile que la simple variation des formes, est, comme l'a montré J.-P. Collinet, une des clés de l'esthétique de La Fontaine [26], et elle s'affirme notamment dans *Clymène* :

---

24. On en trouve un extrait amusant dans R. Picard, *La Poésie française...*, t. 2, p. 22.

25. Voir par exemple : « Ballade sur la paix des Pyrénées », p. 498, « Dizain », p. 500, « Ode pour la paix », p. 501, épigramme sur Scarron, p. 514, « A M. F. » sur la naissance du dauphin (à nouveau prose mêlée de vers), p. 515-519 ; sur cette production de La Fontaine, voir J.-P. Collinet, 1970, p. 83-94.

26. 1970, p. 13-14 et, surtout, p. 292-293, à propos de *Clymène*.

Dans une composition polyphonique telle que *Clymène* la distinction des genres tend à s'estomper pour ne plus laisser jouer que la gamme des tons (p. 292).

Cela fait écho, notons-le d'emblée, au débat général entre Ariste et Gélaste, dans *Les Amours de Psyché*, sur le rire et la compassion [• Anthologie, textes 23 et 24]. Poliphile, le narrateur des aventures de Psyché, y reconnaît en effet :

> J'ai déjà mêlé malgré moi de la gaieté parmi les endroits les plus sérieux de cette histoire ; je ne vous assure pas que tantôt je n'en mêle aussi parmi les plus tristes. C'est un défaut dont je ne me saurais corriger, quelque peine que j'y apporte [• Anthologie, texte 24].

On sait d'ailleurs que La Fontaine considère « l'uniformité de style comme la règle la plus étroite que nous ayons » (Préface de *Psyché*) [• Anthologie, texte 22] et *Psyché* lui donne justement l'occasion de rechercher un « caractère [style] nouveau » qui repose sur le mélange (« un juste tempérament » dit-il[27]). Ce qu'il théorise en tête du « roman » *Psyché*, il en esquisse la pratique, sur le mode dramatique cette fois, dans *Clymène*. Cette pièce étrange, publiée avec les *Contes* (1671) n'est pas « faite pour être représentée », comme le dit La Fontaine[28] : elle développe néanmoins un dialogue entre Apollon et les Muses, qui est prétexte à passer en revue les différents genres et tons de la poésie : chant amœbée de l'églogue entre Terpsichore et Euterpe (v. 36-79), mise en scène tragique de Melpomène, qui joue, avec sa rivale Thalie, un dialogue entre Acante et Clymène (v. 85-180), puis variation sur le mode de la comédie (dispute entre Acante et Clymène, v. 196-262). Clio, Muse de l'histoire, est prétexte à imiter les genres anciens, notamment ici une ballade à la façon de Marot [• Anthologie, texte 28]; Calliope, Muse de l'épopée, s'essaie au style de l'ode, mais en vain (v. 362-367) [• Anthologie, texte 29], avant que Polymnie, faisant parler Acante, ne choisisse les stances pour une leçon toute horatienne de *carpe diem* (v. 402-421). Après Erato, qui se contente d'un dizain (v. 480-489), Uranie ne peut que déplorer la mort de la poésie (v. 513-528) [• Anthologie, texte 30]; enfin la parole est donnée à Acante lui-même qui, grâce à un long récit en vers (v. 556-666), obtient la palme du concours, confirmant du coup le constat initial d'Apollon (v. 5) :

---

27. Sur ce rapport entre les mots *caractère* et *style*, voir J. Molino, « Qu'est-ce que le style… », 1977 ; à propos de cette question chez La Fontaine, voir J.-P. Collinet, 1970, p. 243-253.

28. *Fables et Contes*, p. 777 ; voir la notice de J.-P. Collinet, p. 1442-1444.

Ce qu'on n'a point au cœur, l'a-t-on dans ses écrits ?

Derrière la variété des genres s'esquisse une poétique de la sincérité. Cela est d'ailleurs thématisé au fil du texte : lorsqu'Apollon interrompt Mélpomène et Thalie (v. 263) en leur reprochant de rendre les amants plaisants par leur situation, et non par leur caractère (v. 265-272), Thalie reconnaît la difficulté qu'il y a à saisir les contradictions d'un « homme inégal à tel point » [• Anthologie, texte 28, v. 1-10] : de fait, seul Acante saura ressentir et faire sentir l'état de son âme. Le refus affirmé par Apollon de la sotte imitation (v. 340-357) va dans le même sens, et l'échec de Calliope dans le genre élevé et tendu de l'ode est peut-être un indice de cette limite poétique : plus bas, Apollon préférera explicitement Horace [• Anthologie, texte 29, v. 48-51]. Enfin l'amer constat d'Uranie déplore l'abondance des « versificateurs » et l'absence de véritables poètes qui connussent le « langage divin » d'Orphée [• Anthologie, texte 30, v. 24-39].

Pour comprendre la poétique des tons que recherche La Fontaine, il suffit d'avoir à l'esprit ce refus de critères exclusivement formels – c'est l'art des *versificateurs* –, qui ne relèvent, somme toute, que de la maîtrise technique et de l'exercice. Au repère tout extérieur des genres, La Fontaine tend à substituer une mesure beaucoup plus intériorisée, le ton. Celui-ci reflète plutôt un état d'âme, authentique dans sa variation même – la gaieté, la tristesse, la compassion (cf. *Psyché*) – que la soumission convenue à une forme. Mais on comprend bien que cette liberté recherchée par le poète ne peut prendre sens que dans le cadre de la poétique du temps, qui considère que les genres existent et que la hiérarchie des styles est un fait : même si, pour La Fontaine, le style est bien moins une question de technique qu'une question de vision, l'affirmation d'un ton personnel ne peut passer que par la maîtrise de toute la palette, et par l'intériorisation et l'assimilation, en dernière analyse, des critères génériques et stylistiques de son temps [29]. A ce titre, l'« exercice » que représente *Clymène* peut s'apparenter aux pastiches et parodies qu'un Marcel Proust, deux siècles plus tard, pratiquera, précisément pour se défaire du style des auteurs qu'il admire et forger ainsi son propre ton de voix.

---

29. Sur la théorie des genres chez La Fontaine, voir J.-P. Collinet, 1970, p. 339-342 ; il rapproche justement la fin de l'opéra *Daphné* (*O. D.*, p. 403-406) du panorama offert par *Clymène*.

POETIQUE ET RHETORIQUE

Les trois styles

La conscience d'un rapport étroit entre système des genres et hiérarchie des styles est particulièrement bien illustrée par Boileau qui, dans l'*Art poétique*, trois ans après la publication de *Clymène*, s'amusera à son tour du glissement que l'on peut opérer de l'un à l'autre (chant II) :

> Telle qu'une Bergère, au plus beau jour de fête,
> De superbes rubis ne charge point sa tête,
> Et sans mêler à l'or l'éclat des diamants,
> Cueille en un champ voisin ses plus beaux ornements.
> Telle, aimable en son air, mais humble dans son style,
> Doit éclater sans pompe une élégante Idylle :
> Son tour simple et naïf n'a rien de fastueux,
> Et n'aime point l'orgueil d'un vers présomptueux.
> Il faut que sa douceur flatte, chatouille, éveille ;
> Et jamais de grands mots n'épouvante l'oreille.
> Mais souvent dans ce style un Rimeur aux abois
> Jette là de dépit la flûte et le hautbois,
> Et follement pompeux, dans sa verve indiscrète,
> Au milieu d'un églogue entonne la trompette.
> De peur de l'écouter, Pan fuit dans les roseaux,
> Et les Nymphes d'effroi se cachent sous les eaux.
> Au contraire, cet autre abject en son langage
> Fait parler ses Bergers, comme on parle au village.
> Ses vers plats et grossiers dépouillés d'agrément,
> Toujours baisent la terre, et rampent tristement.
> On dirait que Ronsard sur ses *pipeaux rustiques*,
> Vient encore fredonner ses Idylles gothiques,
> Et changer sans respect de l'oreille et du son,
> Lycidas en Pierrot, et Phylis en Thoinon [30].

Sous forme parodique, on reconnaît ici l'allusion aux trois styles – le moyen, le grand et le bas – de la rhétorique classique, telle qu'elle est exposée notamment par Cicéron. Ce dernier expliquait en effet, dans l'*Orator* (XXIII-XXXI), la distinction entre les trois *genera dicendi* que sont le style simple, le style tempéré et le style sublime. Le premier *(genus humile)* se distingue par sa sobriété, sa pureté et sa clarté : mais c'est une simplicité

---

30. *Art poétique*, chant II, v. 1-24 ; tout le chant passe en revue les différents genres de la poésie (églogue, élégie, ode, sonnet, épigramme – avec une critique contre la tyrannie de la pointe –, rondeau, ballade, madrigal, satire enfin).

qui s'obtient à force de travail et de soin, la fameuse *neglegentia diligens* [31] (XXIII, 78). Le second *(genus medium)* est caractérisé par sa douceur *(suavitas)* : c'est le style de l'agrément et de la variété, qui joue sur les tropes (métaphore et métonymie, XXVII, 92) et permet les développements généraux (95). Le troisième *(genus grande* ou *vehemens)* est « majestueux, riche, sublime, éclatant » : c'est celui qui agit le plus sur les esprits, explique Cicéron, car il provoque l'admiration (XXVIII, 97). L'orateur idéal sera celui qui sait adapter son style aux choses dont il traite, et qui est donc capable de se plier aux trois *genera dicendi* selon que son sujet est simple, moyen ou élevé (XXIX, 100). Si on relit les vers de Boileau que je citais à l'instant, on comprend mieux comment situer l'idylle, qui appartient au *genus humile*, sans tomber dans une bassesse prosaïque tout en échappant à la trompette du style sublime ; la suite du chant II de l'*Art poétique* s'amuse à monter cette échelle, en passant à l'élégie (v. 38-57), puis à l'ode (v. 58-70), retrouvant au passage des métaphores toutes cicéroniennes :

> Son style impétueux souvent marche au hasard.
> Chez elle [l'ode] un beau désordre est un effet de l'art. (v. 69-70)

Boileau, après La Fontaine, nous rappelle ainsi que pour un poète du XVIIe siècle, les genres sont une réalité tangible, et que la hiérarchie des styles existe. La fable « Contre ceux qui ont le goût difficile » [• Anthologie, texte 15] joue sur le même procédé, en glissant du ton de l'épopée à celui de la pastorale, pour répondre à ceux qui critiquaient l'humilité des fables. On voit clairement dans ce texte que, au-delà du genre – nous sommes dans une fable –, ce sont le lexique et les figures qui déterminent le « ton » : hyperboles (mille moyens/mille assauts), périphrase (« fière cité »), épithètes homériques (« sage Ulysse », « Ajax l'impétueux ») pour l'épopée ; « jalouse », « *son* Alcippe », « soins » caractérisent le vocabulaire affectif de l'églogue, mis en valeur par les référents obligés de la pastorale (« Moutons », « chien », « saules », et le « doux Zéphyr », fidèle auxiliaire de Cupidon). Les styles définissent donc des registres homogènes, en harmonie avec le genre dans lequel on les emploie : les figures trop voyantes dans l'églogue, aussi bien que l'absence d'épithètes ou de figures dans l'épopée sont, au même titre, des fautes contre le style, et, à terme, contre le goût. La « bienséance », au sens rhétorique que lui donne Cicéron – et dont se souvient La Fontaine dans la préface des *Contes* [• Anthologie, texte 6] –, est en jeu ici ; elle consiste à saisir le rapport juste entre le style et le sujet traité ou le public visé. Cette *convenientia* (ou *aptum*, autre mot cher à Cicéron) est un outil d'évaluation essentiel pour parvenir à la *justesse* du style.

---

31. Sur ces notions, voir M. Fumaroli, *L'Age de l'éloquence*, 1980, p. 54-55.

L'ingenium, mise en question des styles ?

Du point de vue du poète, La Fontaine est contraint d'ajouter un autre critère de convenance, qui définit cette fois le rapport du style et du genre choisis au tempérament naturel *(ingenium)* de celui qui écrit. On croise alors un autre problème rhétorique : celui de l'*ethos* – de la *persona*, dirait Cicéron – que l'orateur doit donner à voir et à sentir à son public pour mieux le persuader [32]. En poésie, cela est indissociable du discours sur l'inspiration, car le poète est un « favori des Muses » :

> Quand j'aurais en naissant reçu de Calliope
> Les dons qu'à ses amants cette Muse a promis,
> Je les consacrerais aux mensonges d'Esope [...]
> Mais je ne me crois pas si chéri du Parnasse
> Que de savoir orner toutes ses fictions.

> [• Anthologie, texte 15, v. 1-3 et 5-6]

Cet aveu d'impuissance vient notamment de la tradition satirique – au moins depuis le « Discours au Roi » de Mathurin Régnier – et on le retrouve sous la plume de Boileau en tête de ses *Satires* (1666) :

> Je mesure mon vol à mon faible génie [33].

Le poète choisit la satire, faute de pouvoir s'élever assez haut dans l'éloge. L'*ethos* satirique se caractérise donc par ses interventions et prises de paroles, qui témoignent explicitement de l'*ingenium* (talent) et de l'humeur de l'auteur, de ses caprices et de son indignation.

Avec la tradition galante, la présence du *je* ironique et de l'auto-commentaire devient la règle, pour mettre à distance ce que le sérieux trop constant de la parole amoureuse pourrait avoir d'ennuyeux ou de dysphorique [34]. Paradoxalement, ce recul par rapport au lyrisme sérieux ne ferme pas la porte à une poésie de la sincérité : en effet, confronté aux exigences de la tradition rhétorique, le poète galant s'appuie sur l'ironie pour mettre à distance le poids des conventions. Celle-ci devient donc un moyen de faire affleurer le naturel, là où le convenu risquait de trop laisser sa marque. Dès lors, rire de soi et de son propre discours est une des premières voies de la sincérité authentique – ce qui ne renie pas forcément le sérieux de l'intention – et détermine le lieu véritable du « lyrisme mondain », où s'élabore une subtile politesse de l'esprit : il s'agit de dire

32. Voir G. Declercq, *L'Art d'argumenter*, 1992, p. 47-53.

33. « Discours au Roi », v. 14 ; cf. Régnier, *Satyre* I, v. 47-50.

34. Voir A. Génetiot, 1990, « le parasitage du discours sérieux », p. 97-99 ; cf. J.-M. Pelous, 1980, p. 155-156 sur le « scepticisme galant » et p. 159 et suiv. sur « l'ironie galante ».

je tout en écartant ce que ce *je* pourrait avoir d'irritant ou de pesant pour autrui. Pensons à Alceste, qui est un ridicule pour le public de son temps : son lyrisme satirique et misanthropique, tout imbu de soi (« je veux qu'on me distingue », I, 1), n'est pas dans le ton du salon de Célimène. Sa franchise est, à l'évidence, un danger social et surtout, une faute de goût. La prudence dans l'affirmation du *je* sera donc de règle : d'où les nombreuses stratégies du lyrisme galant, qui cherchera à plaire sans renoncer à être sincère.

La plus frappante de ces stratégies est la mise à distance des codes liés aux genres et aux styles, qui introduit un jeu avec la rhétorique implicite de tout discours sérieux. C'est pourquoi le pastiche fait partie intégrante de cette poétique : cela est naturel dans un contexte de création littéraire, où traduction et imitation sont deux vecteurs essentiels [35]. Au demeurant, La Fontaine n'avait pas à chercher bien loin ses modèles : avec la Fronde (1648-1652) avait fleuri la veine burlesque qui, justement, ne peut se comprendre qu'en fonction d'une littérature où classification des genres et hiérarchie des styles ont une valeur reconnue. Dans le double contexte d'une poétique de l'imitation/traduction et des genres, Scarron avait excellé dans l'inversion burlesque avec son *Virgile travesty* [36] : celui-ci relève bien d'une poétique de l'imitation, puisqu'une telle entreprise suppose la bonne connaissance de l'original latin qu'elle subvertit ; l'image même du « travestissement » correspond à la métaphore chère aux auteurs de « Belles Infidèles », qui parlaient d'« *habiller* à la française » les auteurs anciens qu'ils traduisaient. L'irrespect de la parodie se fonde donc, en dernière analyse, sur un très grand respect du modèle, qui prouve ainsi sa force, puisqu'il résiste à un tel traitement. Le *Virgile travesty* relève aussi d'une poétique de la distinction des genres et des styles, puisque tout le jeu consiste en un renversement des valeurs, où l'on fait parler les princes comme des harengères, où le lexique concret, proverbial ou archaïque prend le pas sur le « haut style » de l'épopée. L'attention à la langue est d'ailleurs un trait dominant des poètes burlesques, comme des poètes galants ; nous demeurons bien dans un univers où les leçons de Vaugelas (*Remarques sur la langue française*, 1647) sont sujet de conversation dans les salons mondains [37].

35. Voir R. Zuber, *Les Belles Infidèles et la formation du goût classique*, 1995 et E. Bury, « La Fontaine traducteur », *XVIIe siècle*, 1995, 2.

36. Publié de 1648 à 1653, ce poème s'arrête au livre VIII ; cf. l'édition de J. Serroy, « Classiques Garnier », 1988 ; pour d'autres exemples de burlesque, voir R. Picard, t. 2, 1969, deuxième section, p. 65-120.

37. Voir la fameuse lettre de Voiture sur *car*, *Œuvres*, 1855, t. 1, p. 293-296 ; cf. E. Bury, « Les salons à l'époque classique », *Les Espaces de la civilité*, 1995, p. 31, p. 35.

A cela s'ajoute le goût italien pour l'héroï-comique, à la façon de Berni et de Tassoni, que Saint-Amant avait acclimaté en France dès 1640 avec son poème sur *Le Passage de Gibraltar*. Sa préface proclame précisément la liberté d'un *ingenium* qui repose sur une maîtrise suprême des divers registres du lexique et du style :

> Il est vrai que ce genre d'écrire composé de deux génies si différents, fait un effet merveilleux, mais il n'appartient pas à toutes sortes de plumes de s'en mêler; et si l'on n'est maître absolu de la langue, si l'on n'en sait toutes les galanteries, toutes les propriétés, toutes les finesses, voire même jusqu'aux moindres vétilles, je ne conseillerai jamais à personne de l'entreprendre. Je m'y suis plu de tout temps, parce qu'aimant la liberté comme je fais, je veux même avoir mes coudées franches dans le langage [38].

Avant La Fontaine, Saint-Amant apparaît comme le poète du « tempérament » par excellence; son art contrasté et divers, qui pratique, selon l'humeur, le burlesque, l'idylle, le caprice ou le style héroïque, semble annoncer l'accord que l'on retrouve chez La Fontaine entre la variété d'une œuvre et l'affirmation d'un *ingenium* né sous le signe de Protée [• Anthologie, textes 26, 51].

Style, caractère et « ton »

La possibilité d'un tel accord est d'autant plus envisageable que les théories anthropologiques de l'époque lient nettement « style » et « caractère [39] ». Pour les esprits du temps en effet chaque genre a son « caractère » propre : l'*ethos* serait donc le fondement de la variété des formes, qui ne serait plus liée au simple arbitraire d'une convention externe. Par conséquent, toute distorsion entre l'*ethos* et le style qu'on lui prête sonne faux : c'est exactement ce qu'Apollon reprochait à la « comédie » de Thalie et de Melpomène, à propos du caractère d'Acante (*Clymène*, v. 272). Cela explique aussi que l'on rencontre dans le vocabulaire esthétique de l'époque des mots qui nous sembleraient aujourd'hui plutôt relever de l'ordre éthique. Balzac écrivait ainsi, à propos de la querelle des sonnets de Job et d'Uranie : « les deux sonnets sont de deux *caractères* différents [...]; le sonnet d'Uranie est dans le genre *grave*; le sonnet de Job dans le *délicat* [40] ». Pellisson, dans son *Discours sur les Œuvres de*

---

38. « Préface du *Passage de Gibraltar* », dans les *Œuvres*, t. 2, éd. J. Lagny, 1967, p. 157, l. 30-40.

39. Voir, pour le cadre général de la réflexion, L. van Delft, *Littérature et anthropologie*, 1993, première partie (« Le *caractère*, pierre angulaire de l'anthropologie classique »).

40. Cité dans R. Picard, ouv. cit., t. 2, p. 213 (section sur la « Querelle des sonnets », p. 199-214).

Monsieur Sarasin (1656), saluait l'art de Voiture en des termes du même registre :

> M. de Voiture – qui pourrait lui refuser cette louange ? – vint alors, avec un esprit très galant et très délicat et une mélancolie douce et ingénieuse, de celles qui cherchent sans cesse à s'égayer[41].

Galanterie, délicatesse, mélancolie, douceur, ingéniosité : tout ce lexique « moral » appartient bien, pour Pellisson, pour Balzac ou pour La Fontaine, aux outils de l'analyse littéraire, même au sens le plus stylistique du terme. De fait, ces mots servent ici à désigner le « style marotique », remis à la mode par Voiture, ce ton de l'« élégant badinage » cher à La Fontaine [42]. C'est ainsi qu'il conviendra de comprendre l'idée de « gaieté », si souvent avancée par le poète [• Anthologie, textes 12, 20, 23, 31] et dont P. Dandrey a su montrer avec précision le fonctionnement textuel (1991, p. 259). A ce point limite, où « caractère » et « style », évaluation morale et analyse esthétique se rejoignent, devient possible une combinatoire subtile entre le lexique, le style et le genre qui aboutit au *ton*, outil essentiel, et infiniment plus nuancé, pour la quête d'une expression sincère.

La séduction du naturel

Cette exigence de souplesse et de variété ne se comprend que si on conserve à l'esprit l'autre grand souci de l'esthétique galante qui est le *naturel*. En 1656, Paul Pellisson loue Sarasin d'avoir su allier la richesse des inventions et la « facilité » du naturel :

> Car, pour l'invention, ses poésies n'ont-elles pas toujours quelque chose d'ingénieux, de nouveau, de particulier, qu'il n'a point pris ailleurs et qu'il ne doit qu'à lui-même ? Et pour la facilité des vers, où la trouvera-t-on, si on ne la trouve dans ses ouvrages ? Il n'y a rien de plus net, de plus libre, de plus aisé, de plus coulant ; non seulement la nature y paraît partout, mais, comme a dit un de nos illustres amis, elle y paraît partout à son aise[43].

Comparé à Protée ou à un caméléon, Sarasin est admiré pour son aptitude à prendre tous les tons, du plus bas au plus élevé, et à aborder avec le même bonheur tous les genres, de l'histoire la plus sérieuse et de la poésie la plus sublime à la prose la plus simple et aux pièces les plus

---

41. Ed. A. Viala, 1989, p. 69.

42. Voir A. Génetiot, 1990, p. 104-106 ; cf. *Poétique du loisir mondain…*, chapitre III, 3e partie : « L'innovation galante ».

43. Ed. A. Viala, 1989, p. 62.

galantes [44] : Pellisson annonce ici toute la réflexion de l'âge classique sur la nécessité de ne pas laisser transparaître le travail de l'artiste dans la réalisation finale [45]. Dans ce cadre, non seulement le naturel est ce qui est conforme à l'usage (selon les attentes de Vaugelas), mais il comporte aussi la valeur de spontanéité (« naïveté » est le mot du siècle) : à ce titre, il fait peser sur le style figuré une lourde hypothèque, car les figures trop voyantes risquent de nuire au naturel. Rappelons-nous, à ce propos, l'embarras de Calliope face à Apollon dans *Clymène* [• Anthologie, texte 29, v. 30-36] : il annonce le prologue de la fable déjà citée « Contre ceux qui ont le goût difficile » [• Anthologie, texte 15, v. 1-6], et montre la conscience que La Fontaine avait du problème ; le choix de la fable comme genre de prédilection – par excellence genre du style bas – sera la réponse qu'il lui apportera.

En tant que bon usage, le naturel nous ramène à la question de l'honnêteté, c'est-à-dire au caractère social du langage, qui exclut toute conduite trop singulière : la difficulté pour le poète galant est d'être « particulier » (Pellisson) sans s'imposer violemment par une trop criante originalité. Il faut être soi sans blesser autrui : Saint-Amant s'était déjà essayé à cette « liberté », il conviendra à La Fontaine d'élaborer à son tour un espace de « franchise » dans l'univers littéraire et social qui est le sien. La définition d'un juste équilibre dans cet art de plaire sans se renier a été recherchée, tant sur le plan esthétique que sur celui de la morale sociale, par tous nos auteurs « galants ». C'est, par exemple, tout le problème de la « complaisance » que soulevait Mlle de Scudéry dans la *Clélie* :

> Cette honnête complaisance qui plaît, qui ne nuit à personne, qui pare l'esprit, qui rend l'humeur agréable, qui augmente l'amitié, qui redouble l'amour, et qui s'accommode avec la justice et la générosité, devient le charme secret de la société de tous les hommes [46].

Ce « charme secret », que Bouhours appellera bientôt le *je ne sais quoi*, renvoie bien à une réalité à deux faces, à la fois esthétique et éthique. En cela, il rejoint parfaitement le versant du naturel conçu comme « naïveté » – autre mot cher au fabuliste – : on est du côté de la *sprezzatura*, cette négligence élégante prôné par l'Italien Castiglione au XVIe siècle, qui était devenue un véritable critère de comportement et de

---

44. *Id.*, p. 63-64.

45. Sur l'évolution de l'idée de naturel dans le domaine de la langue et du style, on se reportera à la synthèse à la fois dense et claire de B. Tocanne, dans son livre sur *L'Idée de nature en France dans la seconde moitié du XVIIe siècle*, 1978, notamment aux p. 371-377.

46. *Clélie*, III, 2, p. 745 ; cf. E. Bury, *Littérature et politesse*, 1996, p. 104.

style pour les contemporains de La Fontaine [47]. C'est ici que convergent à la fois la tradition rhétorique de la *neglegentia diligens* (l'art qui ne paraît pas) et celle de la politesse mondaine : cet art de plaire par la douceur et la grâce leur est commun, contre toutes les hauteurs trop guindées – en style comme en comportement – qui effraient plus qu'elles ne persuadent : « Plus fait douceur que violence [48] », pourra écrire La Fontaine, résumant ainsi une leçon centrale de sa poétique.

L'*art de plaire* que devient alors la poésie, sous la pression des impératifs sociaux qui font avant tout du poète un « honnête homme » – et alors même que se pose souvent la question du poète courtisan [49] –, présente un dernier obstacle face à l'exigence de naturel : en effet, la simplicité que suppose l'idée de « naïveté » n'est pas une pure question de hiérarchie des styles ; elle désigne aussi la fidélité d'une expression à ce qu'elle exprime (ce que rend mieux, par contraste, l'antonyme *duplicité*), indépendamment de la hauteur à laquelle on se place. De l'enjeu poétique des styles et des genres, on passe donc insensiblement à un problème rhétorique, au cœur duquel se nouent les rapports entre *ingenium*, sincérité et originalité. Ce problème qu'avaient déjà rencontré Sarasin, Saint-Amant ou Voiture – pour ne citer que quelques exemples notoires – va se poser aussi à La Fontaine, qui semble bien, au fil de ses œuvres, alterner entre confidences voilées et volonté ouverte de plaire au plus grand nombre. L'élégiaque est un ton qu'il affectionnera particulièrement [• Anthologie, textes 43, 45, 56] et qu'il saura prêter à ses personnages ; on a pu parler de « confidences truquées » (R. Duchêne [50]), mais cela n'empêche pas que demeure authentique la volonté de rendre esthétique la prise de parole personnelle, d'en faire une œuvre d'art, fût-ce par le biais du plus impersonnel des genres, comme la fable.

Venu à la poésie en pleine ère galante, lecteur de Voiture et de Sarasin, de Tristan l'Hermite ou de Saint-Amant, La Fontaine trouve donc un champ poétique large et fécond, prêt à accueillir son tempérament propre. Il ne lui reste plus qu'à le cultiver, à sa manière.

---

47. *Id.*, p. 68 ; voir J.-L. Jam, article « Sprezzatura » dans le *Dictionnaire raisonné de la politesse…*, 1995, p. 847-854.

48. *Fables*, VI, 3, « Phébus et Borée », v. 40 (et dernier).

49. Voir Ph. Salazar, « La Parole courtisane de La Fontaine… », *XVIIᵉ siècle*, 1995, 2.

50. « La Fontaine ou les fausses confidences », *L'Esprit et la lettre*, 1991, p. 86.

CHAPITRE II

L'HUMANISME DE LA FONTAINE

Dire de La Fontaine qu'il est un humaniste n'est pas, en soi, un paradoxe : né en 1621, il appartient encore aux premières générations du siècle, formées à la lecture de Montaigne, de Charron ou de Du Vair, encore sensibles à la poésie de Desportes ou de Du Bartas. Il a quarante-trois ans lorsqu'il met sous presse sa première œuvre « mondaine », les *Contes*; commencée dans les années 1630, alors que s'affirme à peine la « modernité » d'une littérature et d'une langue françaises autour de Guez de Balzac et de l'Académie française (fondée en 1635), sa formation a été celle de tout jeune homme de bonne famille destiné à une carrière de juriste. L'apprentissage des *litteræ humaniores*, effectué sans doute au collège de Chateau-Thierry, fut son premier contact avec le fait littéraire : il y rencontra forcément la fable, comme exercice scolaire, mais il y apprit aussi l'ironie du sophiste grec Lucien, dont un exemplaire, perdu aujourd'hui, lui aurait appartenu [1]. L'art de la mémoire et de la variation, de l'invention à partir de données traditionnelles, ainsi que les exercices sur les différents styles, en un mot, tout l'apprentissage de la rhétorique, lui furent offerts dans ce contexte; La Fontaine fut d'abord formé aux « bonnes lettres », source de connaissance sur l'homme et la nature, porteuses de toute l'anthropologie commune aux savoirs du temps. Cette « mémoire » ne le quittera pas, même au cœur de sa production la plus mondaine, et rejaillira en tout cas avec aisance dans l'entreprise des *Fables*.

A L'ECOLE DES TRADUCTEURS LIBRES

Comme M. Fumaroli l'a rappelé avec insistance (1995, p. XCIII), La Fontaine plonge ses racines dans le terreau de l'humanisme champenois,

---

1. P. Clarac, 1969, p. 3-4, R. Bared, p. 15.

celui de Pierre Pithou (l'« inventeur » du texte original des *Fables* de Phèdre, en 1596), celui de Nicolas Perrot d'Ablancourt, qui, sous l'influence de Guez de Balzac et de Valentin Conrart, fait de la traduction le laboratoire de la prose française moderne. Il gardera toujours une relation privilégiée avec son ami Maucroix, devenu entretemps chanoine de Reims, qu'il invitera à traduire Platon (*Ouvrages de prose et de poésie...*, 1685) et dont il reverra encore en 1693 une traduction d'Asterius [2]. On comprend donc combien l'influence des traducteurs, d'Ablancourt, son ami Patru, mais aussi François Cassandre – futur traducteur d'Aristote –, a pu être décisive pour le choix de sa première publication : une traduction de *L'Eunuque* de Térence [• Anthologie, texte 1]. Les personnes de mérite qui auraient apporté des « corrections » au texte français sont sans doute Patru et Conrart : tous deux n'avaient-ils pas récemment fait ce même travail pour l'édition posthume du *Quinte-Curce* de Vaugelas (1653)? R. Zuber a montré l'influence de Valentin Conrart sur les travaux de Perrot d'Ablancourt, le maître incontesté des « belles infidèles » : le fondateur et secrétaire de l'Académie se targuait d'ailleurs de ne connaître ni le latin, ni le grec, et se réservait d'évaluer la qualité de la langue française, fût-elle en vers ou en prose (*Les Belles Infidèles*, 1995). Quant à Patru, ami de d'Ablancourt, il sera encore un des interlocuteurs privilégiés de La Fontaine au moment de l'élaboration des *Fables* [• Anthologie, texte 12].

De plus, en 1654, au moment où disparaît Guez de Balzac, la vogue des « belles infidèles » est à son sommet : d'Ablancourt vient de faire paraître son *Lucien* (à qui Ménage donna précisément le premier la qualification de « belle infidèle »), Cassandre donne sa *Rhétorique* d'Aristote, que saluera encore Boileau vingt ans plus tard. Reconnue comme genre et pratique littéraire à part entière, la traduction demeure donc une excellente voie d'accès à la république des lettres et à la notoriété. Pierre-Daniel Huet, futur ami de La Fontaine, écrira bientôt un traité latin sur le genre (1661); il est lui-même un jeune provincial (il vient de Caen) qui, après un voyage savant auprès de Christine de Suède, essaie de prolonger l'idéal humaniste d'une *res publica literaria*, centrée autour de la philologie et de l'amour des anciens. On voit que cet « état des belles-lettres », tout « populaire » est justement salué par La Fontaine dans son avertissement de 1654.

Le choix même de Térence est humaniste dans son essence, puisque Térence est le modèle latin scolaire par excellence depuis le seuil de la

---

2. Voir *O. D.*, p. 730-734 ; cf. E. Bury, « La Fontaine traducteur », *XVIIᵉ siècle*, 1995, 2.

Renaissance [3], constamment loué à la fois pour la pureté de sa latinité – toujours le très important critère de langue! – et pour la justesse de son tableau des mœurs. C'est cette « élégance », dira la préface des *Fables* [• Anthologie, texte 12], que Phèdre a su reprendre à son tour : « on reconnaîtra dans cet auteur le vrai caractère et le vrai génie de Térence » (*ibid.*). Il n'est pas jusqu'à l'opposition avec Plaute qui ne soit un lieu commun de la critique humaniste, repris depuis le XVIᵉ siècle par tous les théoriciens du genre comique [4]. Térence est aussi un modèle pour la bonne imitation/traduction, invoqué encore, à ce titre, par d'Ablancourt en tête de son *Lucien* [5] : La Fontaine, qui rappelle ici que Térence a puisé dans Ménandre, se servira à nouveau de cette garantie pour justifier ses libertés d'adaptateur en tête de la deuxième partie des *Contes* [• Anthologie, texte 8].

Modèle pour la peinture des mœurs, modèle pour l'imitation adulte d'une littérature antérieure, Térence ne pouvait donc apparaître que comme le meilleur parrain pour la jeune carrière de La Fontaine : son choix était ainsi celui d'un humaniste, mais aussi celui d'un écrivain à la mode, fidèle aux leçons d'un Guez de Balzac, d'un Chapelain ou d'un Conrart. Il s'agissait bien de faire œuvre littéraire en langue française – dans un genre à succès, la comédie – sans renier pour autant l'enracinement dans la tradition millénaire des *litteræ humaniores* [6].

DE LA TRADUCTION A L'IMITATION ADULTE

La Fontaine a constamment défendu cet équilibre, comme en témoigne l'*Epître à Huet* [7] (1674) [• Anthologie, texte 35]. Le prétexte de cette épître de cent vers est l'envoi d'une traduction italienne de Quintilien (par Orazio Toscanella, Venise, 1566) à Pierre-Daniel Huet, qui venait d'être associé par Bossuet et Montausier à l'éducation du Dauphin (1670) ; à ce

---

3. Il n'avait d'ailleurs jamais quitté le champ des études latines, puisque les grammairiens qui mirent en place le *cursus* médiéval, comme Donat (IVᵉ siècle), le plaçaient encore parmi les auteurs de référence.

4. Voir E. Bury, « Comédie et science des mœurs : le modèle de Térence aux XVIᵉ et XVIIᵉ siècles », *Littératures classiques*, 27, 1996.

5. Voir Ablancourt, *Lettres et préfaces critiques*, éd. R. Zuber, 1972, p. 188, l. 200-210.

6. Voir E. Bury, « Le classicisme et le modèle philologique. La Fontaine, Racine et La Bruyère », *L'Information littéraire*, 1990, 3 et *Littérature et politesse*, 1996, p. 9-44.

7. *A Mgr L'Evêque de Soissons*, (*O. D.*, p. 647-649), publiée à Paris, chez A. Pralard, en 1687, mais sans doute écrite dès 1674 (cf. ci-dessus, p. 12, n. 10) ; sur ce texte important on lira l'article de R. Zuber, « La critique classique et l'idée d'imitation », *R.H.L.F.*, 1971, p. 385-399 ; cf. Jean-Pierre Collinet, 1970, p. 391-392 et « L'art de lire selon La Fontaine » dans *La Fontaine en amont et en aval*, 1988.

titre Quintilien (35-100 ap. J.-C.), auteur de la monumentale *Institution Oratoire*, incarne parfaitement le modèle du pédagogue, tel que l'avait célébré l'humanisme depuis les origines [8]. Dans son épître, La Fontaine évoque les arguments des Modernes – avec un discours rapporté au style direct digne de la rhétorique des *Fables* (v. 10-16) –, puis les réfute au nom de la bonne imitation (v. 17-45); on y retrouve les accents qu'avait Apollon à ce sujet dans *Clymène* [• Anthologie, texte 29, v. 9-16]. Il décrit ensuite son propre itinéraire, en évoquant les divers modèles qui l'ont inspiré (v. 46-54). Cela donne surtout l'occasion à La Fontaine d'expliquer que le bon goût est de tous les lieux et de tous les temps, que lui-même est admirateur de certains modernes, italiens notamment (v. 55-80). Tout est en fait question de *choix* : il ne s'agit pas d'embrasser sans aucun recul l'un ou l'autre parti – ce qui prendra d'autant plus sens lors de la publication de 1687, en pleine Querelle des Anciens et des Modernes. Cette nécessité du choix qu'il faut savoir faire implique une conception de l'imitation adulte, cette « émulation » dont Guez de Balzac avait déjà été le promoteur quarante ans auparavant; cela amène le poète à esquisser une rapide comparaison de son siècle avec les grands siècles de la Grèce et de Rome (v. 80-96), ce qui confirme un schéma historiographique que partageront aussi bien les « Anciens » que les « Modernes » : il s'agit bien, pour les uns et les autres, de proclamer l'incontestable excellence du « siècle de Louis le Grand [9] ».

L'intérêt majeur de cette épître est d'abord de donner une illustration claire des positions de La Fontaine sur l'imitation. Elle est aussi un bon témoin de la formation et des goûts du poète. Que l'imitation des Anciens soit une des clés de l'esthétique classique paraît aller de soi; mais la formulation d'une telle doctrine a le mérite de la nuance sous la plume de La Fontaine, alors même que la fameuse « Querelle » montre des signes avant-coureurs : Desmarets de Saint-Sorlin avait ouvert les hostilités avec l'*Epître au Roi* placée en tête de sa troisième édition de *Clovis* (1673), où il affirmait la supériorité du siècle de Louis XIV sur celui d'Auguste, alors même que la querelle des Inscriptions allait éclater (1676-1677), pour savoir s'il valait mieux choisir le latin ou le français pour les inscriptions officielles à la gloire du roi [10]. C'est aussi en 1674 que Boileau fait paraître ses *Œuvres diverses* où *L'Art poétique* et le *Traité du Sublime*

8. Voir B. Munteano « La survie littéraire des rhéteurs anciens », *Constantes dialectiques*, 1967, p. 177-184.

9. Voir R. Zuber, « Siècles de rêve ou siècles de faits ? » *XVIIe siècle*, 182, 1994.

10. Débat ouvert dès 1667 par Louis Le Laboureur qui avait écrit *Les Avantages de la langue française sur la langue latine*.

présentent les deux versants d'une doctrine « classique », qui deviendront après coup de véritables *manifestes* pour le parti des Anciens. Une preuve de la prudence nuancée de La Fontaine, dans un tel contexte, est assurément le choix de son destinataire : Huet, bien que défenseur de l'humanisme du premier dix-septième siècle, est un proche de la Cour, de Bossuet et de Perrault; Perrault était lui-même en bons termes avec La Fontaine. Ainsi le poète prend ici parti pour les Anciens, sans se ranger pour autant dans le « parti » des Anciens (Boileau notamment).

En reprenant la question de la bonne imitation, La Fontaine reconnaît qu'il peut y avoir de mauvais imitateurs, mais il tient à s'en distinguer (v. 21-24). Nous retrouvons là une conviction que les écrivains de l'époque humaniste avaient explicitement défendue [11] : il existe une imitation intelligente, qui consiste notamment à « rendre [sien] cet air d'antiquité » (v. 32). On connaît la fameuse formule du v. 26 : « Mon imitation n'est point un esclavage ». De fait, le souci de ne prendre que « l'idée, et les tours et les lois » (v. 27) est un héritage de Guez de Balzac qui, dans son *Apologie* (1627), avait défendu de façon semblable l'*émulation*; celle-ci, selon l'épistolier, ne vise qu'à prendre le « dessein » de l'original, afin de récrire selon le génie de la langue et celui de l'auteur une œuvre qui en fût digne, voire qui fût supérieure à cet original. Etre fidèle à l'Antiquité signifie donc, pour La Fontaine, être fidèle à un ton, à une atmosphère. La Fontaine retrouve ici les convictions des « modernes » de la génération des années 1640, celles par exemple de Guez de Balzac opposant Ronsard et Malherbe (dans les *Entretiens*, 1657), et accusant le premier d'être un « ravaudeur » des Anciens. Ces idées sont celles des années de formation du jeune La Fontaine, et on voit qu'il les a conservées, dans toute leur vivacité, en 1674 et qu'il accepte encore de les publier en 1687, plus de quarante après. La métaphore du *chemin* est capitale dans l'exposé du poète (v. 20, 24, 33) : les Anciens montrent la route à suivre, mais ce n'est pas leurs traces qu'il faut imiter servilement, c'est le but qu'ils s'assignaient qu'il faut viser. Comme le disait Chapelain dans la préface de la *Pucelle*, il faut se contenter « d'avoir les yeux sur leur idée », et non pas « mettre les pieds sur leurs vestiges [12] ». Le poète moderne suit la même route, mais avec sa propre démarche, sa manière originale, en visant le même « dessein » que l'auteur qu'il imite; cette bonne imitation n'a donc rien à voir avec une copie servile.

---

11. Cf. la *Défense et illustration* de Du Bellay, 1549, I, chap. VIII. Voir, dans cette même collection, le livre de J. Rieu, *L'Esthétique de Du Bellay* (1995), p. 35-39.

12. *Opuscules critiques*, éd. Hunter, p. 277 ; sur cette imitation de l'« idée » comme ferment du classicisme, voir J. Brody, « Platonisme et classicisme », 1966 ; cf. P. Dandrey, 1991, p. 91-95.

L'autre trait frappant de la réflexion de La Fontaine est l'accent mis sur le *choix* des modèles qu'il faut suivre : Virgile est sans doute une référence première, mais La Fontaine n'exclut pas le goût pour les modernes. Il est bien un homme de tradition dont les modèles sont modernes, et il imite Machiavel ou l'Arioste, tout comme Virgile ou Térence, modèles de l'imitation adulte, ont imité Homère et Plaute ; le tout est de savoir choisir dans la tradition :

> J'en lis qui sont du Nord et qui sont du Midi.
> Non qu'il ne faille un choix dans leurs plus beaux ouvrages... (v. 80-81)

Comme dans le *Conte* intitulé *Ballade*, où La Fontaine se plaît à évoquer toute la richesse du fonds romanesque [• Anthologie, texte 7], il rappelle ici l'importance de l'*Astrée* (v. 86). L'auteur des *Contes* et des *Fables*, a précisément su mettre à profit cette double inspiration, celle des Anciens et celle des Modernes ; il a récrit Esope, mais à la lumière de Marot ou de Voiture [13]. L'*Epître à Huet* constitue donc un précieux témoignage théorique, derrière lequel se profile la pratique de toute son œuvre.

Imitation adulte de modèles choisis, éclectisme ouvert dans ce choix, goût des genres et des œuvres modernes sont autant d'éléments qui caractérisent l'humanisme original de La Fontaine. Entretenant un rapport « philologique » avec ses modèles, il demeure dans la lignée de l'humanisme le plus rigoureux ; mais avec la volonté de faire œuvre en langue française, pour le public de son temps, il appartient aux fondateurs d'une conception « moderne » de la littérature. Cela nécessite bien sûr une culture immense, d'infinies lectures, et une assimilation en profondeur qui permettra à toute cette *memoria* lettrée d'être présente sans être pesante. A cet égard, son maître en la matière demeure, une fois de plus, d'Urfé, qui avait su fondre les aspirations de l'humanisme le plus savant dans la narration romanesque la plus actuelle et la plus mondaine [14]. La présence de Virgile parmi les modèles de La Fontaine (v. 22) est un signe de cette recherche : Virgile ne fut-il pas, en effet, l'exemplaire imitateur d'Homère (v. 38) dans la Rome augustéenne ? Il a réussi, de cette manière, à fonder une œuvre proprement latine, qui faisait sens pour ses contemporains du Ier siècle, alors que son modèle était un Grec de l'époque archaïque. La référence à Horace (v. 37, 48) met toutefois un bémol à l'admiration exclusive pour l'épopée : l'auteur des *sermones* et des épîtres est là pour

---

13. Voir E. Bury, « Fable et science de l'homme : la paradoxale *paideia* d'un Moderne » dans *Le Fablier*, 8, 1996.

14. Voir E. Bury, *Littérature et politesse*, 1996, chap. III, « Modèles de vie et littérature ».

nous rappeler la valeur inestimable du style moyen, qui permet plus de souplesse et de liberté dans le ton [15].

Cette réflexion sur l'imitation est une constante de l'œuvre « théorique » de La Fontaine : la préface à la deuxième partie des *Contes* [• Anthologie, texte 8], la présentation du texte d'Apulée en tête de *Psyché* [• Anthologie, texte 22] sont autant de jalons sur le chemin qui mène à l'*Epître à Huet*. Horace, Térence et Quintilien sont encore présents dans la préface des *Fables* [• Anthologie, texte 12] : ils sont les maîtres qui guident La Fontaine dans sa difficile entreprise d'adaptation. Mais on ne manquera pas d'être frappé par le fait qu'ils sont invoqués pour justifier les libertés que prend le poète : jamais leur présence n'est un gage d'académisme, auquel le lecteur trop pressé (ou pédant) pourrait hâtivement conclure. Ainsi Horace est le garant de la suppression éventuelle des moralités [• Anthologie, texte 12, p. 140], au nom de la souplesse qu'il faut savoir garder par rapport au sujet, et par rapport au talent propre de chacun [16]. Quintilien sert de caution au choix qui conduit La Fontaine à « égayer » les fables plus que ne l'aurait permis la stricte simplicité de Phèdre : habile réponse indirecte – par le biais du grand maître de rhétorique de l'antiquité – aux objections de Patru ! Térence enfin demeure, comme toujours, un modèle de pure latinité, dont Phèdre serait la version « augustéenne » dans le genre de la fable : notons une nouvelle fois cet important critère de la langue, qui était forcément central pour un ami de d'Ablancourt et de Patru. C'est la même pureté (netteté, clarté, usage) que La Fontaine recherchera constamment en français, au point de remplir encore nos dictionnaires actuels de ses proverbes et sentences !

LE GOUT DE LA FABLE

Un dernier trait de l'humanisme de La Fontaine – mais non le moindre – est son attachement à la « Fable », c'est-à-dire à tout le trésor de la mythologie des Anciens : comme son ami Huet, La Fontaine est persuadé que la Fable est porteuse de vérités premières, qu'elle est un voile élégant qui cache les révélations sur la nature et sur les destinées de l'homme [17]. Son goût pour la fiction lui vient de cette conviction qu'il partage avec

---

15. Sur la leçon d'Horace, voir J. Marmier, *Horace en France au XVIIe siècle*, 1962, p. 311-338 ; du point de vue stylistique, Leo Spitzer a été le premier à mettre l'accent sur la *suavitas* d'Horace comme modèle pour le fabuliste (*Etudes de style*, p. 166-169).

16. La Fontaine cite l'*Art poétique*, v. 149-150.

17. Voir M. Fumaroli, « La tradition humaniste… », 1995, p. LXXXVI-LXXXVIII ; cf., du même auteur, « Hiéroglyphes et lettres : la "sagesse mystérieuse des anciens" au XVIIe siècle », *XVIIe siècle*, 1988, 1.

Huet, défenseur du genre romanesque dans sa lettre-traité, *Sur l'origine des romans*, parue en tête du premier tome de *Zaïde* (1669) : selon lui, le roman, venu d'orient, a pour origine la parabole, et il doit son succès au goût universel des peuples pour la fiction. Toute une théorie sur la valeur de la « feinte » en découle, et nous verrons à quel point La Fontaine, dans sa défense de l'apologue ésopique, en demeure tributaire [18].

Avant de devenir le soubassement des *Fables*, ce goût profond et continu pour *la* Fable a conduit La Fontaine au choix de ses sujets : *Adonis* est inspiré d'Ovide; *Psyché* puise dans Apulée. « Les Amours de Mars et de Vénus » sont une marqueterie qui s'inspire d'Homère, d'Ovide, mais aussi de Marot et de l'Arioste : cet épisode, tiré du *Songe de Vaux*, appartient en effet à l'univers mythologique qui domine le projet de Foucquet à Vaux-le-Vicomte – avant de s'affirmer avec encore plus de magnificence à Versailles, « l'Olympe du Roi-Soleil [19] ». De fait, Ovide incarne parfaitement, pour un esprit humaniste, l'imaginaire mythologique des Anciens : le recueil de récits que constituent les *Métamorphoses* fut considéré dès sa parution comme le répertoire de la Fable, inspirant à la fois peintres, sculpteurs et poètes, et même « moralisé » par la tradition médiévale. Ainsi, il n'a jamais quitté l'horizon des lettrés depuis l'antiquité, et s'est enrichi au contraire des lectures successives qu'on a faites de son œuvre, par le recours à l'allégorie entre autres [20]. Le programme pictural de Vaux pourrait être entièrement lu à la lumière des œuvres du poète latin, que ce soit l'*Art d'aimer*, les *Amours*, les *Métamorphoses* ou les *Héroïdes*. Les éditions latines illustrées (T. Farnaby), les traductions longuement commentées (N. Renouard) sont autant de guides précieux et d'incitations au rêve ou à la méditation pour le poète du XVIIᵉ siècle. Patrimoine partagé avec nos littératures « aînées » d'Italie et d'Espagne, Ovide permet aussi de rivaliser avec elles dans l'imitation et la mise à l'épreuve du génie propre d'une langue au regard de ses langues sœurs : il est, avec Virgile ou Horace, un bien partagé par toute l'Europe lettrée, un lieu de reconnaissance et de connivence, qui a de surcroît été renforcé par la relative unité des programmes scolaires; qu'on songe à la *Ratio studiorum* des collèges jésuites, qui dicte les programmes dans toute l'Europe de la Contre-Réforme. A cet égard, *Adonis*, comme *L'Eunuque* de Térence, apparaît indiscutablement comme un choix humaniste, même

---

18. Cf. ci-dessous, chap. V, p. 105-111.

19. J'emprunte cette expression au titre de l'ouvrage de J.-P. Néraudau consacré à la place de la mythologie dans l'idéologie de Versailles (1986).

20. Sur cette influence d'Ovide aux XVIᵉ et XVIIᵉ siècles, voir les travaux de P. Maréchaux et les actes du colloque tenu à Reims en 1993 sur les *Lectures d'Ovide* (à paraître).

si le traitement que lui impose La Fontaine le tire insensiblement vers l'inspiration galante. Cela n'a d'ailleurs rien de surprenant, dans la mesure où Ovide autorisait justement cette alchimie subtile : n'avait-il pas, l'un des premiers, mis la mythologie au service de l'*Art d'aimer* ? Lui-même imitateur, voire parodiste des grands épisodes de la mythologie, il était l'exemple et le garant d'une poésie « au second degré » pour la génération des poètes galants, initiateurs et défenseurs de cette « littérature néo-alexandrine », selon l'expression d'A. Génetiot [21] : à l'instar de Virgile pour l'épopée ou pour l'églogue, Ovide est précisément le maître latin des petits genres, lui qui a su tirer les leçons de la poésie hellénistique de langue grecque. De l'*Art d'aimer* aux *Métamorphoses*, il excelle dans le glissement insensible d'un genre à l'autre, dans la variation des tons : La Fontaine gardera constamment à l'esprit la leçon d'Ovide, qui s'imposait à lui presque naturellement comme le modèle ancien d'une esthétique « moderne ».

Humaniste même dans la galanterie, le futur poète des *Fables* met aussi à profit l'occasion d'*Adonis* pour dialoguer avec le plus maniériste des poètes européens de son temps, Giambattista Marino [22]. Imitation, émulation et récriture jouent donc ici sur les plans distincts d'un double dialogue avec le maître latin du genre, Ovide, et avec l'un de ses plus brillants émules modernes. Les choix propres à La Fontaine montrent précisément la fécondité de l'imitation : on peut varier à l'infini sur les données de l'épisode ovidien, et aboutir à deux œuvres en définitive aussi originales que différentes. Le poème [23] débute sur un refus avoué de l'épopée, pour se réclamer de l'inspiration élégiaque (v. 1-28) [• Anthologie, texte 2]. Après avoir brossé le décor pastoral, le poète en vient vite à l'évocation du héros Adonis et de sa beauté hors du commun (v. 29-49), qui touche même Vénus, dont sont décrites la passion et la beauté (v. 50-82) [• Anthologie, texte 3]. La première entrevue débouche sur la description heureuse d'un amour partagé, véritable morceau de bravoure de la pastorale (v. 83-164) :

---

21. 1996, chap. I.

22. Voir M. Fumaroli, « Politique et poétique de Vénus : l'*Adone* de Marino et l'*Adonis* de La Fontaine », *Le Fablier*, 1993 ; sur *Adonis* et Ovide, voir J. Brody, *Lectures...*, 1994, chap. VI, p. 69-91.

23. *Adonis*, publié à la suite des *Amours de Psyché et de Cupidon*, Paris, Cl. Barbin, 1669 (*O. D*, p. 5-19) ; la première version de ce poème de 606 vers fut dédiée à Fouquet en 1658, sous la forme d'un luxueux manuscrit calligraphié par Nicolas Jarry (déjà copiste de la *Guirlande de Julie*) ; la version de 1669, remaniée en profondeur, fut reprise en 1671 à la fin des *Fables Nouvelles*.

Tout ce qui naît de doux en l'amoureux empire,
Quand d'une égale ardeur l'un pour l'autre on soupire
Et que, de la contrainte ayant banni les lois,
On se peut assurer au silence des bois,
Jours devenus moments, moments filés de soie,
Agréables soupirs, pleurs enfants de la joie,
Vœux, serments et regards, transports, ravissements,
Mélange dont se fait le bonheur des amants,
Tout par ce couple heureux fut mis lors en usage.
Tantôt ils choisissaient l'épaisseur d'un ombrage :
Là, sous des chênes vieux où leurs chiffres gravés
Se sont avec les troncs accrus et conservés,
Mollement étendus ils consumaient les heures,
Sans avoir pour témoins en ces sombres demeures
Que les chantres des bois, pour confidents qu'Amour,
Qui seul guidait leurs pas en cet heureux séjour.
Tantôt sur des tapis d'herbe tendre et sacrée
Adonis s'endormait auprès de Cythérée,
Dont les yeux, enivrés par des charmes puissants,
Attachaient au héros leurs regards languissants. (v. 127-146)

On y retrouve le lexique traditionnel de la passion (« soupire », « ardeur », « transports », etc.), le *locus amœnus* de la pastorale (« silences des bois », « ombrage », « herbe tendre ») et le goût des sentiments mêlés que la psychologie galante se plaisait à analyser (« pleurs enfants de la joie »), et auquel La Fontaine demeurera toujours sensible [• Anthologie, texte 26, v. 35-38]. Suit la séparation des deux amants, et l'expression par la déesse de sa crainte de perdre Adonis (v. 165-208). Celui-ci, en proie au vague à l'âme, s'adresse à la nature et se plaint de sa toute nouvelle solitude, en des termes proches de ceux que Céladon pouvait employer après la séparation d'avec Astrée (v. 209-234). Pour se distraire, il est tenté de chasser, car un sanglier menace la paix de son séjour (v. 235-264). Le récit de la chasse occupe alors un long ensemble de vers (v. 265-460), où sont décrits les chasseurs, dont le poète esquisse rapidement les principaux caractères [24], avant d'en venir au divers épisodes de la chasse : mort des chiens Mélampe et Sylvage (v. 355-369), dégâts causés par le sanglier en colère, mort de Palmire sous les yeux de son amante Aréthuse (v. 429-460). C'est l'occasion pour le poète de prendre un

---

24. Liste des chasseurs que M. Fumaroli (art. cit., p. 16) rapproche de la liste des rivaux d'Adone, chez Marino (chant XVII) : tout le passage, plus ancien, serait « un exercice quasi scolaire d'imitation » de l'œuvre de Marino, que La Fontaine aurait greffé, en 1658, sur son propre poème *(ibid.)*.

« plus haut style », c'est-à-dire d'approcher la veine épique (notamment avec le « catalogue » des chasseurs, v. 265-309). On revient ensuite à Adonis, qui s'est reposé à l'écart. Il repart, irrité à la vue de Palmire mourant, et affronte la bête qui le blesse mortellement alors qu'il parvient à la tuer (v. 461-544). Le poème s'achève sur la plainte de Vénus, autre morceau célèbre du lyrisme lafontainien [25] (v. 545-606) :

> Mon amour n'a donc pu te faire aimer la vie !
> Tu me quittes, cruel ! Au moins ouvre les yeux,
> Montre-toi plus sensible à mes tristes adieux ;
> Vois de quelles douleurs ton amante est atteinte !
> Hélas ! j'ai beau crier : il est sourd à ma plainte.
> Une éternelle nuit l'oblige à me quitter ;
> Mes pleurs ni mes soupirs ne peuvent l'arrêter. (v. 564-570)

Très libre dans son adaptation d'Ovide, dont il ne reprend qu'une soixantaine de vers (*Métamorphoses*, X, 519-559 et 705-739), La Fontaine amplifie l'épisode central de la chasse du sanglier, qui n'occupe que sept vers dans l'original, mais il retranche la longue évocation ovidienne de la métamorphose d'Atalante en lion (X, 560-704). J. Brody [26] a montré que La Fontaine « contaminait » le récit en empruntant à un autre épisode des *Métamorphoses*, celui du sanglier de Calydon (VIII, 281-424). Pourtant, l'attention remarquable que porte le poète à la bête sauvage n'est pas analogue au goût de la monstruosité quasi-surnaturelle qui domine chez Ovide ; La Fontaine s'attache surtout au prédateur de la nature cultivée par l'homme :

> Il foule aux pieds les dons de Flore et de Cérès ;
> Monstre énorme et cruel, qui souille les fontaines,
> Qui fait bruire les monts, qui désole les plaines,
> Et, sans craindre l'effort des voisins alarmés,
> S'apprête à recueillir les grains qu'ils ont semés. (v. 246-250)

Cette nature, qui est ancrée dans la représentation traditionnelle de la bucolique et de la pastorale, issue de Virgile ou de l'*Astrée*, est nettement placée du côté de l'inspiration cythéréenne du poète. A ce titre, comme l'a montré M. Fumaroli, il est bien l'héritier direct de Marino, dont il propose ici une version « atticiste », c'est-à-dire dans le goût français des années 1650, mais sans avoir pour autant renoncé à l'imaginaire poétique

---

25. Voir J. Grimm, liste d'anthologies citée dans « Fable et lyrisme personnel... », *Le Pouvoir des fables*, 1994, p. 241-244 ; cf. P. Dandrey, 1995, p. 38, R. Bared, 1995, p. 42.

26. *Lectures...*, p. 70.

propre à l'*Adone*[27]. Comme dans les *Amours de Psyché*, avec lequel ce texte forme un dyptique dans l'édition de 1669, La Fontaine module une poésie de la nature et de la volupté qui atténue fortement ce que le drame a de violent et de sanglant[28]. Le ton est donné d'emblée, par une « clef musicale » avouée dès le prologue [• Anthologie, texte 2, v. 6-10] :

> Je n'ai jamais chanté que l'ombrage des bois,
> Flore, Echo, les Zéphyrs, et leurs molles haleines,
> Le vert tapis des prés et l'argent des fontaines.
> C'est parmi les forêts qu'a vécu mon héros ;
> C'est dans les bois qu'Amour a troublé son repos.

L'avertissement de 1671 [• Anthologie, texte 27] confirmera cette résonance toute particulière, à laquelle le contexte donne une profondeur accrue. Nous sommes alors à la veille de la guerre de Hollande (1671-1678) : il est temps, plus que jamais, d'en appeler aux travaux de Vénus plutôt qu'à ceux de Mars[29]. Le ton de l'avertissement pourrait justement être interprété dans ce sens. On sait, à la simple lecture des *Fables*, à quel point la paix était chère au cœur de La Fontaine, qui se situe bien, une nouvelle fois, dans la lignée de l'*Astrée*. L'*Ode pour la paix* (1679) qui célèbre la paix de Nimègue marquant la fin de la guerre de Hollande (1678), se réjouira justement du retour d'Astrée parmi les hommes[30]. D'autre part, lorsque La Fontaine précise que Vénus et son fils « ont moins d'ennemis qu'[ils] n'en ont jamais eu », on peut rappeler qu'en 1670 Molière avait donné *Les Amants magnifiques* dans le cadre des fêtes de Saint-Germain-en-Laye, sur la commande même du roi, qui dansa – pour la dernière fois – la première et la dernière entrée de ballet. Arts de la paix et mythologie ont donc plus que jamais partie liée dans l'imaginaire du temps, et La Fontaine peut légitimement penser qu'on réservera bon accueil à son idylle héroïque.

Ne croyons pas pourtant qu'il s'agisse ici seulement de thématique, car, du point de vue de la poétique, l'idéal de la paix retrouve la quête

---

27. « La Fontaine, à ce stade de sa carrière poétique, est devenu le plus libre et le plus insaississable des imitateurs » écrit M. Fumaroli, art. cit., p. 14 ; sur la notion d'*atticisme* appliquée à l'esthétique française des années 1650-1660, voir l'article fondateur de R. Zuber, « Atticisme et classicisme » (*Critique et création littéraire...*, 1977).

28. Rappelons que les aventures de *Psyché* étaient aussi présentes dans le poème de Marino, au chant IV.

29. Comme le rappelle R. Mandrou (*Louis XIV en son temps*, 1973) la diplomatie avait dominé la première décennie du règne, malgré la montée des tensions à propos de la succession d'Espagne et les premiers épisodes militaires (p. 224-243).

30. Signalons, sur le sujet, la récente mise au point de J. Grimm, « Guerre et rhétorique dans les *Fables...* », *Le Pouvoir des fables*, 1994, p. 121-139.

d'un genre et d'un style élevés qui soient dignes de le promouvoir. C'est cette *épopée pacifique* que Chapelain avait tenté de définir, presque cinquante ans plus tôt, en tête de l'*Adone* de Marino (1623). Il défendait en effet l'appartenance du poème italien au genre de l'épopée, bien que le sujet n'en fût pas guerrier. A ses yeux, cela, loin d'écarter l'*Adone* de la prétention épique, permettait de définir au contraire un genre aussi élevé que l'épopée, mais qui ne puisât pas ses circonstances et ses épisodes dans les exploits de quelque héros guerrier. Le fait qu'il existe des tragédies se déroulant en pleine paix rendait concevable, selon Chapelain, une épopée de la même espèce :

> Il n'y a aucun doute que la représentation tragique ne reçoive des actions arrivées en paix, et ainsi on peut conclure sans douter que la narration épique ne saurait refuser les mêmes actions pacifiques [31].

> Cela résolu de la sorte, posé, comme il est, que le poème d'*Adonis* soit introduit d'une action faite en paix, accompagnée des circonstances de la paix, et qui n'a de troubles que ceux que la paix peut bailler, il est clair, étant nouveau, qu'il l'est de la seconde espèce, le poète ayant trouvé par lui une chose nouvelle dans une autre qui était déjà trouvée, c'est-à-dire ayant trouvé dans l'épopée outre l'héroïque, qui est un poème de guerre déjà trouvé, cet autre-ci qui est un poème de paix non encore trouvé [32]...

Ce texte est remarquable par la mise en œuvre de principes purement aristotéliciens dans l'élaboration de nouveaux genres, qu'Aristote ne connaissait pas : rarement, avant les réflexions actuelles sur la question, la théorie des genres n'a été aussi près d'une véritable étude *génétique* de la littérature, conçue de façon réellement organique, c'est-à-dire avec des potentialités *prévues* et *réalisables* dans le cadre d'un ensemble évolutif (grâce au code « génétique » que sont la poétique et la rhétorique), mais non encore *réalisées*. Pour que la littérature puisse évoluer – et Chapelain est, à cet égard, un *moderne* –, sans renier pour autant l'autorité d'Aristote, il fallait que le système de la *Poétique* lui-même rendît possible l'existence de genres inédits, que le philosophe grec ne connaissait pas. C'est dans un tel cadre théorique qu'il convient de replacer les tentatives de La Fontaine, lorsqu'il recherche un tempérament, un caractère ou un style *nouveaux*, à partir des éléments déjà existants de la tradition [• Anthologie, textes 22, 27]. Pour lui, comme pour Chapelain, la littérature est un système qui repose sur une combinatoire souple et susceptible d'évolution : nous

---

31. Préface (sous forme de lettre à M. Favereau) parue en tête de l'*Adone*, Paris, 1623, dans *Opuscules critiques* de Chapelain, éd. A. C. Hunter, 1936, p. 77.

32. *Id.*, p. 78 ; à propos de l'influence de Chapelain sur l'*Adonis*, voir M. Fumaroli, « Politique et poétique de Vénus... », *Le Fablier*, 1993, p. 13.

sommes loin de l'image canonique d'un classicisme figé dans l'application stricte de règles. Le nouveau, loin de se bâtir en tournant le dos à l'ancien, y puise au contraire les éléments d'évolution et de synthèse inédite : ce sera, trois ans plus tard, la leçon réitérée de l'*Epître à Huet* [• Anthologie, texte 35, notamment v. 65-90].

L'âme inquiète du poète, qui, comme il l'avouera dans *Ballade*, se plaît tant « aux livres d'amours », transparaît clairement dans cette pièce ; le même ton lyrique animera les moments les plus sincères des *Fables*, et l'on saisit mieux la profondeur de ces courts élans à la lecture de cette tentative de plus longue haleine. Mais on constate que le lyrisme passe par le détour de la Fable, appel à la *memoria* qui est humaniste dans son essence : cet humanisme est patent dans le sentiment de la nature qui a besoin d'une topique venue de Virgile et d'Ovide ; il est évident aussi dans cette célébration de l'amour qui a besoin de dieux et de demi-dieux pour prendre corps en poésie. Cela n'empêche pas le bonheur d'expression personnel, qui a fait dire à Paul Valéry que Racine, à dix-neuf ans, devait savoir ces vers par cœur (« Au sujet d'Adonis », dans *Variété*). Toute une part de la « nature » des *Fables* est déjà présente dans cette brillante variation sur un épisode du plus alexandrin des poètes latins, et l'art subtil de l'imitation que La Fontaine défendra souvent est mis en pratique avec succès dès ce coup d'essai. Si l'on se souvient enfin que la récriture de 1669 a achevé de corriger les quelques maladresses qui subsistaient dans la première version, on se rend bien compte de l'intérêt suivi qu'a eu le poète pour cette pièce, alors même qu'il était déjà célébré comme l'auteur des *Fables* et des *Contes*. L'*Avertissement* de 1671 [• Anthologie, texte 27] témoigne de l'actualité que ce poème, apparemment lié aux circonstances les plus datées, avait conservée à ses yeux : le genre héroïque demeure encore pour lui le plus digne de la « langue des dieux », et il reconnaît avoir mis à profit cette double *memoria* qu'il défendra dans l'*Epître à Huet* pour embellir son poème :

> Le fonds que j'en avais fait [des ornements de la langue des dieux], soit par la lecture des anciens, soit par quelques-uns de nos modernes, s'est presque entièrement consumé dans l'embellissement de ce poème…

On reconnaît bien là cet humanisme éclectique qui allait permettre à La Fontaine de faire œuvre personnelle et moderne sans jamais renier sa fidélité à la voix des Anciens.

LE PARNASSE ET L'INSPIRATION DU POETE

Cet attachement ne peut se comprendre que si l'on a à l'esprit la fécondité que recèle le Parnasse des Anciens. Loin de n'être qu'un monde de convention, il offre un authentique lieu de méditation sur l'inspiration du poète et les fins de la fiction [33]. Penser la création littéraire grâce à l'allégorie du Parnasse était en effet pour La Fontaine – mais aussi pour Boileau et ses contemporains – une manière efficace de la comprendre (et non pas, ce que l'on pourrait croire, une simple tautologie consistant à parler de la poésie en termes poétiques) : cela correspond, comme nous l'avons vu avec *Clymène* [34], à un champ littéraire conçu selon la double loi des genres et des styles. Les Muses incarnent chacun d'eux, et leur maître Apollon en est le principe vivifiant : l'inspiration. Que *Clymène* soit un dialogue de forme théâtrale est lourd de sens, puisque cela indique que le dialogue et l'échange sont possibles d'un genre à l'autre (Melpomène, Muse de la tragédie, peut jouer la comédie, et sa rivale Thalie peut donner la réplique comme une tragédienne) : l'allégorie du Parnasse atteste ainsi que la poésie est une réalité organique, vivante, souple, et pas seulement un ensemble de règles stérilisantes et de cadres rigides. Le principe même des récritures successives d'un même sujet, qui font la trame de l'histoire, justifie la distinction traditionnelle entre *inventio* (le fond, le sujet) d'une part, *dispositio* et *elocutio* (mise en forme et passage à l'écriture) d'autre part ; le génie de chaque genre, incarné par une Muse, informe pour ainsi dire « de l'intérieur » chaque reprise du même sujet. Toute l'âme de ce qu'on n'appelle pas encore le « classicisme » est dans cette conception *génétique* de l'art en général et du littéraire en particulier. Celui-ci a une vie et un développement propres, une mémoire (rhétorique, poétique) qui lui permet de se projeter vers l'avenir et d'évoluer, indépendamment des données matérielles de la production littéraire ; avec le Parnasse, La Fontaine et ses contemporains détiennent les clés d'une « littérarité » aussi forte et aussi féconde que celle que notre modernité a conçue à la suite des approches génétiques et structurales modernes. Non qu'il faille nier les impératifs d'un « champ » littéraire et social où les écrivains doivent s'affirmer et « faire carrière » (A. Viala), mais il faut insister sur ce que l'humanisme conserve de transcendant à l'œuvre d'art, qui est peut-être l'art lui-même, et ses règles propres, indépendamment des circonstances de production.

33. Voir M. Fumaroli, *L'Inspiration du poète de Nicolas Poussin*, 1989 (Catalogue d'une exposition-dossier tenue au Louvre, l'ouvrage fait le tour des principaux textes et de l'iconographie sur l'inspiration aux XVIe et XVIIe siècles).

34. Voir, *supra*, p. 17.

Le débat est d'importance, et il a toujours eu lieu à propos de La Fontaine [35], dont les *Fables* sont présentées tantôt comme de pures œuvres d'art renvoyant à l'immémoriale sagesse, tantôt comme des pamphlets collant à la plus brûlante actualité. Ce serait peut-être une réponse de Normand que d'affirmer que son œuvre est sans doute les deux à la fois : mais elle l'est comme le furent celles d'Erasme et de Budé, comme l'est à sa manière celle de Montaigne. L'humanisme permet d'agir et de penser *hic et nunc* par le détour de l'allusion et de la mémoire : ni l'*Eloge de la folie*, ni *L'Etude des lettres* ne peuvent passer pour de froids et lointains propos, déconnectés de toute réalité. La satire chez le premier conduisit Erasme à de nombreux débats – et son texte demeure plus que jamais d'actualité ! –; l'éloge des lettres chez le second eut pour conséquence la création (très institutionnelle) du Collège Royal – futur Collège de France. Quant aux *Essais*, malgré l'irréductible particularité de leur auteur, ils demeurent le bréviaire de l'honnête homme pendant tout le XVIIe siècle, et au-delà...

Cet attachement à la tradition, porté au plus haut degré chez La Fontaine, ne doit donc pas nous conduire à mésestimer le contexte de l'œuvre : il nous incite cependant à prendre avec distance et ironie ce que l'« application » trop mécanique d'un texte à un référent contextuel aurait d'asséchant ou de tristement cynique. De ce point de vue, le Parnasse, avec son « personnel » mythologique, est un euphémisme de la nature, comme Cythère est celui du désir et de la passion : les *Contes*, par leur verdeur « naturelle », sont la preuve que La Fontaine n'était pas aveuglé par ces conventions. Il en choisit le langage quand il pense que cette médiation lui permettra d'atteindre son but (égayer, narrer, persuader) avec plus d'efficacité, et surtout, plus de beauté.

Cette beauté a une double finalité, poétique et rhétorique : la délectation est en effet une voie royale pour convaincre les cœurs – ce que la pure raison ne saurait faire. Dans un contexte rhétorique, faire parler les Muses, comme dans *Clymène,* correspond aussi pour La Fontaine à une tentative de faire accéder l'expérience affective personnelle à une universalité partagée par tous : là réside une fonction essentielle du détour par la « langue des dieux ». Mais pour La Fontaine, comme pour Racine ou Boileau, le choix de la mythologie est aussi une voie d'accès au panthéon des grands auteurs : c'est en parlant la même langue que Virgile, Homère ou Sophocle – mais aussi l'Arioste et le Tasse – que le poète français de

---

35. Voir les fréquentes mises au point de J. Grimm à ce sujet.

1660 peut espérer, un jour, être reçu sur le Parnasse [36]. Cette fois, la beauté est cultivée pour elle-même, dans le dialogue, voire la rivalité avec les grands « auteurs » – au sens étymologique d'*autorités* : ceux qui ont montré le chemin qui mène au Parnasse, comme Virgile autrefois fut le guide de Dante sur les voies de la *Divine comédie*.

Il n'est donc pas incompatible de jouer à la fois sur les deux plans, intertextuel et contextuel : ainsi une fable comme « Les animaux malades de la peste » peut simultanément être une très machiavélienne leçon de *Realpolitik* et une incontestable réussite esthétique. Le « détour » est, en outre, tout-à-fait compatible avec une prudence de rigueur dans la situation politique des années 1670. Une preuve du « détachement » possible entre l'œuvre et son contexte se trouve dans le sort réservé aussi bien à *Adonis* qu'au *Songe de Vaux*. Je ne reviendrai pas sur les circonstances de la publication du premier : d'abord calligraphié par Nicolas Jarry en vue de devenir un signe somptuaire du mécénat de Foucquet, il devient ensuite la seconde pièce d'un dyptique – que La Fontaine ne devait pas avoir à l'esprit en 1658 – avec les *Amours de Psyché*, œuvre explicitement placée sous le signe de Versailles. Le passage « politique » de Vaux à Versailles a été étudié par M. Fumaroli ; remarquons seulement que c'est une logique toute interne à la Fable qui semble justifier leur rapprochement en 1669 [• Anthologie, texte 27] :

> Je l'avais fait marcher à la suite de *Psyché*, croyant qu'il était *à propos* de joindre aux amours du fils celles de la mère.

Aptum propre aux données de la mythologie (Cupidon est, de fait, le fils de Vénus), cet *à propos* superpose une logique interne propre au Parnasse et à Cythère à une logique externe à la fois politique et éditoriale, dont on peut rendre compte par des éléments contextuels. Au lecteur, en définitive, de faire le choix interprétatif et d'évaluer laquelle des deux logiques doit peser le plus pour une juste compréhension du poème. *Le Songe de Vaux* offre des exemples similaires : peu de textes liminaires de La Fontaine prennent tant de soin à donner les clés de l'interprétation [• Anthologie, texte 31]. Après une réflexion sur les styles – avec des accents proches de ceux de *Clymène*, lorsque La Fontaine constate le peu d'engouement actuel pour la poésie lyrique et héroïque –, il donne « ce qu'il est nécessaire qu'on sache pour l'intelligence de ces fragments ». Mais le cadre de ce contexte, loin d'être un référent réel, s'avère être un songe : étrange logique explicative que celle qui prend le détour onirique

---

36. Sur cette conviction qu'entretiennent les classiques dans leur rapports aux grands auteurs de l'Antiquité, voir J. Brody, « What was French Classicism ? », *Continuum*,1, 1989.

pour rendre compte d'une allégorie ! Le Parnasse de Vaux – avec ses « Muses » inédites que sont Apellanire, Palatiane, Hortésie et Calliopée – se présente aux yeux du rêveur avec sa logique propre, ce qui lui permet, douze ans plus tard, de prétendre à une publication autonome, même fragmentaire, dont la fin dernière est esthétique. Ce jeu d'encadrement dont on a pu rendre compte avec finesse se réfère, en dernière analyse, au mécénat de Foucquet : on observe en effet une « *translatio Musarum* » (B. Donné, 1995), qui fait du maître de Vaux un nouvel Apollon. Le programme allégorique, détaché du contexte qui fut le sien, se met alors à jouer à vide : ne reste plus que le plaisir propre au Parnasse, l'esthétique. Les propos de Calliopée [• Anthologie, texte 4] seraient ainsi confirmés par la publication de l'œuvre :

> Pour moi, je lui bâtis un temple en leur mémoire ;
> Mais un temple plus beau, sans marbre et sans ivoire,
> Que ceux où d'autres arts, avec tous leurs efforts,
> De l'Univers entier épuisent les trésors.(v. 29-32)

La « mémoire » de la beauté triomphe ainsi de tous les aléas de la politique et de l'histoire, aucune ruine ne la menace [37]. La liberté herméneutique est d'ailleurs, une nouvelle fois, laissée au lecteur, notamment à propos d'*Aminte* :

> Le lecteur, si bon lui semble, peut croire que l'Aminte dont j'y parle représente une personne particulière ; si bon lui semble, que c'est la beauté des femmes en général ; s'il lui plaît même, que c'est celle de toutes sortes d'objets. Ces trois explications sont libres. Ceux qui cherchent en tout du mystère, et qui veulent que cette sorte de poème ait un sens allégorique, ne manqueront pas de recourir aux deux dernières. Quant à moi je ne trouverai pas mauvais qu'on s'imagine que cette Aminte est telle ou telle personne : cela rend la chose plus passionnée, et ne la rend pas moins héroïque [38].

Au-delà de la part de jeu avec le lecteur, on voit combien l'allégorisme du temps était vivace, combien le réflexe d'« application » pouvait amener le poète à de telles attentes [39]. On pourrait aussi songer aux pactes de lecture que Rabelais s'amusait à placer en tête de ses œuvres, avec la

37. Le sophiste Lucien, dans son texte sur *La Louange d'une maison* (trad. d'Ablancourt, 1654, t. 2), avait déjà joué sur le *paragone* implicite entre littérature (en l'occurrence le style épidictique, genre de l'éloge) et les autres arts ; sur ce parallèle dans le *Songe*, voir F. Dumora, *XVIIe siècle*, 1992, 2.

38. *Le Songe de Vaux*, *O. D.*, p. 81.

39. Sur l'allégorie au XVIIe siècle, voir la synthèse claire de G. Couton, *Écritures codées. Essais sur l'allégorie au XVIIe siècle*, 1991, et B. Beugnot « Pour une poétique de l'allégorie » et « Œdipe et le Sphinx : des clés » dans *La Mémoire du texte*, 1994.

figure de Silène ou un énigmatique « os à moëlle » (prologue de *Gargantua*) : cela nous ramène une nouvelle fois aux pratiques interprétatives de l'humanisme, auxquelles le poète ajoute une touche « galante ».

L'interprétation « pathétique » qui reposerait sur une éventuelle intrigue amoureuse nous renvoie plutôt à l'univers de Tendre et à ses multiples clés. La Fontaine s'amuse enfin à brouiller les cartes en ouvrant largement le champ des possibles herméneutiques, avant de le restreindre brutalement par le renvoi à la clé biographique. On peut mieux comprendre cette pointe finale, si l'on garde à l'esprit l'interrogation esthétique d'Apollon au seuil de *Clymène* : « Ce qu'on n'a point au cœur, l'a-t-on dans ses écrits [40] ? » La question purement rhétorique de l'*ethos* recoupe ici celle du lyrisme qui ne saurait être authentique – ou du moins qui encourt toujours le soupçon d'inauthenticité – sans la réelle passion de celui qui prend la lyre. Même sur le Parnasse, nous l'avons vu à la fin de *Clymène*, c'est la sincérité qui triomphe : La Fontaine prévient ainsi d'emblée la critique qui pourrait dénoncer la convention qui y règne. Dans *Le Songe*, où ces pièces sont explicitement « désengagées » – à la fois du contexte, évanoui en 1671, et du tissu conjonctif d'une œuvre achevée –, cette sincérité renoue de surcroît avec la liberté. Le « jeu » mécanique que le poète introduit sciemment entre le référent et l'allégorie permet, douze ans plus tard, de délaisser la lourdeur de la construction épidictique (louange de Vaux et de son Mécène par le complexe biais du songe) pour ne cueillir que la fleur de l'art : le plaisir esthétique. Une nouvelle fois, on pourra faire remarquer que cette « cueillette » peut aussi être synonyme de prudence : une sorte de « moi, monsieur, je ne fais pas de politique », qui privilégierait l'esthétique pour se détourner des impératifs de la vie réelle. L'« échantillonnage » des styles que propose le poète – qui n'est pas sans évoquer le caractère de *morceaux choisis*, frappant dans *Clymène* – nous place donc bien au cœur du Parnasse. Détaché de l'occasion qui lui a donné lieu, l'exercice de style conserve pourtant une part d'authenticité : le nom de Parnasse du poète lui-même, Acante, est une marque de continuité [41], et le triomphe implicite de Calliopée, qui défend la poésie, va aussi dans le sens des convictions du poète. Foucquet-Apollon eût assuré aux arts de la paix cette protection et cet éclat que l'on est en droit aujourd'hui (j'entends, en 1671) d'attendre du jeune monarque [42].

---

40. Voir ci-dessus, chapitre I, p. 18.

41. On le retrouve dans *Psyché* mais de façon plus problématique ; voir J. D. Hubert, « La Fontaine et Pellisson ou le mystère des deux Acante », *R.H.L.F.*, 1966.

42. Ce glissement est analysé par M. Fumaroli dans « De Vaux à Versailles... » catalogue *Jean de La Fontaine*, BNF, 1995.

CYTHERE OU LE REGNE DE LA DOUCEUR

A l'intérieur même du seul Parnasse, la publication presque simultanée du *Songe* (avec les *Fables nouvelles*, 1671) et de *Clymène* (à la fin de la troisième partie des *Contes*, la même année) rend d'autant plus pressante la prière du poète pour que l'on reconnaisse la cohérence, la valeur et la beauté de cet univers. A la virulence amère de Boileau, qui ferraille sur le « double mont » au fil de ses *Satires* (1666-1668), La Fontaine préfère la douceur d'une esthétique de la grâce, légèrement teintée de mélancolie, peut-être parce que liée à la nostalgie d'une fête ancienne. Cette esthé-tique est présente et s'affirme à la fois dans *Adonis* et dans *Psyché* (1669), dans *Clymène* et dans *Le Songe de Vaux* (1671). La *suavitas* propre au style moyen – moins tendu que la lyre épique et néanmoins épargné par le prosaïsme – est à chaque fois au cœur de ces textes, et de la réflexion théorique qui les accompagne : on peut y voir le « juste tem-pérament » défini en tête de *Psyché* [• Anthologie, texte 22], mais aussi ce style « héroïque » propre à *Adonis* [43] [• Anthologie, texte 27], ce qui est confirmé par l'échec de Calliope dans le trop haut style *(Clymène)* [• Anthologie, texte 29]. L'*Avertissement* du *Songe*, enfin, insiste sur la nécessité d'« entremêler » les tons pour « égayer » le poème, ce qui per-met de « le rendre plus agréable » [• Anthologie, texte 31]. Refusant la beauté sublime et régulière (le *genus grande*) qui se fait admirer plus qu'elle ne provoque de plaisir, La Fontaine préfère les « agréments » de Myrtis *(Psyché)* [• Anthologie, texte 25], ou la grâce de Vénus, « plus belle encor que la beauté » [• Anthologie, texte 3, v. 18]. C'est aussi pourquoi au brillant Parnasse où règne Apollon, le poète en vient peu à peu à préférer Cythère où règne Vénus.

Le paradoxe – ou l'ironie ? – est que, glissant d'une allégorie à l'autre, La Fontaine choisit le parti de Vénus au moment même où, dans le Ver-sailles naissant que parcourent les « quatre amis » de *Psyché*, s'annonce avec force et faste le règne d'un nouvel Apollon, souvent hélas !, accom-pagné de Mars. L'humanisme de La Fontaine se teinte ici d'une nouvelle nuance, qui correspond bien à l'éloge traditionnel de la vie retirée que l'on trouve en tête des *Bucoliques* de Virgile et qu'avait réitéré d'Urfé dans l'invention de son *Astrée* : au culte de Mars, il convient de préférer celui de Vénus, et de quitter les armes du chevalier pour revêtir la tenue du berger. C'est le *bios boukolikos* (vie pastorale) que choisissaient de

---

43. P. Clarac rappelle justement dans son édition (*O. D.*, p. 799), qu'il y a deux styles héroïques (c'est-à-dire épiques), celui de Virgile – l'épopée guerrière – et celui d'Ovide – l'épopée amoureuse. C'est bien sûr au second que songe La Fontaine.

leur plein gré les héros de l'*Astrée*, selon la tradition des philosophies antiques qui se présentaient avant tout comme « choix de vie » (*proairesis tou biou* [44]). Le Parnasse, cette fois, prend les couleurs familières de l'Arcadie.

Tous ces grands modèles, ces « univers de fiction » (Pavel) puisent leur sève et leur sens dans les archétypes antiques légués par la Fable. J'ai eu l'occasion de montrer ailleurs que le caractère fictif de tels modèles n'empêchait nullement leur prégnance sur la vie réelle, bien au contraire [45]. L'expérience par procuration que fait le lecteur de la Fable n'en est pas moins une expérience authentique : La Fontaine en a conscience, lui qui, dans la lignée des idéaux galants, bâtit à son tour une Arcadie grâce aux prestiges de la parole poétique. Tout le problème des rapports entre mensonge et vérité qu'il évoque souvent renvoie en fait à cette double réalité : le monde de la Fable est l'*analogon* du nôtre, mais rendu plus lisible par la cristallisation des phénomènes en des figures allégoriques à la fois complexes et si semblables à l'homme, et surtout rendu plus euphorique par l'euphémisation d'une réalité souvent amère ou trop cynique. L'« ennui » qu'apporte une « morale nue » [• Anthologie, texte 20, v. 3] doit se comprendre au sens très fort que le XVIIe siècle donne encore à ce mot : comme chez Phèdre ou Bérénice, il signifie un désespoir profond, et non l'embarras passager que cause un souci ponctuel, comme nous le comprenons aujourd'hui. C'est pourquoi il ne faudrait pas mettre l'imaginaire du Parnasse exclusivement du côté d'une pensée « formaliste » (une sorte d'« Art pour l'Art » avant la lettre), mais bien comprendre qu'au contraire il participe d'une réaction *éthique* par rapport au monde réel : son lieu est précisément la jonction entre cet univers concret à la limite de l'indicible (« sans autre forme de procès »), fait de nécessités, de pulsions, de craintes et de désirs, et un univers de parole, euphorique car maîtrisé, pouvant suggérer l'indicible ou le scandaleux sans se brûler la langue, regarder la vérité en face sans perdre la vue, car elle est perçue par le biais du miroir magique et « anamorphotique » de la Fable.

---

44. Voir P. Hadot, *Qu'est-ce que la philosophie antique ?*, 1995, p. 237-242, et une version parodique, mais non moins significative, du phénomène dans Lucien, *La Vente des vies* (souvent plus connu sous le titre un peu inexact « Des sectes à l'encan ») ; sur la question au XVIIe siècle, voir B. Beugnot, *Le Discours de la retraite au XVIIe siècle*, 1996, notamment p. 53-65.

45. *Littérature et politesse*, 1996, chap. III, « Modèles de vie et littérature » ; sur les « univers de la fiction », voir le livre de T. Pavel qui porte ce titre (1988) et son livre *L'Art de l'éloignement. Essai sur l'imagination classique*, Folio, 1996, notamment p. 21-30.

C'est parce que ses convictions humanistes le poussent à croire que le Parnasse peut encore remplir ce rôle pour un homme du XVIIe siècle que La Fontaine, tout pétri qu'il soit par la lecture des Anciens, est bien un poète de son temps. Loin de répéter comme un perroquet les paroles et les tournures des Anciens (signe d'académisme stérile et de néo-classicisme scolaire) ou de considérer la Fable comme un simple ornement (comme le fera Fontenelle), le poète veut lui restituer sa fonction primordiale, son « dessein » dirait-il, dans le cadre inédit d'une civilisation moderne : c'est à la parole poétique qu'il assigne la plus haute fonction parmi les activités de l'esprit, c'est même à elle qu'il réserve encore la capacité de modélisation pour les sciences « exactes » de la nature [• Anthologie, texte 46], au rebours du paradigme mathématique et rationnel qui s'impose peu à peu sous l'influence de Descartes[46]. Il résume à merveille cette *magie* du Parnasse (« charme » a ce sens fort) [• Anthologie, texte 39, v. 7] dans « Le Pouvoir des fables » (VIII, IV) [• Anthologie, texte 40] ou dans le prologue du « Dépositaire infidèle » (IX, I) [• Anthologie, texte 42] :

> Et même qui mentirait
> Comme Esope et comme Homère,
> Un vrai menteur ne serait.
> Le doux charme de maint songe
> Par leur bel art inventé,
> Sous les habits du mensonge
> Nous offre la vérité. (v. 29-35)

La force de La Fontaine est de n'avoir pas baissé les bras : là où d'autres tenants de l'humanisme regrettaient le temps passé et se guindaient avec hauteur dans leur science et leur latin – c'est un des aspects de Huet, qui rédigea ses mémoires en latin[47] –, le poète des *Contes* et des *Fables* choisit les formes et la langue de son temps, modifie le millénaire apologue ésopique selon les exigences de son public, pour parler de la société des années 1660-1680 à ceux qui y vivent[48].

---

46. Voir J.-C. Darmon, « La Fontaine et la philosophie : remarques sur le statut de l'évidence dans les *Fables* », *XVIIe siècle*, 1995, 2 ; notamment la deuxième section, « Évidences anti-cartésiennes… », p. 276-293.

47. Voir E. Bury, « L'humanisme de Huet : *paideia* et érudition à la veille des Lumières », *P.-D. Huet*, 1994.

48. La Bruyère ne procédera pas autrement, lui qui part du tableau d'Athènes au IVe siècle pour cautionner le miroir des *Caractères* qu'il tend au public de 1689.

CHAPITRE III

LA POLYPHONIE D'UN POETE MODERNE :
LE CONTEUR

Nous avons déjà vu que la Fontaine était entré dans le monde littéraire de son temps grâce à Paul Pellisson. Son univers fut donc, dès les origines, l'univers galant qui s'élaborait au moment même où il achevait sa propre formation de poète. Si l'humanisme l'a conduit vers l'imitation de Térence, il l'a aussi nourri d'Ovide – comme nous venons de le voir. Or le poète latin était le paradigme de cette poésie galante où avaient excellé Sarasin et Voiture. D'autre part, il est évident aussi que ce goût des « belles lettres », dans le cadre de la culture du XVIIe siècle, trahit un esprit résolument tourné vers le monde terrestre, sa prudence, ses plaisirs et ses peines : pour parler dans les termes du temps, nous sommes bien dans l'ordre de la nature, et non dans celui de la grâce [1]. Le goût du poète pour l'antiquité ne le conduit donc pas à tourner le dos aux réalités présentes ; on pourrait même avancer qu'au contraire, il est bien de son temps lorsqu'il construit son propre univers fictif en actualisant des paradigmes venus d'autres lieux et d'autres époques [2].

Du point de vue formel, l'apport de la poésie mondaine a déjà été signalé, et il correspond bien à l'esprit du temps [3]. Notons toutefois que c'est par un genre légèrement « décalé » que La Fontaine se fera un nom, en puisant dans un fonds cher à l'humanisme : les *Contes* sont en effet enracinés dans un terreau nourri par Rabelais, Marguerite de Navarre,

---

1. Voir E. Bury, *Littérature et politesse*, 1996, p. 46-53.

2. C'est un trait de l'imagination classique que T. Pavel définit justement comme « hétérochronie » (*L'Art de l'éloignement...*, p. 21) ; G. Couton, dans sa *Politique de La Fontaine*, 1959, avait déjà clairement insisté sur cet « esprit général du XVIIe siècle » tourné vers le symbolique et l'allégorie (p. 7, et *passim*).

3. Voir ce que rappelle M. Fumaroli, à propos du « signal » donné par la publication des *Œuvres* de Voiture en 1650 (*Fables*, 1995, p. XXIV).

Boccace et Machiavel [4]. La « tentation » du conteur, déjà expérimentée dans la formule épistolaire du *Voyage en Limousin* (1663), se prolonge presque naturellement dans l'entreprise romanesque de *Psyché*, version élégiaque et cythéréenne de la quête (grivoise) de *Joconde* ; La Fontaine s'essaie ici à la synthèse « atticiste » du roman héroïque et transpose, dans le goût galant et mondain des années 1660, l'esthétique qu'il goûtait chez Honoré d'Urfé. La pastorale prend aussi, au rebours des *Contes*, une teinte chrétienne : autre tentation du narrateur, celle de *Saint Malc* (1673) recoupe des thèmes chers aux fabuliste, et semble annoncer l'ultime leçon des *Fables*. Il ne faudrait pas oublier enfin, à côté de la tentation romanesque, le regard constamment porté par La Fontaine sur la création théâtrale : la dernière tentative (1691) saluera le maître de toujours, en essayant de mettre sur scène l'*Astrée*, mais elle ne fait que reprendre une voie inaugurée par *L'Eunuque*, poursuivie par *Daphné* (1674), et infléchie tantôt vers la farce, avec *Les Rieurs de Beau-Richard* (daté approximativement de 1659), tantôt vers la tragédie, comme l'essai inachevé d'*Achille* [5]. La cinquième « tentation » serait peut-être celle de la poésie scientifique, dans la lignée de Lucrèce : prolongeant ainsi une source d'inspiration apparue dans les *Fables* de 1678-1679, La Fontaine fait la louange d'une nouvelle découverte avec l'ancienne « langue des dieux » : le quinquina (1682) [• Anthologie, texte 48]. Cette diversité reflète bien l'attention que La Fontaine porta continûment aux formes littéraires de son temps et au rôle que sa poésie pouvait encore jouer au sein de la modernité, artistique, scientifique ou philosophique, et ce, malgré l'amertume avouée d'Uranie, dans *Clymène* [• Anthologie, texte 30]. Toutefois, cette large palette n'aurait sans doute pas pu être développée avec tant d'assurance sans le succès initial des *Contes*, et l'apprentissage méthodique d'un véritable art narratif, plié aux vers et à la prose.

LES PREMIERS ESSAIS DU CONTEUR : UN VOYAGE GALANT.

La narration ornée en prose et en vers, mêlée de descriptions, a été mise en œuvre par La Fontaine dès 1663, dans les lettres écrites à sa femme, lors du voyage jusqu'à Limoges qu'il fit en compagnie de son oncle Jannart, exilé après l'affaire Foucquet [6]. Ces lettres sont datées du

---

4. Les précieuses notes de l'édition Collinet font, pour chaque œuvre, le point sur les sources, où domine nettement le *Décameron* de Boccace (19 contes en sont inspirés, cf. texte 9, v. 1-4).

5. La datation en demeure très incertaine (*O. D.*, p. 860).

6. Voir P. Clarac, *O. D.*, p. 903, et R. Duchêne, 1990, p. 197-198.

25 août au 19 septembre 1663 [7]. Derrière l'apparent désordre des éléments, l'écriture de cette « relation de voyage » est très concertée : le genre avait été mis au goût du jour par le fameux *Voyage* de Chapelle et de Bachaumont, qui paraît d'ailleurs à Cologne cette même année 1663 [8]. L'ironie à l'égard de ce qu'il voit, la distance amusée qu'il prend avec sa destinataire prouve d'ailleurs que La Fontaine espérait être lu dans un petit cercle d'amis, au-delà du domaine strictement privé.

Le rapport avec les genres narratifs est souligné dès la première lettre, où La Fontaine se moque du goût que sa femme a pour les romans des « chevaliers de la Table Ronde » (25 août, p. 533) et expose la « fantaisie » qu'il lui a pris de suivre son oncle ; comme l'a fait remarquer N. Doiron, La Fontaine joue ici sur la tradition du voyage humaniste, qui liait la pérégrination à l'utilité et à l'histoire. A cette conception méthodique et savante, il préfère un usage galant du voyage, fondé sur l'errance, l'aventure et, surtout, l'aventure amoureuse [9]. « En vérité, c'est un plaisir que de voyager » écrit-il dès la première lettre, et c'est bien sous le signe du plaisir qu'est placée cette longue promenade. Le voyage commence par une halte à Clamart, chez M. de Châteauneuf, dont il célèbre le jardin dans un petit poème de six quatrains, sorte de version « miniature » de l'éloge de Vaux [10]. Dans la lettre suivante (30 août), écrite d'Amboise, le poète raconte les incidents traditionnels d'un voyage en carrosse, s'amusant à disserter sur les noms de lieux et à décrire les monuments, selon les exigences de la relation de voyage sérieuse :

> Est-ce *Montléry* qu'il faut dire, ou *Montlehéry* ? C'est Montlehéry quand le vers et trop court, et Montléry quand il est trop long [11].

On voit d'emblée quel est le ton choisi : la parodie du discours savant fera partie intégrante du plaisir littéraire de ce récit. La Fontaine, en bon épistolier mondain, ne veut pour rien au monde ennuyer sa destinataire, comme il le rappelle, par exemple, au moment où il décrit le château de Richelieu :

---

7. La *Relation d'un Voyage de Paris en Limousin*, datée d'août-septembre 1663, fut partiellement publiée en 1729 dans les *Œuvres diverses* (Paris, Didot, 3 vol. in-8°) ; voir *O. D.*, p. 533-568.

8. Voir R. Duchêne, 1990, p. 201-202, et J.-P. Collinet, 1970, p. 107-113 : les deux critiques y voient un passage du « roman » à l'« histoire », perspective que renverse N. Doiron dans son article récent sur « Voyage galant et promenade chez La Fontaine », *XVIIe siècle*, 1995, 2, p. 193.

9. *Ibid.* : « … en la transposant dans le registre de la galanterie, La Fontaine modifie le genre en profondeur. Le récit de voyage devient un "divertissement". ».

10. *O. D.*, p. 535.

11. *O. D.*, p. 536 ; P. Clarac signale en note qu'il y a ici une allusion précise à une chanson de Voiture (p. 905).

Vous n'en vaudrez que mieux de savoir, sinon toute l'histoire de Richelieu, au moins quelques singularités qui ne me sont point échappées, parce
que je m'y suis particulièrement arrêté. Ce ne sont peut-être pas les plus
remarquables; mais que vous importe? De l'humeur dont je vous connais,
une galanterie sur ces matières vous plaira plus que tant d'observations
savantes et curieuses. (12 septembre, p. 552)

La quête des « singularités » est justement le propre du voyage humaniste, à vocation encyclopédique [12]. Mais La Fontaine la détourne avec
humour, préférant la « galanterie » à l'« érudition [13] ». Un long poème sur
la Beauce (expliquant comment elle est devenue plate, p. 543), ainsi
qu'un autre sur les origines de la Loire illustrent ce style, dans la lettre du
3 septembre (p. 544) :

Que dirons-nous que fut la Loire
Avant que d'être ce qu'elle est?
Car vous savez qu'en son histoire
Notre bon Ovide s'en tait.

De fait, nous dit le poète, ce fleuve n'a pour origine aucune métamorphose, il est beau en soi, sans origine divine :

Laissons là ces métamorphoses,
Et disons ici, s'il vous plaît,
Que la Loire était ce qu'elle est
Dès le commencement des choses.

La mise à distance amusée de la Fable antique relève de l'esprit burlesque
que nous avons déjà décelé chez La Fontaine : preuve, s'il en est, que
tout humaniste qu'il fût, le poète ne craignait pas, au nom de la galanterie, de se moquer discrètement de ses modèles anciens. Une désinvolture
identique est présente dans les aveux d'ignorance du voyageur, qui rappelle ainsi l'utilité savante qu'un humaniste doit attendre du voyage, mais
qui, dans un même mouvement, la laisse de côté grâce une pirouette
digne de Voiture :

Ceux qui chercheront de ces observations savantes, dans les lettres que je
vous écris, se tromperont fort. Vous savez mon ignorance en matière
d'architecture, et que je n'ai rien dit de Vaux que sur des mémoires. Le

---

12. Voir N. Doiron, *L'Art de voyager. Le déplacement à l'époque classique*, 1995, notamment
p. 42-44 (chapitre III, « Histoire et récit de voyage »).

13. Cette opposition était justement celle que faisait Perrot d'Ablancourt en tête de son *Lucien* de
1654, pour le mettre en accord avec l'esthétique mondaine de son temps (*Lettres et préfaces*, STFM,
1971, p. 185, l. 154).

même avantage me manque pour Richelieu : véritablement au lieu de cela j'ai eu les avis de la concierge et ceux de M. de Châteauneuf : avec l'aide de Dieu et de ces personnes, j'en sortirai. (12 septembre, p. 552)

Il est vrai que la description des monuments étant un « lieu » obligé de l'*iter academicum*, le poète ne saurait en faire l'économie : il décrit Amboise (p. 547), il célèbre l'architecture de la ville nouvelle de Richelieu, tout en déplorant sa mauvaise situation géographique (« Mal située et bien bâtie », p. 550); le château de Richelieu fait l'objet de la longue lettre du 12 septembre, écrite de Limoges (p. 551-562) : bien que La Fontaine avoue son ignorance en architecture, il sacrifie au genre; et il le fait avec la nette volonté de mettre en valeur chaque émotion esthétique, face à un tableau, à un bâtiment ou devant un meuble précieux, par une pièce en vers – technique qu'il avait déjà employée dans *Le Songe de Vaux* et dont il usera encore constamment dans *Les Amours de Psyché*.

En effet, les passages versifiés interviennent au fil du récit en prose de préférence pour souligner les descriptions ou témoigner d'une rêverie. Ainsi, tout en sacrifiant aux lois du genre, La Fontaine joue aussi sur la marqueterie des sensations, qu'il rend sensible grâce à l'alternance savante des vers et de la prose [14]. La traversée d'un bois sombre fournit, par exemple, l'occasion de décrire en vers le traditionnel *locus terribilis* :

> République de loups, asile de brigands,
>   Faut-il que tu sois dans le monde ?
>   Tu favorises les méchants
>   Par ton ombre épaisse et profonde.
> Ils égorgent celui que Thémis, ou le gain,
> Ou le désir de voir, fait sortir de sa terre [15].

On pressent ici l'amère leçon de la fable des *Deux pigeons*, où les risques du voyage seront présentés de façon identique [16]. La convention du trait n'ôte rien, d'ailleurs, à l'authenticité du sentiment : seule une certaine pudeur conduit sans doute le poète à emprunter la « langue des dieux » pour évoquer, de façon indirecte, la vérité existentielle d'une expérience. C'est pourquoi, à la description obligée des lieux de passage (dont il s'acquitte souvent avec la désinvolture que nous venons de voir), La Fontaine sait joindre la

---

14. Sur le prosimètre, voir ci-dessus, p. 15 et note.

15. *O. D.*, p. 537; sur le *topos* du *locus terribilis*, voir B. Beugnot, *Le Discours de la retraite...*, 1996, p. 104-105, p. 112.

16. Voir N. Doiron, p. 197-198; cf., à ce sujet, J. Chupeau, « La Fontaine et le refus du voyage », *L'Information littéraire*, 1968.

saisie d'une émotion vraie, qui se transforme aussitôt en lyrisme et en vers.
Cela est net dans l'évocation du triste cachot de Foucquet à Amboise :

> je vous en ferais volontiers la description; mais ce souvenir est trop affli-
> geant.

> Qu'est-il besoin que je retrace
> Une garde au soin nonpareil,
> Chambre murée, étroite place,
> Quelque peu d'air pour toute grâce,
> Jours sans soleil,
> Nuits sans sommeil,
> Trois portes en six pieds d'espace ?
> Vous peindre un tel appartement,
> Ce serait attirer vos larmes ;
> Je l'ai fait insensiblement :
> Cette plainte a pour moi des charmes.

> (Lettre du 5 septembre, p. 548)

Le passage de la prose au vers correspondrait donc à l'intériorisation d'un sentiment, à l'*effet* produit par le spectacle, qui est ici le « sombre plaisir d'un cœur mélancolique » tant goûté par le poète. Mais la « plainte », on le voit, s'interdit de trop assombrir le récit : La Fontaine conserve à l'esprit le pacte initial de lecture, où il était question d'« assaisonner » les matières, « en telle sorte qu'elles [nous] plaisent » (p. 533). Il ne veut donc pas « tirer des larmes » de sa lectrice.

Une part essentielle de cet « assaisonnement » – il s'agit toujours de la métaphore du goût, qui cherche le « sel » et le « piquant » pour divertir [17] – repose sur la bigarrure, que permettent justement les hasards du voyage. Au demeurant, La Fontaine glisse quelques éléments indicateurs de cette esthétique au fil du texte, notamment lorsqu'il décrit la mosaïque de saint Jérôme qu'il a vu à Richelieu, « tout de pièces rapportées » :

> Il n'y en a pas une qui n'ait été employée avec sa couleur ; cependant leur
> assemblage est un saint Hiérôme si achevé que le pinceau n'aurait pu
> mieux faire : aussi semble-t-il que ce soit peinture, même à ceux qui
> regardent de près cet ouvrage. J'admirai non seulement cet artifice, mais

---

17. On ne soulignera jamais assez ce qu'a de très concret l'origine métaphorique du goût : l'ornement y est bien une sauce que l'on accommode avec sel, poivre et épices, comme le disait déjà Saint-Amant dans sa préface au *Passage de Gibraltar* (STFM, 1967, p. 156, l. 20-24 : « Il faut sçavoir mettre le sel, le poivre et l'ail à propos en cette Sauce, autrement au lieu de chatouiller le goust et de faire épanouir la rate de bonne grâce aux Honnestes-gens, on ne touchera, ni on ne fera rire que les Crocheteurs »).

la patience de l'ouvrier. De quelque façon que l'on considère son entreprise, elle ne peut être que singulière… (p. 558)

Il loue ensuite une table faite de pierres précieuses, dont la beauté le contraint à « invoquer les Muses » :

> Le savoir de Pallas, aidé de la teinture,
> Cède au caprice heureux de la simple nature ;
>   Le hasard produit des morceaux
> Que l'art n'a plus qu'à joindre, et qui font sans peinture
> Des modèles parfaits de fleurons et d'oiseaux. (p. 559)

Ce « naturel », cher au poète, fait de hasard apparent et de négligence étudiée, rejoint la « grâce » qu'il définissait dans *Adonis* et qu'il apprécie encore dans l'architecture irrégulière de Blois (lettre du 3 septembre) :

> Il y a force petites galeries, petites fenêtres, petits balcons, petits ornements, sans régularité et sans ordre ; cela fait quelque chose de grand qui plaît assez.

Ce « quelque chose de grand », apparenté au *je ne sais quoi*, mais confinant aussi au sublime, n'est donc pas réservé à la beauté canonique et régulière : on retrouvera constamment cette conviction exprimée par La Fontaine, tant dans la préface des *Contes* qu'au fil des *Amours de Psyché* (voir l'épisode de Myrtis et de Mégano [18] [• Anthologie, texte 25]). Nous sommes déjà sur la voie du sublime tel que Boileau le concevra en le remettant à l'honneur dix ans plus tard.

L'admiration et l'amusement constamment mêlés, l'évocation des œuvres d'art qui va de pair avec la confidence poétique font le charme de ces lettres, auxquelles La Fontaine semble s'être consacré avec plaisir (il avoue souvent avoir veillé plus que de raison pour les achever [19]). La médiation du langage était sans doute indispensable pour que l'épicurisme du poète, par essence peu enclin au voyage, trouvât son compte dans une telle aventure, dont on oublierait presque qu'elle est imposée par une punition politique. La Fontaine le rappelle pourtant à petites touches : dès la première lettre il affirme que l'« ordre du roi » a été précédé par la « fantaisie de voyager » qui l'a pris comme un « pressentiment » (p. 534) ; Foucquet est évoqué, nous l'avons vu, dans la lettre du 5 septembre (p. 547-548) ; enfin, lorsqu'il décrit longuement Richelieu, La Fontaine insiste sur le caractère contraint de son *otium* : « Il faut bien que j'emploie

---

18. Voir ci-dessous, p. 75.

19. Voir, par exemple, la lettre du 3 septembre, p. 546 : « J'emploie cependant les heures qui me sont les plus précieuses à vous faire des relations, moi qui suis enfant du sommeil et de la paresse ! ».

à quelque chose le loisir que le roi nous donne », écrit-il (p. 554). Même derrière l'ironie, les réminiscences littéraires qui nourrissent sa vision et le jeu épistolaire qui la fixe sont autant de protections contre les dures leçons de la rugueuse réalité. L'allusion initiale aux romans de chevalerie et la pointe finale sur les « mystères d'amours » (qui, déplore-t-il, ont peu d'adeptes à Limoges, p. 568) indique la distance que le poète juge nécessaire d'interposer entre lui et le réel, dans la quête idéale d'un *hortus conclusus* inspiré du *Roman de la Rose* ou de l'*Astrée*. Cette modalisation ironique, qui refuse la crudité du cynisme sans s'enfermer pour autant dans l'aveuglement de l'irréalité, s'affirmera, à peine un an plus tard, dans la verve des *Contes*, avant de s'épanouir dans l'univers des *Fables*.

LE SUCCÈS DES CONTES

La première partie des *Contes* a été publiée en 1665, mais l'auteur avait déjà fait paraître en 1664 deux *Nouvelles en vers tirées de Boccace et de l'Arioste*, qui sont *Joconde* et *Le Cocu, battu et content*. Elles sont reprises en 1665, dans la première partie qui regroupe treize contes, dont notamment *Richard Minutolo*, tiré de Boccace, *Le Mari confesseur* tiré des *Cent Nouvelles Nouvelles* [20], le *Conte d'une chose arrivée à Château-Thierry*, le fragment des *Amours de Mars et de Vénus* et *Ballade*. La préface [• Anthologie, texte 6] défend surtout la moralité des contes ; c'est en 1666, lorsqu'il publie la deuxième partie, que La Fontaine complète son propos, en offrant une véritable poétique du genre *(Préface)* [• Anthologie, texte 8], et treize contes, auxquels s'ajouteront ensuite *Les Frères de Catalogne*, *L'Ermite* et *Mazet de Lamporechio* (publiés en 1667 à Cologne). La troisième partie, datée de 1671, apporte quinze nouveaux contes ; faute de préface en forme, elle reprend l'argumentation de 1665 (l'innocuité morale de ces nouvelles) dans le prologue du premier conte, *Les Oies de frère Philippe*. Comme en 1665 aussi, elle s'achève sur une pièce qui semble apparemment sans rapport avec le genre : *Clymène*. Enfin, les *Nouveaux Contes*, parus en 1674, sous une fausse adresse (Gaspar Migeon [21], Mons) est le dernier recueil de *Contes* à proprement parler (dix-sept pièces, dont *Comment l'Esprit vient aux filles*, *Pâté d'anguille*, *Les Lunettes* et *Le Roi Candaule et le Maître en droit*). Ils provoquèrent un véritable scandale, et suscitèrent notamment la colère de Furetière qui écrivit, dans ses *Factums*, à propos de La Fontaine :

---

20. Ce recueil écrit et composé dans l'entourage du duc de Bourgogne au milieu du XVᵉ siècle a été imprimé dès 1486, et réédité à plusieurs reprises au XVIᵉ siècle ; il s'inspire de Boccace (*Decameron*) et du Pogge (*Facezie*), mais on y décèle aussi l'influence de la tradition des fabliaux.

21. Cet imprimeur n'existe pas, la fausse adresse couramment employée alors – notamment par Port-Royal – étant celle de Gaspard Migeot, à Mons (v. T. Allott, 1995, p. 249).

La force de son génie ne s'étend que sur les saletés et les ordures sur lesquelles il a médité toute sa vie [22].

La Fontaine fut d'ailleurs poursuivi en 1675 et ce recueil fut interdit [23]. Pourtant, la mise en scène de nonnes (*Le Psautier, Les Lunettes ou L'Abbesse*), ou l'échange d'épouses (*Les Troqueurs*) ont dû choquer surtout pour le principe, car ces thèmes n'étaient ni nouveaux, ni absents de la littérature antérieure ; les références plus nombreuses à Rabelais (*L'Abbesse, Le Diable de Papefiguière*) donnent d'ailleurs le ton, et la traditionnelle satire humaniste des moines et des nonnes est clairement à l'arrière-plan de ces textes. Même après le succès des *Fables*, et malgré la condamnation des *Nouveaux Contes*, La Fontaine ne quittera pas ce versant de son inspiration ; il est d'ailleurs frappant de constater qu'au moment où il participe à la publication des *Poésies chrétiennes et diverses* (1670), il a la troisième partie des *Contes* en chantier, et elle paraît l'année suivante. De même, les *Nouveaux Contes* suivent d'un an le *Poème sur la Captivité de saint Malc*, dont on a dit qu'il lui aurait été imposé par ses amis de Port-Royal [24]. Enfin, si La Fontaine ne publie plus de contes en recueil autonome après 1674, il continuera d'en écrire [25], en les faisant paraître avec le *Poème du quinquina* en 1682, puis dans les *Ouvrages de prose et de poésie des sieurs de Maucroix et de La Fontaine* [26] (1685), et, bien sûr, dans le douzième livre des *Fables* (1693).

Cette continuité atteste que la part des *Contes* est loin d'être négligeable dans l'œuvre de La Fontaine, au point qu'on a pu déceler une « double carrière » du poète qui développerait parallèlement la lignée des contes et celles des fables [27]. De fait, antérieurs à la publication des *Fables* (1668), les deux premiers recueils ont assuré au poète une notoriété certaine, comme nous l'apprend la fameuse lettre que Chapelain lui envoie pour le féliciter de cette réussite [28] :

---

22. Furetière, *Nouveau recueil de factums*, 1694, p. 294, cité par J.-P. Collinet (*F. C.*, p. 1333).

23 Sur cette affaire, voir J.-P. Collinet, *F. C.*, p. 1333-1335 ; cf. P. Clarac, 1969, p. 47-48.

24 Voir P. Clarac, 1969, p. 79, qui nuance cette affirmation de Mathieu Marais (*Histoire de la vie et des ouvrages de M. de La Fontaine*, rédigée vers 1725, publiée en 1811).

25 Il s'agit de *la Matrone d'Éphèse* et de *Belphégor*, que La Fontaine associera aux *Fables* en 1693.

26 *La Clochette, Le Fleuve Scamandre, la Confidente sans le savoir ou le Stratagème, le Remède* et *les Aveux indiscrets*.

27 Voir J.-P. Collinet, *Monde littéraire...*, p. 15 ; cf. l'aperçu synthétique de P. Clarac, 1969, p. 41-51.

28 Lettre du 12 février 1666, dans *Lettres de Jean Chapelain*, 1883, t. 2, p. 439 (citée par P. Clarac, p. 45-46, J.-P. Collinet, p. 132, R. Bared, p. 63, etc.).

Vous y avez, Monsieur, damé le pion au Boccace à qui vous donneriez jalousie s'il vivait, et qui se tiendrait honoré de vous avoir pour compagnon en ce style. Je n'ai trouvé en aucun écrivain de nouvelles tant de naïveté, tant de pureté, tant de gaieté, tant de bons choix de matières, ni tant de jugement à ménager les expressions ou antiques ou populaires qui sont les seules couleurs vives et naturelles de cette sorte de composition. Votre préface s'y sent bien de votre érudition et de l'usage que vous avez du monde, et rien ne m'y a déplu tant que ce que vous semblez y protester, au commencement, que les historiettes enjouées dont ce volume est formé seront les dernières qu'on verra de vous; car je ne crois pas qu'on doive jamais renoncer à un travail où on réussit comme vous faites en celui-ci.

Il faudrait gloser tous les termes employés ici : « naïveté », ce qu'on louait chez Voiture ou Sarasin [29]; « pureté », qui est un souci de langue hérité, entre autres, de Vaugelas [30]; « gaieté » qui sera le *leitmotiv* de La Fontaine lui-même, et renvoie à l'enjouement galant aussi bien qu'à l'*ornatus* selon Quintilien [31]. Le « choix » traduit l'exigence de *judicium* chère à Guez de Balzac, et il est une part essentielle de l'*inventio* classique, pour ne pas faire de l'imitation un sot esclavage [32]; enfin le juste équilibre entre « l'érudition » et le « monde » correspond bien à cette quête des « nouveaux doctes » qui veulent quitter les cabinets savants pour conquérir les salons mondains, et dont Chapelain est l'un des plus exemplaires représentants. Il suffit de relire la préface de 1666 [• Anthologie, texte 8] pour voir que c'est à elle que Chapelain répond en fait, et qu'il donne ainsi son aval aux libertés qu'y réclame le poète.

Après avoir dialogué autour de l'*Adone* [33], La Fontaine et le critique se retrouvent une nouvelle fois autour des *Contes*, qui témoignent justement

28 Lettre du 12 février 1666, dans *Lettres de Jean Chapelain*, 1883, t. 2, p. 439 (citée par P. Clarac, p. 45-46, J.-P. Collinet, p. 132, R. Bared, p. 63, etc.).

29. Richelet donne cette définition : « Quelque chose de naturel et d'aisé » (le sens de « niaiserie » n'étant que second) : Pinchesne, éditeur des œuvres de son oncle Voiture, loue sa « naïve familiarité » (*Eloge de Voiture*, p. 14); pour Sarasin, voir ci-dessus, chap. I, p. 24.

30. Voir dans les *Remarques sur la langue française* (1647), le chap. IX de la *Préface* (contre ceux qui dénoncent le souci de pureté de langage), et p. 394, 414 où « pureté » est associé à « netteté » pour qualifier le style.

31. J.-P. Collinet (1970, p. 28) a fait remarquer avec beaucoup de pertinence que lorsque La Fontaine parle d'« égayer » ses narrations, il traduit en fait le latin *exornandam* (*Institution oratoire*, IV, II, 116, cité dans *Monde littéraire*, p. 507).

32. Sur l'importance du « jugement » et du choix chez Balzac, voir R. Zuber, *Belles Infidèles...*, p. 405-406, ainsi que Z. Youssef, *Polémique et littéraire chez G. de Balzac*, 1972, p. 264-266 et p. 275; cf. *Les Entretiens* (1657), éd. Beugnot, 1972, p. 212, lignes 100-110, et *Œuvres diverses* (1644), éd. Zuber, 1995, p. 161-163.

33. Voir ci-dessus, chap. II, p. 39.

d'une allégeance à la tradition italienne et moderne. L'attention continue que La Fontaine a portée à cette partie de son œuvre apparaît donc à la fois comme la marque d'un véritable souci littéraire – la délicate mise au point d'un art de conter liée au goût des plaisirs de Vénus – et comme une prise de position dans le champ de la critique – problèmes de l'imitation, choix des modèles. Le simple fait que la *Dissertation sur Joconde* attribuée à Boileau commente dès 1665 les valeurs comparées du conte et de la version qu'en avait faite un certain M. de Bouillon, montre clairement les enjeux critiques que recélait cette entreprise fort modeste en apparence [• Anthologie, texte 5], où il s'agirait seulement de « rimer des contes ». La modernité du poète, son ton de voix propre s'y affirment avec aisance et sûreté ; Boileau souligne d'emblée la valeur de son art, en mettant en avant la bonne imitation de l'Arioste :

> Donnons, si vous voulez, à Arioste toute la gloire de l'invention, ne lui dénions pas le prix qui lui est justement dû pour l'élégance, la netteté, et la brièveté inimitable avec laquelle il dit tant de choses en si peu de mots ; ne rabaissons point malicieusement, en faveur de notre Nation, le plus ingénieux auteur des derniers siècles. Mais que les grâces et les charmes de son esprit ne nous enchantent pas de telle sorte, qu'elles nous empêchent de voir les fautes de jugement qu'il a faites en plusieurs endroits ; et quelque harmonie de Vers dont il nous frappe l'oreille, confessons que Monsieur de la Fontaine ayant conté plus plaisamment une chose très plaisante, il a mieux compris l'idée et le caractère de la narration [34].

« Idée », « caractère » : voici une nouvelle fois en œuvre le vocabulaire critique de l'imitation-émulation. C'est bien du dessein [35] de l'auteur italien qu'il s'agit ici, et dont La Fontaine a su se faire le juste interprète dans le cadre d'une esthétique « attique » : la transposition s'adapte au goût du siècle, sans trahir l'esprit de l'original. Le mouvement même du texte de Boileau montre bien le respect que l'on conserve (et que l'on affirme) pour la source, et en même temps la nécessité de faire entendre un ton de voix propre et autonome de la part de l'« auteur » français : la formule « il a mieux compris » rappelle simplement la situation de rivalité et d'émulation dans laquelle se sentent les promoteurs d'une littérature française moderne. Notons aussi que, derrière le ton docte, voire polémique, de Boileau se retrouve en fait tout le jeu implicite de La Fontaine avec son lecteur. Preuve d'une conscience critique constamment à

---

34. *Dissertation sur Joconde*, 1669 (éd. F. Escal, 1966, p. 319).

35. Sur l'importance de ce mot, et le vocabulaire critique de La Fontaine concernant la création littéraire, voir P. Dandrey, *Fabrique des fables...*, p. 92.

l'œuvre, le « conteur » se plaît en effet souvent à commenter avec désinvolture son propre travail d'adaptation :

> J'entends déjà maint esprit fort
> M'objecter que la vraisemblance
> N'est pas en ceci tout à fait.
> Car, dira-t-on, quelque parfait
> Que puisse être un galant dedans cette science,
> Encor faut-il du temps pour mettre un cœur à bien.
> S'il en faut, je n'en sais rien ;
> Ce n'est pas mon métier de cajoler personne :
> Je le rends comme on me le donne ;
> Et l'Arioste ne ment pas.
> Si l'on voulait à chaque pas
> Arrêter un conteur d'histoire,
> Il n'aurait jamais fait [36],…

On pourrait relever de nombreuses interventions de ce genre, qui jouent
constamment sur la confrontation entre un « original » et les impératifs de
l'art de conter [37] : c'est presque toujours au nom de l'efficacité narrative
que La Fontaine justifie les libertés qu'il prend, comme il le faisait déjà
dans la préface de *L'Eunuque* [• Anthologie, texte 1], et dans les préfaces
respectives de la première et de la seconde partie des *Contes* [• Anthologie, textes 6 et 8]. Il répond avec ironie aux objections que pourrait faire
un censeur un peu trop tatillon :

> Pourquoi, me dira-t-on, nous ramener toujours
> Cette cassette ? est-ce une circonstance
> Qui soit de si grande importance ?
> Oui, selon mon avis ; on va voir si j'ai tort [38].

Les vers suivants commentent la vraisemblance de ce détail, expliquant que
l'argent est « nécessaire » (v. 190) pour la suite du récit. La cohérence
interne est donc paradoxalement affirmée par une intervention d'auteur qui
nous rappelle justement que tout cela n'est qu'un « conte fait à plaisir »
[• Anthologie, texte 8]. Nous sommes donc bien dans une structure narrative
qui est celle du *Decameron* ou de l'*Heptameron* : jamais n'est perdue de
vue la présence d'un conteur de chair et d'os qui nous mène à son gré dans
les méandres du récit. Ce trait demeurera dominant dans la narration des

---

36. *Joconde*, v. 286-298 (*F.C.*, p. 566).

37. Voir, dans l'anthologie, les textes 9 (v. 14 : « J'y mets du mien selon les occurrences »), 10
(v. 9 : « Je me suis écarté de mon original »), 32 (v. 28 : « Contons, mais contons bien ; c'est le point
principal »).

38. *La Fiancée du roi de Garbe*, v. 179-182.

Fables, et la critique, après Boileau, a souvent souligné, et à bon droit, ce qui faisait des contes un vrai « laboratoire » de l'art du narrateur [39].

Après avoir indiqué ce qui fait la qualité d'un récit dans ses préfaces (être clair, suivre son fil, demeurer bref [40]), La Fontaine confirme, au cours de la narration, l'attention qu'il porte à ses préceptes, en s'amusant à commenter son travail : « Pour ne tirer plus en long cette histoire », dit-il dans *L'Ermite* (v. 156); dans *La Fiancée du roi de Garbe*, il renonce explicitement à décrire les « transports » des personnages (« Il faudrait de nouveaux efforts/ Et je n'en puis plus faire... », v. 731-732 [41]). N'oubliant jamais qu'il est dans un contexte de récriture, il se plaît à rappeler l'« histoire » qu'il suit (voir *les Rémois*, v. 18 : « C'était le bruit, à ce que dit l'histoire [42] »).

Cette connaissance implicite d'un substrat préalable le conduit aussi à jouer sur le non dit (« Mot n'en dirai », « Je laisse à penser » ...) qui témoigne de cet art d'« enveloppeur » que louait chez lui Bussy-Rabutin [43] : rhétorique indirecte et brio de l'euphémisme ou de la périphrase caractérisent en effet le style des contes. Et c'est précisément parce qu'il joue sur des récits typiques et des canevas séculaires, puisés dans un fonds assez bien connu de nouvelles et d'anecdotes, que La Fontaine peut demeurer dans l'allusion et dans la litote : ce trait coïncide bien avec l'esthétique galante, où le clin d'œil au lecteur est une marque décisive d'élégance et de complicité. L'insistance sur la manière (« Contons, mais contons bien... ») se comprend d'autant mieux dans ce contexte : il s'agit moins de surprendre par l'invention d'un sujet nouveau que de ravir par la conduite inédite du récit :

> ... ce n'est ni le vrai ni le vraisemblable qui font la beauté et la grâce de ces choses-ci; c'est seulement la manière de les conter.
>
> [• Anthologie, texte 6]

Il puisera donc avec bonheur dans la panoplie que lui lègue l'esthétique galante pour étoffer ces récits venus d'un autre temps. Le goût de l'archaïsme – que louait déjà Chapelain (texte cité ci-dessus) – appartient

---

39. J.-P. Collinet, 1970, p. 128-139 et P. Dandrey, 1991, p. 37-43; voir aussi R. Duchêne, « Les fables de La Fontaine sont-elles des contes? », 1992.

40. Voir texte 8, p. 134 : il faut « éviter la longueur et l'obscurité », « si le fil vient une fois à se rompre, il est impossible au lecteur de le renouer », et « il se faut charger de circonstances le moins qu'on peut ».

41. Cf. *Le Petit Chien qui secoue de l'argent et des pierreries*, v. 347-350.

42. Cf., par exemple, *La Courtisane amoureuse*, v. 266 : « L'histoire dit que le drôle ajouta », *Nicaise*, v. 62 : « Tant fut, à ce que dit l'histoire », etc.

43. Lettre du 4 mai 1686, citée par J.-P. Collinet, *F. C.*, p. 1336.

au « vieux langage » que Voiture avait pratiqué dans la lignée de Marot : on relève ainsi des termes qui fleurent bon la lyrique médiévale. L'amoureuse « merci », le « brandon » de Cupidon, le « déduit [44] » évoquent, par exemple, l'univers du *Roman de la Rose* et sa quête amoureuse. Marot, relais essentiel dans ce cas, avait d'ailleurs proposé des variations sur le texte de Guillaume de Lorris dans une de ses premières œuvres, la *Description du Temple de Cupido* (1514).

Mais ce lexique ancien appartient aussi à la veine burlesque, dans le ton de Scarron : l'usage du mot technique, c'est-à-dire concret et précis, est en effet un des ressorts les plus efficaces du burlesque, et contribue largement à dégonfler la baudruche conventionnelle des périphrases attendues dans le haut style [45]. L'annotation nombreuse de J.-P. Collinet, dans son édition de 1991, relève des dizaines d'emplois de mots techniques, bas ou vieillis, que les lexicographes du temps (Richelet ou Furetière) renvoient le plus souvent à l'usage burlesque [46]. Dans *L'Oraison de saint Julien*, par exemple, le mot technique « farcin » (tumeur du cheval) peut être rapproché d'un emploi du *Virgile travesti* (livre V, v. 283). Pour La Fontaine, comme pour Scarron, il convient de posséder cette fameuse « compétence » linguistique que Saint-Amant exigeait du bon poète héroï-comique [47]. Toute la profondeur de la langue, l'épaisseur des étymologies et la saveur des vieux proverbes sont mis à profit par le conteur qui, rappelons-le, fut l'ami de Furetière avant de se brouiller avec lui. Au rebours des exigences d'un certain purisme auquel on risque toujours de réduire le « classicisme », certains auteurs, dont La Fontaine, conservent le goût de la langue dans sa richesse et ses surprises lexicales : l'ombre de Ménage, l'historien de la langue, mais aussi celle de Chapelain, amateur de « vieux romans », se dessinent ici à l'arrière-plan. On se souvient d'ailleurs que le dialogue que Chapelain consacre à ce sujet mettait justement en

---

44. Respectivement dans *L'Oraison de saint Julien*, v. 312, *Le Muletier*, v. 15 et v. 136 (cf. *La Gageure des trois commères*, v. 219) ; sur les archaïsmes chez La Fontaine, mais centré sur le corpus des *Fables*, voir A. Stefenelli, *Lexikalische Archaismen in den Fabeln von La Fontaine*, 1987 et, plus ancien, mais très commode, T. Lorin, *Vocabulaire pour les œuvres de La Fontaine*, 1852 ; Renée Kohn, en 1962, mettait déjà l'accent sur ce goût de l'archaïsme (*Le Goût de La Fontaine*, p. 308).

45. Il n'aura pas fallu, en fait, attendre Victor Hugo et sa « Réponse à un acte d'accusation » pour « nommer le cochon par son nom » et écraser les « spirales » de la périphrase (*Les Contemplations*, 1856).

46. Voir, par exemple, les notes de *L'Oraison de saint Julien*, p. 1382-1387, aux mots « devers » (v. 16), « confite » (v. 181), « souffreteux » (v. 183), « semonce » (v. 229), « remembrance » (v. 266), « florès » (v. 357), « chevance » (v. 359) ; cf. dans *La Servante justifiée*, v. 39, le mot « étrif » (querelle), qui vient de Rabelais, ou au v. 52, « rôlet » qui, selon Richelet, « ne se dit guère qu'en goguenardant et dans le comique ».

47. Cité ci-dessus, p. 23.

scène Ménage et Sarasin [48] : sans quitter les confins de l'esthétique galante, nous sommes aussi au cœur de la culture robine, attachée à cette érudition « populaire », que l'on retrouvera encore, en dernière analyse, dans la « naïveté » apparente des *Contes* de Perrault [49].

Autre souci de l'esthétique galante : la variété. Dans les *Contes*, elle vient à la fois des sources multiples auxquelles puise La Fontaine et de la plasticité formelle de ses poèmes [50]. Aux nombreux contes inspirés de Boccace, il adjoint l'inspiration française des *Cent Nouvelles Nouvelles*, mais aussi celle de Rabelais *(Le Conte du juge de Mesle, L'Anneau d'Hans Carvel)*, de Bonaventure des Périers *(Le Gascon puni)* ou de Béroalde de Verville *(Le bât)*; à la tradition grivoise des fabliaux *(La gageure des trois commères)* répond l'inspiration plus romanesque de l'Arioste [51] *(Joconde, la Coupe enchantée, Le petit chien qui secoue de l'argent et des pierreries)*. Certains contes ont une source orale *(Conte d'une chose arrivée à Château-Thierry)*; il arrive aussi que La Fontaine, se réclamant de la liberté de Térence, contamine plusieurs sources : c'est le cas, entre autres, du conte *Le Faiseur d'oreilles et le raccommodeur de moules*, inspiré à la fois des *Cent Nouvelles Nouvelles* et de Boccace, avec un développement venu des *Nouvelles récréations et joyeux devis* de Des Périers [52]. Tout cela illustre parfaitement l'esprit de synthèse qui anime La Fontaine, dont la formation profondément humaniste n'a jamais effacé un goût réel et constant pour les modernes [53]; le défenseur de Marot et de Voiture, le poète de la « pension poétique » de Foucquet à Vaux trouvait chez ses modèles italiens le champ idéal d'une saine émulation.

Celle-ci représente tout d'abord un remarquable laboratoire pour le poète, en lui permettant de s'exercer à la narration en vers, à l'aide des précieux canevas que lui fournissent les épisodes du *Roland furieux* ou du

---

48. *De la lecture des vieux romans*, dans *Opuscules critiques*, éd. A. C. Hunter, 1936, p. 206-241 (et notamment p. 210-211 sur le « vieux style »).

49. Sur cet aspect de la culture savante, voir R. Zuber, « Les éléments populaires de la culture savante : les humanistes et le comique » *(Mélanges R. Mandrou*, 1985, p. 283-290); cf., à propos de Perrault, l'introduction du même auteur aux *Contes*, 1987, notamment p. 45-48.

50. Outre la précieuse annotation de *F. C.*, 1991, on peut se reporter aux analyses de J. C. Lapp, *The Esthetics of Negligence : La Fontaine's Contes*, Cambridge, 1971, chap. 2, 3 et 4, qui passent en revue les sources de La Fontaine.

51. Voir J.-C. Lapp, chap. 3, qui souligne les affinités profondes entre La Fontaine et l'Arioste, p. 92-97.

52. Voir la notice de J.-P. Collinet, *F. C.*, p. 1375.

53. Voir E. Bury, « Fable et science de l'homme : la paradoxale *paideia* d'un Moderne », *Le Fablier*, 1996, et ci-dessus, p. 32.

Décaméron. L'avertissement de 1664 [• Anthologie, texte 5] met d'ailleurs l'accent sur cet aspect expérimental de son travail :

> L'auteur a voulu éprouver lequel caractère est le plus propre pour rimer des contes. Il a cru que les vers irréguliers ayant un air qui tient beaucoup de la prose, cette manière pourrait sembler la plus naturelle, et par conséquent la meilleure. D'autre part aussi le vieux langage, pour les choses de cette nature, a des grâces que celui de notre siècle n'a pas. [...] L'auteur a donc tenté ces deux voies sans être encore certain laquelle est la bonne.

Les suffrages qu'il attendait du public lui seront accordés, comme en témoignent les réflexions de la préface de 1665 [• Anthologie, texte 6], où La Fontaine insiste sur la nécessité de se conformer au goût de son siècle. Il y défend aussi la morale de ses contes, affirmant qu'on ne le saurait condamner « que l'on ne condamne aussi l'Arioste devant [lui], et les Anciens devant l'Arioste ». La bienséance est définie avec une précision toute cicéronienne – c'est le *decorum* au sens rhétorique du terme [54] –, et à ce titre, les contes n'en manquent pas : « ce n'est pas une faute de jugement que d'entretenir *les gens d'aujourd'hui* de contes un peu libres » (p. 129). Il réfute enfin en quelques mots l'objection de misogynie qu'on lui adressait : « qui ne voit que ceci est jeu, et par conséquent ne peut porter coup ? » La teneur du dialogue instauré avec son public prouve à quel point La Fontaine était à l'écoute de celui-ci, et dans quel esprit de défi amusé il envisageait cette entreprise littéraire. La préface de 1666 [• Anthologie, texte 8] complète la réflexion, tout en laissant entendre que le cycle des *Contes* s'achève (« Voici les derniers ouvrages de cette nature qui partiront des mains de l'auteur »). Il y propose surtout une remarquable défense de son esthétique de la négligence, qui cherche la grâce en refusant ce qu'ont d'excessif les beautés régulières ; il confirme ainsi les leçons d'*Adonis* [• Anthologie, texte 3, v. 18] et annonce celles des *Amours de Psyché* [• Anthologie, texte 25] :

> Car, comme l'on sait, le secret de plaire ne consiste pas toujours en l'ajustement ; ni même en la régularité : il faut du piquant et de l'agréable, si l'on veut toucher. Combien voyons-nous de ces beautés régulières qui ne touchent point, et dont personne n'est amoureux ?

Cette esthétique trouve son origine chez les « modernes » dont il se réclame, Marot, et surtout Voiture, considéré comme le « garant » de ce genre d'écrire (p. 133). La valeur de cet aveu, qui précède une défense de sa manière d'imiter, où l'on retrouve invoqué Térence (déjà présent dans

---

54. *Orator*, XXI, 71 : « il faut considérer *ce qui convient*, élément qui dépend du sujet à traiter et aussi du caractère tant des orateurs que des auditeurs ».

l'« Avertissement » de 1664), est de montrer que, s'il se réclame des Anciens pour sa méthode et son idée d'imitation, il veut le faire dans le cadre de thèmes et de formes propres à son temps, comme il le rappellera dans l'*Epître à Huet* [55].

Ce goût moderne est aussi marqué par un détail frappant de la préface de 1665 : La Fontaine y oppose à l'accusation d'immoralité (réfutée au nom de la « gaieté ») la mention d'un autre risque, bien plus important à ses yeux, qui réside dans la « douce mélancolie » que peuvent engendrer les « romans les plus chastes » : on pressent ici l'aveu répété du conte *Ballade* (« Je me plais aux livres d'amour »). Ce conte, qui ferme le premier recueil, confirme en effet l'importance que revêt, aux yeux de La Fontaine, la tradition moderne des romans, en dressant un véritable catalogue de la bibliothèque idéale [• Anthologie, texte 7, v. 49-60]. Les romans grecs, l'Arioste, les romans héroïques, et, bien sûr *L'Astrée* sont loués au plus haut point, ce qui dénote une part essentielle de l'inspiration lafontainienne sur laquelle nous avons déjà insisté : l'amour [56], dont il parle constamment, et dont les *Fables* conserveront plus d'une trace. Les *Contes* sont sans doute le versant sensuel et gaulois de cette inspiration, mais il ne la trahissent pas; *Les Amours de Mars et de Vénus* et l'*Imitation d'un livre intitulé « les Arrêts d'Amours* [57] » qui précèdent juste ce conte confirment d'ailleurs l'importance de Cythère dans le monde imaginaire de La Fontaine : son Parnasse, répétons-le, est bien plutôt du côté de Vénus que de celui d'Apollon, comme le confirmeront *Les Amours de Psyché*.

Il n'est pas jusqu'à l'inconstance en amour (« Diversité, c'est ma devise » proclame régulièrement le narrateur du *Pâté d'anguille*) qui n'ait ses lettres de noblesse dans l'univers romanesque le plus élevé : Hylas, héros de l'*Astrée*, n'est jamais loin de l'esprit de La Fontaine. Le goût du « change » n'est-il pas le moteur même de *Joconde*? C'est aussi lui qui pousse l'un des deux pigeons de la fable à partir à l'aventure. Dans leur version rabelaisienne et gauloise, les *Contes* sont donc le reflet de l'*inquiétude* caractéristique du poète [• Anthologie, texte 51].

A cette diversité proclamée correspond, sur le plan formel, une variété de mètres et de longueur : *Joconde* donnait le ton dès 1664, avec l'usage

---

55. Voir ci-dessus, p. 32.

56. Voir ci-dessus, *Cythère ou le règne de la douceur*, p. 46-48.

57. J.-M. Pelous donne de nombreux exemples de ces « édits d'Amour » comme genre typiquement galant (1980, p. 184); R. Kohn, *Le Goût de La Fontaine*, p. 316, a fait remarquer justement que « La vraie tentation de La Fontaine dans les *Contes* n'est pas celle de l'obscénité, c'est celle du lyrisme ».

du vers libre, qui mêle alexandrins, décasyllabes et octosyllabes, entre-coupés ici et là de quelques autres vers courts, de quatre ou six syllabes [58]. Les vers irréguliers plaisent à La Fontaine, car ils ont « un air qui tient beaucoup de la prose » [• Anthologie, texte 5]. De ce point de vue, *La Coupe enchantée* bat un record de souplesse et de variation, en associant sept types de vers différents (si l'on peut considérer comme vers une simple syllabe, comme « Rien » au v. 164). Le jeu des refrains *(Ballade, Pâté d'anguille*, le prologue de *La Coupe enchantée)* ajoute parfois à la petite musique ironique que fait naître ce type de versification.

En s'essayant aussi au « vieux langage », La Fontaine pratique le décasyllabe, à la façon de Marot (inauguré en 1664 avec *Le Cocu battu et content)* : c'est le vers le plus fréquent dans les *Contes*, qui joue sur la souple variation des coupes (6/4 ou 4/6) et dont l'enjambement permet de nombreux effets d'accélération ou de suspens convenant particulièrement à une narration enjouée. La liberté conservée ainsi dans les rythmes, se jouant souvent de la structure métrique à l'aide de la syntaxe, contribue grandement à la petite musique ironique du ton, et prend cet air de prose que le poète recherche volontiers pour conter :

> J'ai certains mots que je dis, au matin,
> Dessous le nom d'oraison ou d'antienne
> De saint Julien ; afin qu'il ne m'avienne
> De mal gîter : et j'ai même éprouvé
> Qu'en y manquant cela m'est arrivé.
>
> *(Oraison de saint Julien [59])*

Il saura aussi utiliser l'octosyllabe continu, primesautier et rapide, comme par exemple dans *Les Frères de Catalogne*. L'heptasyllabe même n'est pas oublié *(Autre imitation d'Anacréon)*. Enfin les variations de longueur donnent aussi une respiration aux recueils : quel contraste entre les 801 vers de *La Fiancée du Roi de Garbe*, qui est aussi très brillant dans sa liberté métrique, et les 11 vers épigrammatiques du *Conte de* *** ! A l'intérieur d'une même pièce, l'esquisse d'une forme dramatique, nette-ment présente dans *Clymène*, anime la narration comme dans *La Servante justifiée* ou dans *La Gageure des trois commères*, où de vrais dialogues de comédie mettent en scène les personnages.

---

58. Sur la technique du vers dans les *Contes*, voir J. C. Lapp, 1971, p. 159-170, et R. Kohn, 1962, p. 311-316 ; cf. ce qu'en dit La Fontaine dès 1664 (texte 5).

59. Voir aussi, par exemple, *La Mandragore*, v. 219-227, où la ponctuation disloque littéralement le vers.

La simple lecture de ces textes, à haute voix si possible, rend sensible la virtuosité du poète. Lorsqu'il ne prétend que « rimer » les *Contes* [• Anthologie, texte 5], La Fontaine ne fait pas acte de fausse modestie : l'essentiel de l'effet et le plaisir que l'on prend à leur lecture tiennent dans cette « mise en musique » savante. Lorsqu'il choisira un autre fond, en l'occurrence l'univers moralisateur des fables ésopiques, il pourra utiliser les mêmes instruments que ceux mis au point avec délicatesse et précision pour interpréter la petite musique immorale des *Contes*.

PSYCHE OU LA TENTATION ROMANESQUE

La Fontaine, conteur achevé, ne pouvait pas ne pas être tenté par le genre auquel il s'avoue si sensible : le roman. Toutefois, on constate d'emblée que le « roman » de *Psyché* renoue, encore une fois, avec les problèmes techniques de la récriture, avec une réflexion continue sur le rapport entre vers et prose, et développe un ensemble de thèmes que nous avons déjà évoqués : omniprésence de Vénus, portée de l'éducation par l'amour, débat sur le rire et les larmes [• Anthologie, texte 23], rapports de la beauté et de la grâce [• Anthologie, texte 25], hymne final à la Volupté [• Anthologie, texte 26]. La mise en scène initiale du cadre reprend la structure traditionnelle des recueils de contes, où la narration ne peut s'épanouir qu'au sein d'une conversation, mais il rappelle aussi, par l'évocation d'un château et d'un parc en devenir, l'étrange formule du *Songe de Vaux*. Cela n'a rien d'innocent, dans la mesure où, s'il est vrai que La Fontaine-Poliphile récrit un texte célèbre qui a sa source dans l'*Ane d'or* d'Apulée [60] (IV, 28-VI, 24), le contexte du récit – Versailles alors en pleine construction – et l'amitié des quatre lettrés qui s'y promènent (que l'on a longtemps assimilé à La Fontaine, Molière, Racine et Boileau [61]) replacent l'œuvre sous une toute autre lumière : celle d'une modernité hardiment revendiquée, dans la gloire d'un siècle qui prétend à plus d'un titre ravir la palme aux Anciens. M. Fumaroli a justement insisté sur la tentative que représente *Psyché*, de la part du poète, pour encourager concrètement le jeune monarque à reprendre le mécénat de Foucquet, et sa politique de la paix (au rebours d'une tradition de conquête incarnée – avec succès – par Colbert). Faisant glisser le rêve du Parnasse de Vaux à

---

60. Voir P. Grimal, trad. des *Romans grecs et latins*, « Bibl. de la Pléiade », 1958, p. 218-255 ; voir l'éd. Jeanneret-Schoettke, p. 14-17, où est rappelée notamment la portée de ce récit et les interprétations philosophiques qui en ont été données (cf., dans la même édition, l'appendice III, p. 262-266, sur « La Fontaine et Apulée »).

61. Voir J. Demeure, « Les quatre amis de *Psyché* », *Mercure de France*, 15 janv. 1928, p. 331-366 (repris par P. Dandrey dans *Parcours critique*, 1996).

Versailles, le poète inciterait le jeune roi à continuer l'œuvre de son premier mécène [62]. La décision de joindre *Adonis* aux *Amours de Psyché* nous oriente aussi vers la constante réflexion du poète sur le style héroïque [63], tout en détonant volontairement dans le contexte versaillais (puisque ce poème était à l'origine dédié à Foucquet).

Dès la préface, La Fontaine brouille les pistes et joue avec le lecteur : le « tempérament » qu'il propose en tête de son ouvrage vise à plaire avant tout, mais « il a fallu badiner depuis le commencement jusqu'à la fin » [• Anthologie, texte 22]. Le sérieux de la quête ne doit donc pas masquer le plaisir essentiel qu'a le poète de conter, jouant avec la mémoire d'un public averti et dissimulant la récriture sous les atours primesautiers d'une narration enjouée et complice. Cette complicité est accentuée par le cadre du récit, qui est une conversation entre amis – trait fondamental de l'esthétique galante, comme nous l'avons vu –, Poliphile, Acante, Ariste et Gélaste. Poliphile propose aux trois autres de lire le livre qu'il a écrit sur les aventures de Psyché. Ils choisissent d'aller à Versailles pour se promener et écouter le récit. Après l'éloge de l'Orangerie (qui rappelle Foucquet, puisqu'elle vient de Vaux) et la louange du monarque, ils commentent (en vers) les bas-reliefs qui ornent la grotte de Thétys (*O. D.*, p. 130-131).

Poliphile commence alors son récit, précédé d'un exorde en vers. Psyché, qui vit en Grèce du temps des rois, est la cadette de trois sœurs ; sa beauté dépasse l'imagination, ce qui fait naître la jalousie de Vénus, dont les temples sont désertés. La déesse demande à son fils Cupidon de la venger. Après un mois, elle apprend que les deux sœurs sont mariées, alors que Psyché est délaissée de tous ses prétendants. Devant l'effroi de tous face à cette situation inconcevable, les parents, à qui Vénus a révélé sa colère, vont consulter l'oracle pour savoir quel mari lui donner. La réponse, ambiguë, leur conseille d'abandonner Psyché en pleine montagne, aux mains d'un « monstre cruel ». C'est Psyché elle-même qui convainc ses parents d'obéir à l'oracle, et elle part sur un char d'ébène, en signe de deuil, en se laissant guider par le sort. Elle parvient au pied d'une haute montagne, sur laquelle elle est transportée grâce au Zéphire, qui la mène dans un palais magnifique. Somptueusement accueillie par des nymphes, elle retrouve son époux la nuit ; il la quitte avant le matin, lui ayant expliqué qu'il ne voulait pas être connu d'elle. Elle voit alors en songe « un jouvenceau de quinze à seize ans, beau comme l'amour ». Ce

62. Cf. ci-dessus, p. 45, et M. Fumaroli « De Vaux à Versailles… », 1995, p. 23-25.
63. Voir ci-dessus, p. 38-39.

sont les sœurs de Psyché, jalouses de son bonheur, qui vont la pousser à la faute. Lors de leur deuxième venue, elles l'effraient en disant qu'elles ont aperçu un dragon. Désespérée, Psyché, à qui ses sœurs ont apporté une lampe et un couteau, décide d'agir et de surprendre son époux pendant son sommeil. Elle découvre un beau jeune homme, mais elle le réveille en laissant tomber une goutte d'huile brûlante sur lui. Le récit s'interrompt, et le livre s'achève sur une discussion entre les quatre amis sur les mérites comparés de la tragédie et de la comédie, entre Ariste et Gélaste [• Anthologie, texte 23 et 24].

Au livre second, Cupidon en colère chasse la jeune fille, qui se retrouve seule en pleine montagne. Elle trouve refuge auprès d'un vieillard qui vit en ermite avec ses deux filles. Psyché demeure avec eux, passant son temps à composer des poèmes et à soupirer après Amour. Ayant excité la curiosité des deux jeunes filles, elle leur raconte son histoire. Après un rapide débat entre les deux sœurs, Psyché se range à l'avis de l'aînée qui lui assure qu'Amour doit toujours l'aimer, et elle décide d'aller à sa recherche. Elle part, et imagine de se venger de ses deux sœurs en leur faisant croire qu'elles sont aimées du dieu et qu'il l'a chassée à cause de cela. L'une et l'autre se tueront, pour l'avoir crue, après s'être jetées dans le vide en croyant être emportées par Zéphire. Rejetée par les divinités auprès de qui elle cherche refuge (Cérès, puis Junon), Psyché décide de se livrer à Vénus elle-même. La déesse, dont la jalousie demeure très vive, la fait fouetter puis lui impose une série d'épreuves réputées impossibles : quérir de l'eau à la Fontaine de Jouvence, rapporter de la laine des moutons du soleil, trier une masse imposante de grains pour ses propres pigeons. Psyché y parvient toujours grâce à l'aide d'Amour, qui lui délègue sans qu'elle le sache de précieuses aides (une servante et une fée). Vénus en colère envoie alors Psyché chercher un onguent chez Proserpine ; ayant séduit Pluton, elle réussit à revenir des Enfers, mais sa curiosité la pousse à ouvrir la boîte que lui a confiée Proserpine : une fumée noire s'en échappe, lui colorant le visage du teint de « la plus belle More du monde ». Désespérée, elle se dissimule dans un bois ; c'est là que Cupidon, redevenu amoureux, la retrouve par hasard. Grâce à Jupiter, il lui rend son teint d'albâtre et obtient pour elle l'immortalité des dieux. De leur union va naître la Volupté, sur l'éloge de laquelle Poliphile clôt son récit.

L'ironie constante qui anime la narration, tant dans la peinture des dieux, très lucianesque, que dans certains traits de psychologie féminine très proches de la veine des *Contes*, montre que La Fontaine, même s'il reprend un texte qui a été glosé par les philosophes, vise surtout à distraire son public, sur le mode de la poésie et du romanesque galant et enjoué. La recherche d'un style mixte, qui sache mêler les tons, comme il mêle la prose et les vers, est d'ailleurs éclairé par le débat entre Gélaste et Ariste à la fin du premier livre : faut-il vraiment choisir, en définitive, entre la comédie et la tragédie, et l'orientation de La Fontaine-Poliphile ne tendrait-elle pas vers le choix d'un enjouement constant, même pour traiter de sujets sérieux ? D'autre part, sans aller jusqu'au bovarysme, il est patent que l'esthétique de La Fontaine, si elle a su s'épanouir dans la gaillardise des *Contes*, construit en regard, comme un contrepoint anxieux, une image du sentiment amoureux qui doit beaucoup à la mélancolie : la préface des *Contes* [• Anthologie, texte 6] en témoignait déjà, lorsque le poète répondait au reproche d'immoralisme en alléguant la « douce mélancolie » des romans [64].

Cette influence du roman est d'autant plus patente que l'*Astrée* est, à l'évidence, aux origines de cette tentative de La Fontaine : comme dans l'œuvre d'Honoré d'Urfé, le récit mêle brillamment les vers et la prose. Le même platonisme diffus y règne [65] : la quête de l'Amour par l'âme (Psyché) n'est-elle pas en soi un projet platonicien ? Gélaste s'en amuse même, dans sa discussion avec Ariste, lorsqu'il s'exclame : « nous voici retombés dans le platonisme [66] » [• Anthologie, texte 24, p. 156]. Mais La Fontaine opère sur le mode de la miniature : son « *Astrée* » ne compte que deux livres et n'excède pas cinq cents pages dans l'édition de 1669 (ce qui fait à peine deux cents dans les éditions modernes). Le contexte de la publication justifie pourtant la comparaison : Honoré d'Urfé avait bâti un univers clos et idéal dans l'*Astrée*, mais il avait été lui-même un homme d'action, fortement engagé dans les troubles de la Ligue. La Fontaine, en cette fin des années 1660, ouvertes sur l'euphorie de la paix, mais où menacent désormais les troubles d'une nouvelle guerre, ne peut qu'encourager, par cette rêverie sur l'amour et l'harmonie, à préserver la paix de l'Arcadie, le monde de Vénus et de la Volupté, contre les fureurs de Mars [67].

---

64. Voir ci-dessus, p. 65.

65. On se reportera à l'excellent article de J. Lafond, « La beauté et la grâce. L'esthétique "platonicienne" des *Amours de Psyché* » (*R.H.L.F.*, 1969, repris dans le *Parcours critique* de P. Dandrey, 1996).

66. Voir *O. D*, p. 178, lorsque Gélaste dit, « puisque vous voulez que je discoure de la comédie et du rire en philosophe platonicien... ».

67. Sur le contexte, cf. ci-dessus, p. 38, et note 29.

Au vu de la réalité historique, force est de constater que si Arcadie il y a, chez La Fontaine comme chez d'Urfé, elle ne peut être qu'une tentation, un point de fuite, et l'un comme l'autre savent bien qu'il y a un monde réel, qui rappelle toujours le poète à ses nécessités [68]. Néanmoins, il demeure vrai que, comme nous l'avons déjà dit, la poésie, comprise comme véritable exercice spirituel, vise un « choix de vie » ; l'esthétique permet d'élaborer un modèle existentiel, de réduire les tensions du monde comme il va, même si l'on ne saurait mettre la réalité politique et sociale entre parenthèses. C'est ce que J.-C. Darmon a caractérisé, à propos des *Fables*, comme une « propédeutique continue du retrait [69] ». On en trouve des traces patentes dans *Psyché*, comme dans *Adonis* : lorsque l'héroïne est chassée par Cupidon, elle trouve refuge auprès d'un vieillard qui vit en ermite et qui l'accueille dans sa retraite, à l'abri de tous les regards. Il y vit avec ses deux filles, qui sont bergères ; après avoir détourné Psyché du suicide, le vieillard lui raconte sa propre vie. Conseiller favori d'un roi, il a dû fuir la cour à cause de l'assiduité des prétendants de sa fille, jeune veuve à la suite d'un premier mariage. Sa retraite lui a été indiquée en songe par la Philosophie et il y vit depuis en vendant sa pêche à la ville la plus proche [70]. Ce modèle de vie, qui est une variation sur la retraite forcée que Cupidon avait déjà fait subir à Psyché dans la première partie de l'œuvre [71], est étroitement lié à la méditation sur la littérature : la jeune fille, dans son loisir lettré, apprend la fable et l'histoire, et « on lui enseigna jusqu'aux secrets de la poésie » (*O. D.*, p. 155). Cela la fait tomber dans de longues rêveries sur son amour :

> Elle parlait, étant seule,
>> Ainsi qu'en usent les amants
>> Dans les vers et dans les romans ;
>
> allait rêver au bord des fontaines, se plaindre aux rochers, consulter les antres sauvages : c'était où son mari l'attendait. Il n'y eut chose dans la nature qu'elle n'entretînt de sa passion. « Hélas ! disait-elle aux arbres, je ne saurais graver sur votre écorce que mon nom seul, car je ne sais pas celui de la personne que j'aime ».

(O. D., p. 155)

---

68. Voir E. Bury, *Littérature et politesse*, 1996, p. 86-89 ; cf. T. Pavel, *L'Art de l'éloignement*, 1996, p. 246-254.

69. « La Fontaine et la philosophie », 1995, p. 305.

70. *O. D.*, p. 201-203.

71. Sur le thème de la retraite au XVIIe siècle, et chez La Fontaine en particulier, voir B. Beugnot, *Le Discours de la retraite au XVIIe siècle*, 1996 (notamment p. 49, 92, 120, 148 et *passim*).

Cet « effet » de la littérature sur le sentiment amoureux est un exemple fondamental du pouvoir *psychagogique* que La Fontaine prête aux prestiges de la poésie et de la fiction. Le débat entre Gélaste et Ariste sur les mérites comparés de la tragédie et de la comédie [• Anthologie, texte 24] éclaire ce point, et dialogue avec de nombreuses allusions faites au cœur du récit [72]. La question de la littérature romanesque réapparaît explicitement lorsque Psyché se retrouve en compagnie des deux jeunes filles de son hôte :

> Le vieillard avait permis à l'aînée de lire certaines fables amoureuses que l'on composait alors, à peu près comme nos romans, et l'avait défendu à sa cadette, lui trouvant l'esprit trop ouvert et trop éveillé. C'est une conduite que nos mères de maintenant suivent aussi : elles défendent à leurs filles cette lecture pour les empêcher de savoir ce que c'est qu'amour; en quoi je tiens qu'elles ont tort; et cela est même inutile, la Nature servant d'*Astrée*. Ce qu'elles gagnent par là n'est qu'un peu de temps : encore n'en gagnent-elles point, une fille qui n'a rien lu croit qu'on n'a garde de la tromper, et est plus tôt prise. Il est de l'amour comme du jeu; c'est prudemment fait que d'en apprendre toutes les ruses, non pas pour les pratiquer, mais afin de s'en garantir. Si jamais vous avez des filles, laissez-les lire [73].

La leçon des *Contes* n'est pas loin, que ce soit dans la version burlesque des *Oies de frère Philippe* – un jeune garçon y est élevé loin de toute présence féminine par son vieux père –, ou dans l'évocation du plaisir pris aux romans dans *Ballade* [• Anthologie, texte 7]. De surcroît, remarquons que c'est en faisant le récit de ses propres aventures – esquissant une élégante mise en abyme du roman dans le roman – que Psyché va parachever l'éducation des deux jeunes filles (*O. D.*, p. 208). La Fontaine fait bien sûr l'économie du récit, que nous connaissons déjà, mais il en précise les modalités : « Psyché leur conta son aventure *bien plus au long* qu'elle ne l'avait contée au vieillard ». Il y a donc d'autres *versions* possibles de la même histoire, liées à une variation dans la manière de conter [74] : ce clin d'œil subtil d'un virtuose de la narration attire une nouvelle fois l'attention du lecteur coutumier de son art sur les enjeux esthétiques de l'imitation et de la récriture, et l'infinité de possibles littéraires qu'elles permettent.

---

72. Par exemple, dans cette même page, Poliphile commente : « Les hommes, comme vous savez, ignoraient alors ce bel art que nous appelons comédie... », qui sera le sujet de conversation, p. 177 et suivantes [• Anthologie, texte 24].

73. *O. D.*, p. 205-206.

74. On remarquera, à ce propos, la simplicité et l'abstraction relative du récit que Psyché fait au vieillard, p. 198-199.

D'autre part, l'insistance sur le pouvoir civilisateur – c'est-à-dire qui rend apte à vivre en société – s'étend aux arts en général : Psyché, accueillie au Palais d'Amour – lieu déjà hautement romanesque en soi – le visite longuement, ce qui donne lieu à de belles pages descriptives, en vers et en prose, à la façon de Mlle de Scudéry ; la jeune fille est ainsi initiée aux beaux-arts (autre trait convergent avec le *Songe de Vaux*) et elle voit partout son portrait ou sa statue. Il est précisé que cette image d'elle-même est « diversifiée » de mille façons différentes, au nom d'une esthétique de la diversité mentionnée à plusieurs reprises [75] : il s'agit en effet de fuir l'ennui des trop longues digressions, et de préférer l'atticisme élégant à l'abondance asianiste (qui prédominait encore chez Marino et dans le roman héroïque [76]).

Le statut « conversationnel » du récit joue avec aisance sur les échos répétés entre le cadre interne de la narration et le cadre externe dans lequel évoluent le narrateur et ses amis : par exemple, la grotte où Psyché rencontre son mari rappelle la grotte de Thétys décrite juste avant le début du récit de Poliphile [77]. L'admiration de Psyché pour les jardins donne lieu à une évocation en vers qui fait directement écho à la description, en vers elle aussi, de l'Allée Royale de Versailles à la fin du livre premier. Le château est d'ailleurs comparé au « Palais d'Apollon » (v. 10) et l'allusion au jardin enchanté d'Armide (v. 20) y introduit l'univers épique et romanesque : tous ces procédés achèvent de confondre et de rendre perméables les deux mondes, celui de la fiction fabuleuse et celui, bien réel, du monument en train de s'édifier pour la gloire du Roi Soleil. Ce caractère métamorphique est accentué enfin par l'évocation admirative du décor de la fête donnée en juillet 1668 pour célébrer la paix d'Aix-la-Chapelle :

> Tout le monde a ouï parler des merveilles de cette fête, des palais devenus jardins, et des jardins devenus palais, de la soudaineté avec laquelle on a créé, s'il faut ainsi dire, ces choses, et qui rendra les enchantements croyables à l'avenir. (p. 187)

---

75. *O. D.*, p. 148 : « de peur que le même objet se présentant si souvent à elle ne lui devînt ennuyeux, les fées l'avaient diversifié » ; cf. p. 146 : « Si j'entreprenais de décrire seulement la quatrième partie de ces merveilles, je me rendrais sans doute importun ; car à la fin on s'ennuie de tout, et des belles choses comme du reste ».

76. Sur le statut de la description de palais chez Mlle de Scudéry, voir C. Morlet-Chantalat, *La Clélie de Mlle de Scudéry*, 1994, p. 515-547.

77. On peut voir, dans l'édition du Livre de Poche (Jeanneret-Schoettke, 1991), des planches représentant cette grotte et les motifs qui la décoraient (pl. IV-IX).

Cette volonté de montrer que l'enchantement de la Fable peut avoir son équivalent dans la vie réelle atteste bien l'idée que les arts ont une haute fonction à remplir : en tissant d'étroits rapports entre la fiction et la réalité, la mise en scène du récit suit aussi cette volonté. Les discussions esthétiques des quatre amis, qui veulent précisément mesurer la portée des fictions, « œuvres faites à plaisir », sur l'*ethos* de ceux qui les écoutent [• Anthologie, textes 23 et 24] en témoignent. La *psychagogie* analysée par Ariste – et placée explicitement sous le signe de Longin [• Anthologie, texte 24] – prouve bien que La Fontaine, derrière l'apparente diversité et le chatoiement impromptu de ces variations, ne perd pas de vue le sujet qui lui tient à cœur, et que nous avons déjà analysé : la quête d'une persuasion par la douceur, d'une rhétorique de la grâce, d'un sublime de la simplicité [78]. En opposant tragédie et comédie, La Fontaine s'interroge une nouvelle fois sur la hiérarchie des styles et des genres : faut-il préférer Sophocle à Térence, ou Virgile à Ovide ? Il s'agit pour Ariste comme pour Gélaste de savoir quel genre parviendra le mieux à « mener les esprits » (p. 156) : c'est le sens propre du verbe grec *psychagôgein*, que La Fontaine traduit ici en paraphrasant une œuvre apocryphe de Platon [79], et que l'on pourrait traduire aussi, étymologiquement, par *divertir* (qui est, notons-le, le premier mot employé par Ariste dans ce passage). Or, comme La Fontaine le dit dans sa préface [• Anthologie, texte 22], si le « principal but est toujours de plaire », il convient de le faire selon le goût dominant des contemporains, qui est porté « au galant et à la plaisanterie [80] » *(ibid.).* C'est pourquoi, dans un même esprit, Gélaste pourra affirmer que ce sont les bons mots d'Hylas qui en font « le véritable héros d'*Astrée* » [• Anthologie, texte 24, p. 153] ; en définitive, même s'il ne semble pas avoir le dernier mot (p. 159), Gélaste a pu suffisamment insister sur la *psychagogie* du rire et de l'agrément [81], pour confirmer la prééminence de la *suavitas* sur la véhémence.

Toute l'habileté de La Fontaine repose dans sa manière de déplacer les accents : loin de conclure en forme le débat (Gélaste se déclare prêt à

---

78. Nous y reviendrons à propos des *Fables*, mais il est essentiel de renvoyer dès maintenant aux analyses très convaincantes de J. Brody (*Lectures...*, 1994, p. 60-65) qui met étroitement en rapport *Le Pouvoir des Fables* (texte 40) avec la conception du sublime que Boileau a développée à partir de Longin (voir Brody, *Boileau and Longinus*, 1958, p. 90-92).

79. *Minos*, 321a ; voir J. Brody, 1958, p. 117-118, qui rapproche ce passage des réflexions de Boileau sur le sujet.

80. Voir J. Lafond, « La beauté et la grâce... », 1966, p. 482, qui pose le problème de la « mode » dans les choix opérés par La Fontaine.

81. Texte 24, p. 157-158 : la comédie « nous touche toujours » et elle « mène les âmes aux Champs Elysées ».

poursuivre, s'il le faut), l'auteur reporte, sans le dire, la réponse définitive. Celle-ci sera donnée, de biais et à retardement, par l'anecdote de
Myrtis et de Mégano [• Anthologie, texte 25], qui est rapportée, au sein
de la fiction cette fois, lorsque Psyché se rend au temple de Vénus, pour
se livrer à elle (livre II). Ce temple porte justement pour inscription, « *A
la déesse des Grâces* ». C'est dans cet épisode – et dans une digression
apparente – que se trouve la réponse à l'opposition ferme qu'Ariste faisait, à la fin du débat, entre les grâces et la beauté : « celle-ci plaît, mais
l'autre ravit » (p. 159). Une anecdote vaut mieux qu'un long discours,
semble nous dire ici La Fontaine, et c'est donc par le biais d'un récit
qu'il conclut, en fait, la longue conversation argumentée et philosophique
des deux amis. La publication d'*Adonis* avec *Psyché* surdétermine
d'ailleurs ce contraste maintes fois affirmé entre la grâce et la beauté
[• Anthologie, texte 3, v. 17-18]. On pourrait alléguer une nouvelle fois la
préface de la seconde partie des *Contes* qui fait, elle aussi, l'éloge d'une
piquante irrégularité opposée aux « beautés régulières qui ne touchent
point » [• Anthologie, texte 8, p. 132]. Il y a ici une cohérence dans les
déclarations, incidentes ou explicites, que la critique a souvent remar-
quée [82]. Lorsqu'il oppose Myrtis et Mégano, le narrateur insiste sur le
« sel » qu'ajoute Vénus à Myrtis et qu'elle refuse à Mégano (p. 160) : ce
lexique appartient clairement à l'ordre du « je ne sais quoi », du « charme
secret », c'est-à-dire à toutes les fines nuances de ce qui échappe aux
règles, aux définitions et aux canons. Comme le dit l'inscription sur le
tombeau de Mégano :

> Ce n'est pas que je ne fusse assez belle pour mériter que les dieux
> m'aimassent ; mais je n'étais pas, dit-on, assez jolie. (p. 161)

Cette joliesse est précisément ce qui *touche*, alors que la beauté n'obtient
qu'une reconnaissance de la raison. Il s'agit donc bien pour La Fontaine
d'émouvoir les sens pour plaire, mais ce *movere* ne passe plus par l'admiration qu'appelle le style sublime (voir ci-dessus, p. 20) : l'« enchantement », synonyme de charme, choisit au contraire la voie de la douceur et
de l'enjouement.

Le paradoxe ultime réside dans le fait que cette grâce si fragile et si
fugitive est décrite au lecteur de *Psyché*, et à Psyché elle-même, par une
inscription monumentale : le mausolée – pourtant menacé de ruine, nous
le savons depuis le *Songe de Vaux* – devient le support d'une parole poétique qui conserve la mémoire de Myrtis. On comprend mieux, dès lors,

---

82. Voir J. Lafond, « La beauté et la grâce... », 1966, p. 483-486, J.-P. Collinet, 1970, p. 55-56 ;
cf. ci-dessus, p. 55, à propos du *Voyage en Limousin*.

la longue description de la contrée, qui est, à sa manière, une nouvelle Arcadie :

> Vénus avait obtenu de Mars une sauvegarde pour tous ces lieux. Les animaux même ne s'y faisaient point la guerre : jamais de loups ; jamais d'autres pièges que ceux que l'Amour fait tendre.
>
> (*O. D.*, p. 223)

Pour La Fontaine, l'évocation de ce Temple et de ce culte nous rappelle que toute poésie réside dans un devoir de mémoire : cette paix harmonieuse ne subsiste que parce qu'on est fidèle aux leçons de l'Amour, et qu'on entretient le souvenir des grâces et des beautés passées, celles de Myrtis et de Mégano. Car c'est l'oubli qui mène à la guerre, et qui menacerait ce *locus amœnus* (« prairie verte comme fine émeraude, et bordée d'ombrages délicieux »), jusque là préservé des travaux de Mars. L'abondante fréquentation du lieu permet la survie du double monument, architectural et poétique : signe qu'il faut habiter le Parnasse – fût-il placé sous le signe de Vénus – pour ne pas le voir disparaître à tout jamais. Le temple de la déesse, décrit quelques pages plus loin, est conforme à l'évocation que Gélaste faisait de la « Cour de Cythérée » [• Anthologie, texte 24, p. 156] et notamment en ce qui concerne la présence de la gaieté et du rire qui accompagnent l'amour :

> Des légions de Jeux et de Ris se promenaient dans les airs ; car Vénus naquit avec tout son équipage, toute grande, toute formée, toute prête à recevoir de l'amour et à en donner. (*O. D.*, p. 226)

On s'achemine déjà vers l'hymne à la Volupté [• Anthologie, texte 26] qui justifie après coup la position que Gélaste a défendue théoriquement face à Ariste, et qui a été, somme toute, illustrée par le récit de Poliphile. En faisant confiance à l'Amour, l'héroïne a en effet retrouvé l'harmonie qu'un funeste incident avait rompu, temporairement. Cette structure de récit, qui est typiquement pastorale [83], renforce la conviction, partagée sans doute par La Fontaine et d'Urfé, que la confiance en l'amour (et dans la paix) finira toujours par être récompensée. A l'inverse de Lucrèce, qui ouvrait son poème *De la Nature* sur l'hymne à Vénus, La Fontaine choisit – comme souvent dans son œuvre – un mouvement « iambique [84] » qui culmine sur l'épilogue, laissant beaucoup à penser au lecteur, de même qu'il délaisse ses personnages en plein *mouvement* dans les dernières lignes du récit :

---

83. Sur le fonctionnement de ce « noyau pastoral », voir M. Fumaroli, *Héros et orateurs*, 1996, p. 36-44, qui interprète ainsi l'ensemble de la dramaturgie cornélienne.

84. C'est-à-dire où l'accent porte sur le deuxième et dernier temps.

puis la lune, étant dans son plein, nos voyageurs et le cocher la voulurent bien pour guide.

(O. D., p. 259)

Épicure (« le plus bel esprit de la Grèce ») devient ainsi le garant de toute une esthétique enracinée dans le cœur même du poète (« viens-t'en loger chez moi »), au moment où il proclame la profonde diversité de son *ethos* :

> J'aime le jeu, l'amour, les livres, la musique,
> La ville et la campagne, enfin tout ; il n'est rien
>   Qui ne me soit souverain bien,
> Jusqu'au sombre plaisir d'un cœur mélancolique.

[• Anthologie, texte 26, v. 36-39]

Mouvement, diversité, « inconstance » même : tout cela rend difficile la définition d'une « esthétique » propre à La Fontaine. Je remarquerai seulement que la souplesse d'une telle quête, et le dynamisme des solutions trouvées au fil d'une création diversifiée sont le signe d'un projet qui n'a jamais renoncé à affirmer, envers et contre tout, la valeur de la parole poétique. Ramenée à La Fontaine lui-même, la quête de Psyché reflète assez bien celle que le poète a pu entreprendre dans un univers relativement hostile à la Fable, dans la mesure où elle perdait pied face à de nouveaux paradigmes de la littérature. Le refus d'une formule unique est le signe d'une opposition à l'idée même que la « langue des dieux » soit devenue purement décorative : cela explique peut-être la tentative d'autres voix par le poète, et notamment celle de l'idylle chrétienne ou celle de la poésie de la nature.

CHAPITRE IV

LA POLYPHONIE D'UN POETE MODERNE :
LYRISME ET PASTORALE DRAMATIQUE

SAINT MALC OU LA TENTATION DU LYRISME RELIGIEUX

Parmi les multiples tons que sut adopter l'œuvre de La Fontaine, celui de la poésie religieuse peut paraître inattendu. Les raisons qui l'ont poussé à choisir ce sujet ne sont sans doute pas, comme on l'a souvent dit, les pressions des Messieurs de Port-Royal, qui auraient ainsi imposé au poète une pénitence pour ses *Contes* jugés trop licencieux. Le fait même de dédier cette œuvre au cardinal de Bouillon [• Anthologie, texte 33], jeune prélat très proche des jésuites, est sans doute plus significatif que le bref hommage rendu à Arnauld d'Andilly, en tant que traducteur de saint Jérôme [1] (v. 534). *Le Poème de la captivité de saint Malc* [2] est en tout cas une réussite inattendue dans l'œuvre d'un auteur apparemment entièrement dévoué à la veine profane.

Après une invocation à la Vierge, le poète commence à raconter la jeunesse de Malc, pleine de sainteté et de sagesse dans la vie érémitique. A la suite d'un héritage, le jeune Malc succombe aux tentations du temporel, malgré les conseils du sage vieillard qui l'a élevé, et qui veut l'en détourner. Une fois parti, Malc traverse le désert, rencontre une troupe de pauvres gens ; ils sont attaqués par des Sarrasins, qui les font prisonniers. Malc se retrouve dans la servitude, en compagnie d'une jeune femme elle aussi prisonnière, et il regrette alors son bonheur passé. Malc et la jeune femme sont condamnés par le chef sarrasin à garder ses troupeaux, ce qui donne lieu à la description de leur vie pastorale, pieuse et retirée :

---

1. Voir J.-P. Collinet, 1970, p. 313-314.

2. Paru en 1673 à Paris, chez Cl. Barbin (*O. D.*, p. 47-61).

> Les vents en sa faveur leur offraient un air doux ;
> Le Ciel les préservait de la fureur des loups,
> Et, gardant leurs toisons exemptes de rapines,
> Ne leur laissait payer nul tribut aux épines.
> Dans les dédales verts que formaient les halliers,
> L'herbe tendre, le thym, les humbles violiers
> Présentaient aux troupeaux une pâture exquise. (v. 155-161)

Après une méditation de la jeune bergère sur le bonheur de la vie des troupeaux comparé au malheur de la vie humaine, Malc prend à son tour la parole pour méditer sur les origines de l'homme (v. 194-208). Désireux de mériter leur sort exempt de péché, les deux jeunes gens adressent une prière au Ciel pour être soutenus dans cette vie rigoureuse et chaste. Mais le chef arabe a d'autres vues sur leur destinée, il veut les unir par « de plus forts liens ». Malc refusant pour conserver son innocence, le chef se met en colère et décide de les enfermer tous deux ensemble. Le couple prie, et Malc va même jusqu'à envisager le suicide ; la bergère l'en détourne, en lui expliquant qu'elle est déjà mariée, fidèle à son époux et qu'il suffit à Malc de se comporter avec elle « Comme un frère en secret, en public comme époux ». Après une nuit achevée en prières, ils sont renvoyés aux champs, tout le monde croyant à leur union. Mais le couple a scrupule à mentir, et Malc envisage alors de s'évader, ce dont il fait part à sa compagne en un long discours. Après de rapides préparatifs, ils prennent la fuite et se réfugient dans l'antre d'une lionne qui défend son petit. Miraculeusement épargnés par le fauve, ils sont en outre sauvés grâce à lui, qui dévore leurs poursuivants, avant de s'enfuir avec son lionceau. Les deux jeunes gens, ayant gagné un village, se séparent pour choisir tous deux la vie solitaire. Après une ultime évocation de la vie de Malc, qui ne meurt pas malgré le jeûne qu'il s'impose, le poète explique le choix de son sujet, tiré de saint Jérôme, et offre son poème au dédicataire, le Cardinal de Bouillon.

La Fontaine renoue ici avec le style « héroïque » qui lui est cher et dont il faisait déjà l'éloge en tête de son *Adonis* [• Anthologie, texte 27]. Les nombreux vers décrivant la vie solitaire, puis la vie pastorale, rejoignent bien, en effet, le genre de l'idylle. Si l'on a l'*Astrée* à l'esprit, on comprendra les séductions que La Fontaine essaie de recréer, notamment dans les vers 143-148, où le monde des bergers reprend forme, mais sur le mode chaste et pieux de l'idylle chrétienne :

> Dès que l'aube empourprait les bords de l'horizon,
> Ils menaient leurs troupeaux loin de toutes approches.

Malc aimait un ruisseau coulant entre des roches.
Des cèdres le couvraient d'ombrages toujours verts :
Ils défendaient ce lieu du chaud et des hivers.

On reconnaît le *topos* du *locus amœnus* de la poésie pastorale [3]. Mais les bergers, ici, ne parlent pas d'amour, si ce n'est de celui de Dieu, et la nature est un lieu où ils s'évitent et non plus où ils se cherchent – le *locus terribilis* prend alors le relais :

Le saint couple cherchait les lieux les plus sauvages,
S'approchait des rochers, s'éloignait des rivages;
Lui-même il se fuyait; et jamais dans ces bois
Les échos n'ont formé des concerts de leurs voix. (v. 129-132)

Le choix de *vie*, qui correspond bien aux préoccupations tradition-nelles de la spiritualité du XVIIe siècle, est au centre de ce poème. Ainsi les mises en garde du vieux sage à Malc, qui dénoncent la vie mondaine :

Fuyez, fuyez, mon fils, le monde et ses amorces;
Il est plein de dangers qui surpassent vos forces,… (v. 45-46)

annoncent les dangers que va courir Malc en quittant sa solitude; cette vie se transforme alors en servitude, au sens propre du terme, et l'on comprend toute la portée symbolique de l'esclavage ici, image de la condition de l'homme dans ce bas monde.

D'autre part, La Fontaine peut passer ici pour l'expérimentateur d'une autre poésie, qui prend sens dans le débat contemporain sur le merveil-leux chrétien. En effet, le constat amer de la disparition des « frivoles déi-tés » qui incarnent le mariage, Hymen et Junon, peut apparaître à la fois comme une réflexion traditionnelle de l'apologétique, mais rejoint presque les positions d'un « moderne » comme Fontenelle [4] :

Frivoles déités qui nous devez votre être,
Vous n'accourûtes pas : comment l'auriez-vous pu?
Vous n'êtes que des noms dont le charme est rompu. (v. 266-268)

L'étrange remords qui saisit la lionne, après qu'elle et son « fan » ont dévoré les deux Sarrasins, nous ramène pourtant vers le monde des *Fables*, où les animaux sont doués de sentiments humains [5]. Les méditations de

---

3. Voir, outre E. R. Curtius (*La Littérature européenne et le Moyen-âge latin*, 1986, vol. 1, p. 317-322), B. Beugnot, *Le Discours de la retraite…*, 1996, p. 104-109.

4. Voir le traité sur *L'origine des Fables*, écrit vers 1690 (cf. E. Bury, *Littérature et politesse*, p. 161-163).

5. Voir J.-P. Collinet, 1970, p. 320.

Malc sur le monde des fourmis (v. 357-364) nous y invitaient déjà, et la leçon qu'il en tirait appartient à la fois au registre biblique (comme dans saint Jérôme, cf. *Prov.* 6, 6-11) et à la tradition ésopique :

> Vous m'enseignez, dit-il, le chemin qu'il faut suivre ;
> Ce n'est pas pour soi seul qu'ici-bas on doit vivre ; (v. 365-66)

Véritable gageure pour le poète, ce poème est précisément riche de tous les défis qu'il comporte pour l'art de La Fontaine ; son ampleur (548 vers) laisse la place aux variations, que ce soit dans l'évocation descriptive ou dans le lyrisme des méditations. La narration épique même y est à l'honneur, lorsque, par exemple, les brigands attaquent la troupe sans défense (v. 73-95), ou lorsque Malc et sa compagne sont poursuivis (v. 435-443). Dans un tout autre registre que celui des *Contes* ou celui des *Fables*, La Fontaine, qui amplifie un passage d'une lettre de saint Jérôme, met ici en œuvre tout le savoir-faire acquis dans l'écriture-récriture qui lui est familière.

La double veine narrative et lyrique est mise en valeur dans un ouvrage de longue haleine que le poète, dont rien ne permet de mettre en doute la sincérité, semble avoir pris très au sérieux, à la fois comme gageure poétique et comme laboratoire d'invention. On pressent les ultimes leçons de la fable *Le Juge arbitre, l'hospitalier et le solitaire* [• Anthologie, texte 56] même si, comme le fait remarquer B. Beugnot :

> Loin de préparer l'âme à une transcendance, la retraite lafontainienne d'inspiration très humaniste ouvre à l'homme toutes les richesses de son « royaume de demi lieue » (Balzac) ; retraite de libertin au sens le plus haut du terme, c'est-à-dire d'un homme et d'un poète qui n'a observé la comédie humaine que pour assumer sa condition et défendre son autonomie [6].

Ce propos philosophique n'a rien d'excessif, si l'on conserve à l'esprit la volonté qu'a constamment eue La Fontaine de réinventer une véritable poésie philosophique. Homme de l'âge « baroque » – ne serait-ce que par son goût jamais démenti pour l'*Astrée* –, La Fontaine en garde la fascination pour les hautes ambitions de la poésie : alors même que les *Fables* lui donnent l'occasion de disserter contre Descartes, il choisit ouvertement le modèle lucrétien pour s'essayer, une nouvelle fois, au style élevé. Cette fois, pourtant, il ne louera pas les héros issus de la Fable, mais mettra la « langue des dieux » au service de la plus récente découverte médicale : le quinquina.

---

6. *Le Discours de la retraite*, 1996, p. 190.

LE QUINQUINA OU LA TENTATION PHILOSOPHIQUE

Ce long poème de 636 vers [7], divisé en deux chants, se place d'emblée sous le patronage de Lucrèce [• Anthologie, texte 48, v. 12]. Il s'agit en effet de chanter les vertus du quinquina qu'on venait de découvrir. La gageure d'un poème à propos scientifique ne pouvait que séduire La Fontaine, habitué du salon de Madame de La Sablière, où l'on débattait des dernières doctrines philosophiques, notamment des hypothèses mécanistes (voir le *Discours à Madame de La Sablière*, *Fables*, IX); la Muse qu'il invoque est « Uranie » (la Duchesse de Bouillon), qui l'aurait incité à cette entreprise [• Anthologie, texte 48, v. 9]. Après cette invocation, le poète consacre son premier chant à décrire un mal dont souffre l'humanité : la fièvre. La description est donc l'enjeu central de cette première partie. La Fontaine commence pourtant par évoquer la punition divine [• Anthologie, texte 48, v. 18-54], en convoquant les figures traditionnelles de l'Olympe : Prométhée, Jupiter et Apollon. Le ton est donné d'emblée, avec un étrange syncrétisme entre allégorie mythologique et apports de la science moderne : c'est ainsi que La Fontaine décrit le mal lui-même, avec les hypothèses alors admises pour sa cause. Ensuite vient un tableau des remèdes qu'apporte la médecine de son temps, contestée par le contre-exemple des Iroquois, ignorants mais en bonne santé :

Je ne veux pour témoins de ces expériences
Que les peuples sans lois, sans arts, et sans sciences :
Les remèdes fréquents n'abrègent point leurs jours,
Rien n'en hâte le long et le paisible cours.
Telle est des Iroquois la gent presque immortelle :
La vie après cent ans chez eux est encore belle. (v. 111-116)

L'idéal pastoral est ici mêlé d'une imagerie exotique qui est celle des récits de voyage [8]. L'éloignement dans l'espace justifie la peinture d'un âge d'or qui n'est pas sans évoquer les univers « séparés » du romanesque et de la pastorale contemporains, substituant une « hétérotopie » à l'hétérochronie coutumière aux esprits du temps. Mais cette poésie de la nature ne regarde pas seulement du côté des *Bucoliques* : il s'agit aussi de construire une œuvre d'un souffle et d'une ambition analogues à ceux des *Géorgiques* ou du poème de Lucrèce (« Disciple de Lucrèce une seconde fois » I, v. 12), de renouer avec la tradition d'une poésie scientifique et

---

7. *Le Poème du Quinquina et autres ouvrages en vers*, Paris, D. Thierry et C. Barbin, 1682 (*O. D.*, p. 62-77); l'accompagnaient les deux contes, *La Matrone d'Éphèse* et *Belphégor*, ainsi que *Daphné* et *Galatée*.

8. Voir J.-P. Collinet, 1970, p. 325.

philosophique dont l'humanisme avait, lui aussi, rêvé [9]. Mais cette ambition offre un chemin difficile au poète des années 1660, et La Fontaine ne s'en cache pas les difficultés, avec les métaphores qui lui sont habituelles (notamment celle du chemin que l'on ouvre [• Anthologie, textes 35, v. 20-24, et 47, v. 11-12]) :

> Pour nous, fils du savoir, ou, pour en parler mieux,
> Esclaves de ce don que nous ont fait les dieux,
> Nous nous sommes prescrit une étude infinie ;
> L'art est long, et trop courts les termes de la vie.
> Un seul point négligé fait errer aisément :
> Je prendrai de plus haut tout cet enchaînement,
> Matière non encor par les Muses traitée,
> Route qu'aucun mortel en ses vers n'a tentée :
> Le dessein en est grand, le succès malaisé ;
> Si je m'y perds, au moins j'aurai beaucoup osé. (v. 127-136)

La citation à peine masquée du premier aphorisme d'Hippocrate *(Ars longa, vita brevis)* montre aussi qu'il prend appui sur la connaissance commune que l'on pouvait avoir de la médecine (notamment la théorie des humeurs, I, v. 63-81), sans craindre pour autant d'exposer les théories récentes et inédites : il s'inspire par exemple de l'ouvrage de Jacques Rohault *(Traité de physique, 1671)* pour expliquer les causes de la fièvre [10] (I, v. 196-209). On voit la réelle difficulté que cela présente pour la parole poétique, qui ne doit jamais sombrer dans le prosaïsme, malgré le caractère concret des réalités décrites. De nombreuses interventions d'auteur prennent la mesure de celle-ci :

> Muse, aide-moi ; viens sur cette matière
> Philosopher en langage des dieux. (I, v. 194-195)

> Ne nous engageons point dans un détail immense :
> Les longs travaux pour moi ne sont plus de saison ;
> Il me suffit ici de joindre à la raison
> Les succès de l'expérience. (II, v. 201-205)

Soucieux de traiter d'une authentique actualité scientifique, le poète doit donc à la fois conserver les conventions du « langage des dieux » – avec surtout une présence constante de la Fable (voir I, v. 285-304, II, v. 116-149, 202-314) – et s'appuyer sur les données de la médecine moderne : il développe une explication physiologique du mal en exposant

---

9. Voir A.-M. Schmidt, *La Poésie scientifique en France au XVIᵉ siècle*, 1938 (rééd. 1970).

10. Voir les notes de P. Clarac, *O. D.*, p. 813, qui renvoie à H. Busson, *La Religion des classiques*, 1948, p. 129.

la théorie de la circulation sanguine et du pouls, avant d'en venir aux frissons et à la fièvre. L'essentiel de la doctrine exposée vient de Monginot, médecin ami du poète et auteur d'un ouvrage sur *La Guérison des fièvres par le quinquina* [11] (1679). Revenant à la généralité morale, le premier chant s'achève avec une lamentation sur la condition humaine, où réapparaissent les êtres mythologiques, Pandore et Morphée. Un bref épilogue décrit l'inspiration du poète selon l'imagerie du Parnasse :

> Mais c'est trop s'arrêter à des sujets de pleurs :
> Allons quelques moments dormir sur le Parnasse ;
> Nous en célébrerons avec plus de grâce
> Le présent qu'Apollon oppose à ces malheurs (v. 305-308).

En effet, le second chant infléchit le ton puisqu'il est consacré à l'éloge du remède ; le genre épidictique succède à la description toute lucrétienne du fléau. La louange du monarque semble annoncer le retour d'un âge d'or, qui serait *hic et nunc*, et non plus dans un autre temps ou un autre lieu [12]. Ce progrès de la science – où l'« Ecole » est battue en brèche – est bien du côté des convictions modernes : « on suit des lois nouvelles » (v. 29). Une nouvelle fois, on constate combien il est difficile de situer La Fontaine dans le champ des forces qui s'opposent alors entre les tenants de l'un ou de l'autre parti, confirmant les ambiguïtés que nous avons déjà décelées dans l'*Epître à Huet* [13].

Comme il se doit dans le registre épidictique, l'amplification est de règle : la théorie physiologique est présentée au fil d'une comparaison avec les crues du Nil ; l'arbre du quinquina est longuement et méthodiquement décrit : son apparence générale, puis son écorce au goût amer. Le poète fait une nouvelle fois appel à un épisode mythologique pour introduire la préparation du mélange pharmaceutique :

> Aide-moi, Muse, à rappeler
> Ces fastes qu'aux humains tu daignas révéler.
> On dit, et je le crois, qu'une Nymphe savante
> L'eut du sage Chiron et qu'ils lui firent part
> Des plus beaux secrets de leur art. (v. 126-130)

---

11. Voir R. Duchêne, 1990, p. 389-392 ; l'auteur rappelle avec justesse que c'est bien la mode qui conduit le poète, toujours soucieux de plaire à son public, à choisir ce sujet (p. 389).

12. Comme le fait remarquer J.-P. Collinet, 1970, p. 326, La Fontaine « devance de cinq ans » l'éloge du *Siècle de Louis le Grand* par Perrault, qui déclenchera justement la Querelle des Anciens et des Modernes.

13. Voir ci-dessus, p. 31, et texte 35 (cf. J.-P. Collinet, 1970, p. 326-327).

On voit clairement ici que l'appel à la langue poétique correspond presque systématiquement à la mise en œuvre du code allégorique de la Fable (« on dit ») auquel adhère pleinement le poète (« et je le crois »). Chiron, le savant centaure qui fut le maître d'Esculape, est certes présent ici par un rapprochement étymologique avec la centaurée (plante amère qui servait de fébrifuge), mais il nous renvoie aussi au cœur de l'imaginaire mythologique, au moment même où va être décrite la recette très concrète du médicament. Lorsqu'il s'agit du mélange avec le vin, c'est Bacchus que l'on retrouve aux côtés d'Apollon (v. 191-195) :

> Entre Bacchus et le sacré vallon
> Toujours on vit une étroite alliance.

Le lecteur de La Fontaine est donc emmené en plein Olympe du Roi Soleil, où se mêlent personnages mythiques (Minerve, Pandore, Jupiter, Momus) et grands hommes contemporains (Condé, Colbert). L'éloge du remède et de l'époque où il a été découvert n'est pas indissociable de la parole fabuleuse [14] : au-delà du seul genre épidictique, c'est bien tout le discours contemporain qui recourt naturellement à la Fable. Loin d'être un attardé, La Fontaine est bien ici un homme de son temps, même dans les usages apparemment les plus anachroniques de la mythologie.

Celle-ci alimente donc constamment l'amplification poétique, mais avec le concours d'une technique toujours irréprochable de la versification. La « langue des dieux » est en effet caractérisée aussi par l'attention que La Fontaine porte, comme toujours, à ses formules métriques. Dans ce poème, il choisit la variation en jouant sur l'alternance des alexandrins (en majorité) et des octosyllabes ; outre la liberté strophique de l'ensemble, trois séries de décasyllabes [15] montrent la volonté du poète de ne pas lasser son lecteur. De même que la mythologie offre un filtre de beauté et d'imaginaire à un discours fort austère et concret dans son fond, l'emploi du mètre permet une respiration et un rythme qui séduisent les sens alors même que le propos n'en appelle qu'à l'intelligence et à la raison.

L'enjeu littéraire d'un texte comme celui-ci n'est donc pas aussi mince qu'on pourrait le croire. Les *Fables*, dont le second recueil venait de paraître (1678), avaient déjà mis l'accent sur la réflexion scientifique contemporaine (notamment la question des animaux-machines); avec un poème de longue haleine, relevant du genre épidictique, le poète rassemblait

---

14. Outre l'ouvrage de J.-P. Néraudau déjà cité, voir P.-J. Salazar, « Les pouvoirs de la fable : mythologie, littérature et tradition (1650-1725) », *R.H.L.F.*, 1991, 6, p. 878-889.

15. I, v. 186-195, II, v. 116-125 et v. 170-201.

ses forces pour traiter de physique et de médecine. Plier le vers à tous les tons et à tous les sujets, comme il tentait de le faire dans le genre-Protée qu'il venait de remettre à la mode, va dans le sens de cette vaste amplification poético-scientifique. Les mêmes leçons d'un épicurisme tempéré s'y entendent :

> Les Muses m'ont appris que l'enfance du monde,
> Simple, sans passions, en désirs inféconde,
> Vivant de peu, sans luxe, évitait les douleurs :
> Nous n'avions pas en nous la source des malheurs
> Qui nous font aujourd'hui la guerre. (II, v. 259-263)

Lucrèce se mitige ici d'un ton tout ovidien dans la description de l'âge d'or [16] ; si épicurisme il y a, il ne saurait être compris et exposé en dehors de la langue des Muses, qui semble bien être, aux yeux de La Fontaine, son seul vecteur légitime. En d'autres termes, si La Fontaine prétend enseigner quelque chose, il ne saurait le faire autrement que par la voix (et la voie) de la volupté :

> Corrigez-vous, humains ; que le fruit de mes vers
> Soit l'usage réglé des dons de la nature.
> Que si l'excès vous jette en ces ferments divers,
> Ne vous figurez pas que quelque humeur impure
> Se doive avec le sang épuiser dans nos corps ;
> Le quina s'offre à vous, usez de ses trésors. (II, 315-320)

L'usage constant de la mythologie qui vient appuyer un discours contemporain témoigne bien de la tension que nous avons déjà rencontrée dans l'œuvre de La Fontaine : on retrouve en effet la synthèse entre des modèles hérités des littératures anciennes et un propos qui illustre une vision du monde irrémédiablement moderne. Une nouvelle fois, La Fontaine s'efforce de prouver que la magnifique parole indirecte de la Fable a encore le pouvoir de nous séduire et de nous convaincre, même lorsqu'il est question de problèmes et d'enjeux urgents et actuels. Cette démarche demeure donc apparentée à celle des *Fables*, en ce qu'elle choisit une voie détournée pour désigner, décrire et illustrer une réalité souvent trop crue pour être exprimée en termes propres.

Cette recherche d'un miroir qui soit fidèle sans pour autant aveugler celui qui le regarde se retrouve à l'évidence dans les essais dramatiques de La Fontaine : comme Corneille, qui a pratiqué un usage allégorique de

---

16. Voir *Métamorphoses*, I, v. 89-112

la tragédie (si l'on en croit G. Couton [17]), comme Molière, qui voulait « faire rire les honnêtes gens » en leur mettant leurs propres mœurs sous les yeux, le poète des fables, tout en écrivant sa « comédie à cent actes divers », a continûment essayé de mettre sur scène les modèles idéaux que son amour des belles-lettres lui avait rendus familiers et désirables.

DAPHNE OU LA TENTATION DU THEATRE

> Le Florentin
> Montre à la fin
> Ce qu'il sait faire :
> Il ressemble à ces loups qu'on nourrit, et fait bien :
> Car un loup doit toujours garder son caractère,
> Comme un mouton garde le sien.
> J'en étais averti ; l'on me dit : « Prenez garde ;
> Quiconque s'associe avec lui se hasarde ;
> Vous ne connaissez pas encor le Florentin ;
> C'est un paillard, c'est un mâtin
> Qui tout dévore,
> Happe tout, serre tout : il a triple gosier.
> Donnez-lui, fourrez-lui, le glout demande encore :
> Le Roi même aurait peine à le rassasier. »
> Malgré tous ces avis, il me fit travailler ;
> Le paillard s'en vint réveiller
> Un enfant des neuf Sœurs, enfant à barbe grise,
> Qui ne devait en nulle guise
> Etre dupe ; il le fut, et le sera toujours :
> Je me sens né pour être en butte aux méchants tours ;
> Vienne encore un trompeur, je ne tarderai guère.

Ces vers sont tirés d'un des rares textes ouvertement satiriques de La Fontaine, au sens où l'attaque *ad hominem* ne cache pas son jeu : *Le Florentin* [18] s'en prend à Lulli, qui avait refusé de mettre en musique le livret de *Daphné* (1674). Depuis *L'Eunuque* en effet, mis à part le ballet des *Rieurs de Beau-Richard*, joué sans doute pendant l'hiver 1659-1660, La Fontaine n'était pas revenu à l'écriture dramatique. On a vu que les *Contes* esquissaient volontiers, ici et là, la mise en scène théâtrale de dialogues, et c'est aussi une des forces de l'écriture des *Fables* ; l'entière consécration au genre n'avait pourtant pas quitté l'esprit du poète. *Daphné*,

---

17. Voir son *Corneille et la tragédie politique*, 1984.

18. Selon P. Clarac, *O. D.*, p. 956, il convient de le dater d'octobre 1674 (sur le contexte, cf. J.-P. Collinet, 1970, p. 341-345) ; on peut en lire le texte dans *O. D.*, p. 613-614.

comme *Le Malade imaginaire* de Molière un an plus tôt, devait cependant souffrir de la toute puissance de Lulli, et surtout, comme le rappelle J.-P. Collinet, du contexte : le goût de la Cour et celui de la Ville ne sont plus homogènes, et une rupture s'accuse de plus en plus, qui sera consommée en 1682, lorsque la Cour s'installera définitivement à Versailles [19]. D'autre part, comme le fait remarquer La Fontaine lui-même [• Anthologie, texte 36, v. 10-14], la pastorale n'a pas eu l'heur de plaire à un public avide d'héroïsme : nous avons déjà vu, à propos de la publication de l'*Adonis* [20], à quel point le problème d'une poétique de la paix a hanté La Fontaine. En 1674, il préfère toujours l'univers de Vénus à celui de Mars, et, comme le Tityre de la première *Bucolique* de Virgile, il se réjouit des travaux de la paix, au moment même où le pauvre Mélibée est appelé à ceux de la guerre et de la conquête [21]. Or, cette même année 1674 marque l'inflexion majeure de la guerre de Hollande : à l'origine partie pour une simple campagne contre les Provinces Unies (1672), la France fait désormais face à une véritable coalition européenne. Le roi est contraint d'envahir la Franche-Comté au printemps 1674, alors que l'Alsace tombe aux mains des Impériaux au début de l'automne [22] : on comprendra donc que le ton officiel, à cette date, est beaucoup plus à l'exaltation martiale qu'à l'évocation des douceurs pastorales.

L'épître en vers adressée à Madame de Thiange [• Anthologie, texte 36], qui circulait entre le Père Bouhours et son ami Bussy-Rabutin dès le mois de février 1675, atteste ce double malaise : pour justifier sa satire contre le « Florentin » Lulli, La Fontaine dénonce la rupture sensible entre Paris et la Cour, en partageant le territoire des Muses entre Quinault, le librettiste en honneur à la Cour (v. 18-21) et l'« auteur de Paris » que lui-même prétendait être (v. 22-32). On voit déjà s'esquisser les lignes de tension de la Querelle des Anciens et des Modernes dont l'*Epître à Huet*, contemporaine de ces textes, se fait elle aussi l'écho [23].

Il est certain au demeurant que, dans *Daphné*, l'art de La Fontaine, qui renoue avec l'inspiration mythologique de *Clymène*, offre en soi de nombreux exemples de musicalité intrinsèque : mais la réussite des vers ne fait pas forcément celle du librettiste. Bien au contraire, Lulli attendait

19. J.-P. Collinet, 1970, p. 343-344 ; sur le caractère décisif de ce choix de 1682, voir E. Bury, *Littérature et politesse*, 1996, p. 175-178.

20. Voir ci-dessus, chap. II, p. 38.

21. Virgile, *Bucoliques*, I, v. 1-10 ; voir E. Bury, « Le Mythe Arcadien », [in] *Et in Arcadio ego*, éd. A. Soare, Biblio 17, 1996.

22. Voir R. Mandrou, *Louis XIV en son temps*, 1973, p. 262-263.

23. Voir ci-dessus, p. 30-31.

une versification et une *elocutio* simples, ce qu'a su si bien lui procurer Quinault – qualité qui l'a trop souvent fait accuser, à tort, de platitude, alors que ses livrets, une fois chantés, sont d'une grande limpidité et d'un agrément incomparables [24]. Les choix métriques de La Fontaine ont sans doute incité le musicien à renoncer à toute mise en musique [25].

Le livret nous offre pourtant, à sa façon, une synthèse très élégante des thèmes chers à La Fontaine : le prologue de *Daphné* met en scène un débat entre Vénus et Minerve, qui vantent tour à tour les mérites de la vertu et de l'agrément, en présence de Jupiter et de Momus. Aux « ressorts » que prétend régler Minerve, Vénus oppose l'« empire de l'Amour » (*O. D.*, p. 364). L'harmonie obtenue par le simple mot d'ordre « Aimez » (p. 365) confirme que nous sommes bien dans la même inspiration que celle de *Psyché* et d'*Adonis*. La Vallée de Tempé qui sert de cadre, à proximité du Parnasse, est aussi le *locus amœnus* propre à cette tradition : il faut dire que l'épisode, inspiré une nouvelle fois d'Ovide (*Métamorphoses*, I, 452-567) met en scène Apollon qui tombe amoureux de la nymphe Daphné. Celle-ci est prévenue contre l'amour – ce qu'elle exprime en des termes coutumiers à la tradition galante et précieuse :

> Amour, n'approche point de nos ombrages doux,
> De nos prés, de nos fontaines ;
> Laisse en repos ces lieux ; assez d'autres que nous
> Se feront un plaisir de connaître tes peines [26].

On peut aussi rapprocher ces vers de la tonalité dominante de *Saint Malc*, où un même refus de l'amour, précisément au nom du *repos*, est répété à plusieurs reprises. Mais ici, l'Amour, blessé par des paroles d'Apollon qui mettait en doute son pouvoir, se venge en rendant le dieu amoureux de Daphné, alors qu'il ne donne à celle-ci que de la haine pour Apollon (I, 6, p. 375). Les variations sur le sentiment amoureux, le déguisement d'Apollon – qui se fait passer pour un mortel, Tharsis – sont autant d'éléments propres à la pastorale dramatique ; Momus joue son rôle impertinent et railleur, par exemple lorsqu'il évoque – dans la tradition de l'ironie galante – les plaisirs du mariage :

---

24. Sur ce sujet, voir C. Girdlestone, *La Tragédie lyrique considérée comme genre littéraire*, Droz, 1972 (ainsi que *Théâtre et Musique au XVIIᵉ siècle*, *Littératures classiques*, 21, 1994) et la mise au point de S. Bassinet dans son édition d'*Atys*, TLF, 1992, p. 8-14.

25. Voir par exemple IV, 2, p. 393-394, avec une étonnante suite de vers très brefs, convenant sans doute plus à Erik Satie qu'à Lulli !

26. Acte I, scène II, p. 368 ; cf. J.-M. Pelous, 1980, p. 57-70, « L'impérialisme féminin et la casuistique tendre » et p. 241-250 sur les « diverses formes de l'indifférence ».

> Songez-y bien, bergères :
> Hyménée est un dieu jeune, charmant et blond ;
> Mais les jours avec lui ne se ressemblent guère :
> Le premier est amour, amitié le second,
> Le troisième froideur ; songez-y bien bergères [27].

On croirait entendre Hylas, mais on pressent aussi la douce mélancolie qui teintera la fable des *Deux pigeons* (IX, 2). Quinault, la même année, faisait chanter un refrain identique à l'un des personnages de son *Alceste* :

> L'hymen détruit la tendresse
> Il rend l'amour sans attraits ;
> Voulez-vous aimer sans cesse,
> Amants, n'épousez jamais [28].

La variation des formes n'empêche donc pas le poète de reprendre les mêmes *leitmotive* : nous sommes bien ici au cœur de la poétique galante et des récritures qu'elle suppose. A entendre Daphné déplorer le sort des jeunes filles, soumises aux nombreux « tyrans » que leur imposent la vie et la société, on croirait entendre aussi les héroïnes des comédies de Corneille :

> Que notre sexe a d'ennemis !
> A combien de tyrans le destin l'a soumis !
> Des amants importuns, un père inexorable,
>   Un devoir impitoyable ;
> Tout combat nos désirs : trop heureuses encor
>   Si nous n'avions que cette peine [29] !

L'ironie même de l'oracle – on annonce à Daphné qu'elle couronnera Apollon (et pour cause, puisqu'elle sera transformée en laurier, V, 4) – joue sur la tradition galante et attend beaucoup de la compétence du public, à qui cette mythologie était familière.

Dans un même ordre d'esprit, l'ultime tableau de la pièce met en scène les Muses comme le faisait déjà *Clymène* : comme dans ce poème, ce n'est pas Calliope qui fait entendre sa voix, mais plutôt la douceur de l'églogue. Melpomène en personne chasse le haut style, pour lui préférer la lyre amoureuse :

---

27. Acte II, scène V, p. 382.

28. *Alceste*, 1674, V, 2 (cité par J.-M. Pelous, 1980, p. 257).

29. Acte III, scène V, p. 387-388 ; cf. par exemple, la tirade de Doris, dans *La Veuve* (IV, 9, v. 1570-1594), ou celle de Phylis dans *la Place Royale* (I, 1, v. 45-84).

> Sublime, allez dormir encor sur le Parnasse,
> Et vous, clairons, faites place
> Aux doux concerts de l'Amour.
>
> (V, 6, *O. D.*, p. 404)

Suit un échange entre une jeune muse et un poète lyrique, au son des musettes et des hautbois, avant l'interruption par un poète satirique. Cette amusante variation sur le Parnasse, placée sous le signe de Momus, s'achève sur le ballet des « ridicules », avec cette ultime réplique du chœur qui rappelle nettement les v. 4 et 5 de *Clymène*, et qui célèbre une dernière fois la gloire de Vénus :

> Aimez, doctes nourrissons :
> S'il n'était point d'amour, serait-il des chansons ?

Dix ans plus tôt, La Fontaine eût sans doute pleinement réussi avec un tel sujet : le jeune règne, célébré par tous les arts, se serait reconnu dans ce langage. En choisissant l'opéra, La Fontaine prouve qu'il sait toujours suivre le goût du temps : en 1674 s'affirme en effet, par le succès de Quinault et de Lulli, la maturité d'un genre qui entre dans ses années de gloire. D'autre part, il semble pressentir que les genres lyriques galants mènent directement à la tragédie lyrique en musique ; c'est dire que, loin de trahir une de ses principales sources d'inspiration, il en épouse au contraire l'évolution générale. Seraient-ce donc l'échec, et l'amertume dont témoigne *Le Florentin*, qui le conduiraient à prendre position, en dernière analyse, contre l'opéra ?

L'épître à M. de Niert [• Anthologie, texte 37] est l'expression la plus achevée de cette prise de position. Refusant au genre tout autre intérêt que la seule nouveauté (v. 1-6), il en raille l'inutile machinerie et il critique surtout le mélange trop complexe des genres (v. 17-20). Au nom d'Horace, il incite à cantonner chaque art, musique, danse et théâtre, dans son domaine propre [30]. On pourrait s'étonner d'un tel choix de la part d'un homme qui s'efforça constamment d'élaborer des synthèses inédites, et dont la poétique des *tons* laissait entrevoir un effacement des styles et des genres [31] ; en fait, on le comprend mieux si on a à l'esprit quel type de musique il rejette :

> Ce n'est plus la saison de Raymond ni d'Hilaire :
> Il faut vingt clavecins, cent violons pour plaire,
> On ne va plus chercher au fond de quelques bois
> Des amoureux bergers la flûte et le hautbois.
>
> [• Anthologie, texte 37, 2ᵉ extrait v. 1-4]

---

30. Texte 37, v. 21-28 ; cf. les dix derniers vers du second extrait.

31. Voir ci-dessus, p. 17-24.

Loin de refuser la musique dans son ensemble, La Fontaine condamne surtout un type d'orchestration précis : celui des « tambours » et des « trompettes », qui ont remplacé le téorbe et le hautbois. La fanfare martiale couvre la douce chanson des bergers [32]. A l'évidence, il transpose ainsi dans le domaine musical la question des styles que nous avons déjà évoquée : au-delà du tableau satirique contre la mode (v. 17-30), c'est bien le refus du style héroïque dans ce qu'il a de trop tendu et de trop fracassant qui est en cause ici. Son tempérament de poète, qui lui fait tant craindre les « longs ouvrages » et les hyperboles de Calliope, le conduit aussi à refuser l'esthétique trop riche et trop somptueuse de l'opéra. Ne loue-t-il pas chez le musicien Niert « l'agrément et la délicatesse » (O. D., p. 617, v. 4)? A l'admiration suscitée par la machinerie – « surprenant spectacle », « crier miracle » [• Anthologie, texte 37, v. 1-2] –, il préfère l'émotion véritable de l'authentique spectacle tragique (« le Cid, Horace, Héraclius », v. 4). On ne peut s'empêcher de songer ici au débat de Psyché qui raisonnait déjà sur la difficile question de l'efficacité théâtrale, et de la valeur du plaisir qu'on prend à la représentation [• Anthologie, texte 24]. Allant un peu plus loin dans cette réflexion, La Fontaine insiste maintenant sur l'autonomie des sens les uns par rapport aux autres [33]. Il ne faut donc pas les saturer, ni les toucher tous en même temps, car l'abondance nuit à l'intensité de qualité :

Mais ne vaut-il pas mieux, dis-moi ce qu'il t'en semble,
Qu'on ne puisse *sentir* tous les *plaisirs* ensemble,
Et que, pour en goûter les douceurs *purement*,
Il faille les avoir chacun séparément [34]?

La « pureté » du plaisir est essentielle. Cette leçon authentiquement épicurienne se retrouvera dans les *Fables* – qu'on songe au « plaisir aussi pur qu'infini » du *Songe d'un habitant du Mogol* [35]; elle est bien sûr une des clés de son *esthétique* – au sens fort et étymologique du terme : il s'agit de *sentir*. Mais l'intensité n'exclut pas la *douceur*. Il ne faut donc pas confondre la subtile harmonie des *tons* avec la cacophonie que produirait l'apparentement inattendu et monstreux de styles ou d'instru-

32. Alors que, comme nous l'avons vu, Melpomène, à la fin de *Daphné*, chassait les « clairons » pour laisser place à la lyre.

33. Cf. le « paragone » des arts dans le *Songe de Vaux*, que sous-tend une problématique du même ordre.

34. *A M. de Niert*, v. 107-110 (O. D., p. 619), cf. texte 37 ; je souligne.

35. *Fables*, XI, 4, v. 2-3 ; sur ce texte et la morale épicurienne du plaisir chez La Fontaine, voir J.-C. Darmon, *Le Fablier*, 1996, et son ouvrage à paraître sur *Épicurisme et littérature*, PUF (courant 1997) ; cf. J. Salem, *Tel un Dieu parmi les hommes. L'éthique d'Épicure*, 1989, p. 52-63.

ments trop disparates. D'où, en général, la discrétion du burlesque chez La Fontaine, et cet « art de la transition » que Spitzer référait précisément à la *suavitas* du plus épicurien des poètes latins, Horace [36]. A la musique du temps de guerre – on note que la Fontaine se plaît à évoquer *Isis* de Lulli en même temps que les conquêtes du monarque (*O. D.*, p. 620, v. 119-124) –, il préfère le seul clavecin (v. 130-134) :

> Je ne veux rien de plus, rien de mieux
> Pour contenter l'esprit, et l'oreille, et les yeux ; (v. 137-138)

« Rien de plus » est encore une leçon de l'éthique épicurienne [37] ; elle passe naturellement, chez La Fontaine, dans l'ordre esthétique. Car cela est profondément lié dans l'esprit d'un homme de l'âge classique : rien de moins « théorique » que la pensée littéraire de ce poète, qui ne se soucie guère d'abstraction formaliste. Les considérations sur l'art demeurent attachées au souci de leur *effet* réel ; nous l'avons déjà souligné à propos du lexique, qui mêle registre moral et jugement esthétique [38], cela se confirme ici : c'est à l'aune de son propre plaisir, et non à la lumière de ses ambitions de « créateur », que La Fontaine évalue le mérite de l'opéra. Comme il l'écrira encore en tête de son essai inachevé de *Galatée*, seul le plaisir le guide dans ses tentatives :

> Je n'ai eu pour but que de m'exercer en ce genre de comédie ou de tragé-
> die mêlé de chansons, qui me donnait alors du plaisir. L'inconstance et
> l'inquiétude qui me sont si naturelles m'ont empêché d'achever les trois
> actes à quoi je voulais réduire ce sujet. Si l'on trouve satisfaction à lire
> ces deux premiers, peut-être me résoudrai-je à y ajouter le troisième [39].

Il convient donc de considérer avec nuance ce qu'une interprétation trop contextuelle pourrait avoir de réducteur : certes, en revenant, vingt ans plus tard, à une tentative d'opéra avec son *Astrée*, La Fontaine montre qu'il a bien conservé un faible pour l'art total qui associe poésie et musique ; mais nous venons aussi de voir que ses réserves à l'égard d'une synthèse à la façon de Lulli et de Quinault correspondent à des choix esthétiques qu'il conserve envers et contre tout. Il y a chez La Fontaine une certaine réticence à l'égard de la grosse machine, technique et sonore,

---

36. *Etudes de style*, p. 166-169.

37. Voir la fable qui porte le titre *Rien de trop* (IX, 11) ; sur cette modération des désirs dans l'éthique épicurienne, v. J. Salem, 1989, p. 72-74.

38. Voir ci-dessus, p. 23-24 ; cf. D. Denis, « Réflexions sur le style galant : une théorisation floue », *Littératures classiques*, 28 (1996), p. 147-158, et surtout p. 151-152, sur l'origine psychologique et anthropologique de la terminologie.

39. *O. D.*, p. 407.

que représente l'opéra louis-quatorzien, de même qu'il y a un réel embarras à l'égard des trompettes du style épidictique, lorsque ce style choisit la louange ; le poète rêve d'un « opéra de chambre » qui conserve le luth, ou la lyre, comme instrument prédominant, et qui préfère le dialogue du chant amœbée aux grandes orgues des chœurs. Plus sensible sans doute à la douce mélancolie d'un Monteverdi qu'à la magnificence de l'opéra lullien, La Fontaine n'a donc pas renoncé à une formule qui offrirait la synthèse des arts dont tous les contemporains – y compris Molière – avaient esquissé le dessin [40].

Le plaisir est la seule pierre de touche que La Fontaine prend en compte pour juger la qualité des œuvres, au point que même Platon, loué dans l'*Avertissement* des *Ouvrages de prose et de poésie* de 1685, n'est apprécié qu'à ce titre :

> Les circonstances du dialogue, les caractères des personnages, les interlocutions et les bienséances, le style élégant et noble, et qui tient en quelque façon de la poésie : toutes ces choses s'y rencontrent en un tel degré d'excellence, que la manière de raisonner n'a plus rien qui choque : on se laisse amuser insensiblement comme par une espèce de charme. Voilà ce qu'il faut considérer là-dessus : laissons-nous entraîner à notre plaisir, et ne cherchons pas matière de critiquer ; c'est une chose trop aisée à faire. Il y a bien plus de gloire à Platon d'avoir trouvé le secret de plaire même dans les endroits que l'on reprendra [41]…

Le philosophe grec est d'ailleurs loué pour les « excellentes comédies » qu'il nous a léguées, en se moquant des ridicules de son temps comme « nous nous moquons de nos précieuses, de nos marquis, de nos entêtés, de nos ridicules de chaque espèce » (*O. D.*, p. 654). Son analyse des « ridicules », telle que la comprend La Fontaine, est étonnamment proche de celle de Molière : lorsque Platon décrit les sophistes, il est loin d'en exagérer la peinture, il reflète simplement leurs propres excès. Molière, de façon identique, ne prétendait que tendre un miroir à la société de son temps [42]. La convergence est d'autant plus patente si l'on se rappelle l'épitaphe dédiée par La Fontaine au poète dramatique, qu'il compare explicitement à Térence (*O. D.*, p. 609).

---

40. Sur les tentatives de Molière, voir C. Mazouer, *Molière et ses comédies-ballets*, 1993, et le numéro de *Littératures classiques* qu'il a dirigé sur le sujet (21, 1994, 1).

41. *O. D.*, p. 655 ; sur le platonisme du dernier XVIIᵉ siècle, voir E. Bury, *Littérature et politesse*, 1996, p. 170-173.

42. *La Critique de l'Ecole des femmes*, scène VI.

En dernière analyse, il demeure frappant que La Fontaine ait toujours conservé le théâtre à l'horizon de ses préoccupations : de *L'Eunuque* à l'*Astrée*, il a tenté tous les genres, y compris la tragédie, avec les fragments d'*Achille*. Dans *Psyché*, Gélaste défend longuement la supériorité de la comédie sur la tragédie ; mais on demeure – en tout état de cause – dans le domaine dramatique : il s'agit bien de l'efficacité du « signe théâtral », comme diraient nos critiques modernes. On retrouve là une veine inaugurée dans *Clymène*, mais on en constate aussi les limites : inachèvement de la tragédie, échec de *Daphné* et de l'*Astrée*, silence quasiment complet sur *L'Eunuque*. Serait-ce que notre « Homère » n'eût été capable que de la *diégésis* (narration) et que l'art de la *mimésis* (imitation [théâtrale]) lui eût été refusé ? Cela serait une interprétation trop simple : notons plutôt que La Fontaine, tout en refusant les « grands » genres, n'a jamais cessé de regarder dans leur direction. Son tempérament le poussait peut-être vers d'autres voies. Il a du moins compris assez tôt que, de la richesse narrative des *Contes*, de l'imaginaire romanesque et de la culture globale que lui léguaient les genres littéraires promus par l'humanisme (comédie de mœurs, poésie religieuse, poésie scientifique), il pouvait tirer la variété et l'invention qui allait conduire à la promotion du plus humble des genres, devenu « miroir sorcière » de tous les autres : la fable [43].

---

43. J'emprunte l'expression à M. Fumaroli, qui a brillamment montré l'ampleur des genres que visait à embrasser la fable selon La Fontaine (1995).

CHAPITRE V

L'ENTREPRISE DES FABLES

Œuvre de la maturité d'un des plus grands poètes du dix-septième siècle français, les *Fables* sont donc l'aboutissement d'un art et d'une culture ancrés en profondeur dans de multiples traditions issues à la fois de l'humanisme et des nombreux genres mondains. J'ai essayé de montrer dans les chapitres précédents la synthèse originale que La Fontaine a constamment tenté de réaliser à partir de cette double culture – celle du Parnasse des Anciens et celle des salons modernes. Nous avons vu la réticence constante dont il a fait preuve face aux grands genres : aurait-il pressenti l'échec de tout essai épique en ce siècle (on sait ce qu'il advint de la *Pucelle* de Chapelain)? Toujours est-il que, même dans la veine d'inspiration humaniste, La Fontaine choisit l'originalité absolue en embrassant un genre apparemment si peu voué à la poésie. Tournant le dos aux genres élevés, il préfère l'humble apologue ésopique. L'humilité apparente du titre, *Fables choisies mises en vers*, qui signale la simple mise en forme métrique d'un matériau préexistant (« choisies »), est le premier hommage du poète à la tradition de ce genre littéraire : c'est en effet le plus humble de la hiérarchie, situé aux confins de l'exercice scolaire des premières années d'apprentissage et de la technique des emblèmes : en aucun cas les options initiales du fabuliste ne laissaient présager le chef-d'œuvre qui allait naître de ces choix. Avant toute analyse, il convient de mettre en lumière la continuité remarquable de l'attention qu'il a portée à ce genre : alors même que nous venons de voir la polyphonie du poète et la diversité de ses tentatives, rappelons brièvement l'étonnante constance dont il a fait preuve à l'égard du genre de la fable, qui lui a permis en 1668 de prolonger le succès obtenu avec les *Contes*, qui a confirmé sa veine en 1678, et qui ponctue d'un splendide point d'orgue l'œuvre entière en 1693.

DES PREMIÈRES FABLES (1668) AU DERNIER RECUEIL (1693)

Le premier recueil de *Fables* paraît en 1668, chez le libraire Claude Barbin. Il contient les six premiers livres, et s'ouvre sur une préface qui défend le genre de la fable « mise en vers », suivie d'une *Vie d'Esope le Phrygien*. Le premier recueil offre bon nombre des fables les plus connues, en puisant largement dans le fonds d'Esope et de Phèdre[1]. Ce sont, en tout, 124 fables que La Fontaine offre à son public de 1668. La structure de l'ensemble est équilibrée : chaque livre compte une vingtaine de fables en moyenne (22 pour I et IV, 20 pour II, 18 pour III, 21 pour V et VI). Du point de vue de l'esthétique, les fables liminaires apportent souvent une réflexion sur l'apologue (*Contre ceux qui ont le goût difficile*, II, 1 ; *Le Meunier, son Fils et l'Ane*, III, 1 ; *Le Pâtre et le Lion*, VI, 1 [• Anthologie, resp. textes 15, 16 et 20]) ; une alternance est sensible entre les fables qui mettent en scène les animaux et celles qui ont pour acteurs des hommes, avec parfois de longues séquences (par exemple, dans I, 1-10 pour les animaux et 11-17 pour les hommes) ; toutefois les fables « animales » demeurent deux fois plus nombreuses[2].

Le second recueil paraît, également chez Claude Barbin, en 1678 (T. III, livres I et II, qui sont les actuels livres VII et VIII) et en 1679 (T. IV, livres III, IV, V, qui sont les actuels livres IX, X et XI). Dédié à Madame de Montespan, il semble nettement infléchir le ton : l'inspiration se diversifie, en puisant notamment dans la tradition orientale (Pilpay, *Le Livre des Lumières*, que Gaulmin avait traduit en 1644). Il faut dire qu'entre-temps, ayant quitté la protection de la duchesse de Bouillon (1671), le poète s'était placé sous celle de Madame de La Sablière : le salon de celle-ci, rue Neuve des Petits-Champs, accueillait voyageurs et savants. La Fontaine y rencontre Roberval, Sauveur, mais aussi Bernier, l'orientaliste, qui est par ailleurs le vulgarisateur de Gassendi. Les nouveaux intérêts de La Fontaine en sont sans doute issus : il souligne lui-même ces inflexions dans un bref avertissement, où il défend la « diversité » dont il

---

1. On peut citer pour le seul premier livre, *La Cigale et la fourmi* (I, 1), *Le Corbeau et le renard* (I, 2), *La Grenouille qui se veut faire aussi grosse que le bœuf* (I, 3), *Le Rat de ville et le rat des champs* (I, 9), *Le Loup et l'agneau* (I, 10), *Le Renard et la cigogne* (I, 18) ou *Le Chêne et le roseau* (I, 22 et dernière). Il faudrait citer encore *Le Renard et le bouc* (III, 5), *Le Renard et les raisins* (III, 11), *Le Pot de terre et le pot de fer* (V, 2) ou *Le Laboureur et ses enfants* (V, 9), sans oublier *Le Lièvre et la tortue* (VI, 10), *Le Soleil et les grenouilles* (VI, 12) ou *La Jeune Veuve* (VI, 21) ; le « guide » le plus précieux dans le pays des *Fables* demeure, par son classement méthodique en fiches, le *La Fontaine fabuliste* de P. Bornecque, 1973.

2. Sur les essais de classement et de typologie des *Fables*, voir le rappel de F. Gohin, dans *L'art de La Fontaine dans ses Fables*, 1929, p. 92 ; cf., plus récemment, l'article de J. Lafond, sur « L'architecture des livres VII à XII des *Fables* », dans *Le Fablier*, 1992, p. 27-31.

veut faire preuve [• Anthologie, texte 38). A l'examen, les livres sont moins équilibrés, et présentent même de larges écarts : 27 fables pour le livre VIII, 9 pour le livre XI, avec une fluctuation de 15 (livre X), 18 (livre VII) ou 20 (livre IX). La diversité est rendue sensible par l'alternance resserrée des fables animales et des fables humaines (jamais plus de trois à la suite); le livre X semble même centré sur les rapports difficiles entre les hommes et les animaux, et sur leur ressemblance (qui est une clef essentielle de toute poétique de la fable) : L'Homme et la couleuvre (X, 1), Le Loup et les bergers (X, 5), Discours à M. le duc de La Rochefoucauld (X, 14). Les tons sont eux aussi plus contrastés : le sombre récit des Animaux malades de la peste (VII, 1) est suivi, par exemple, du Mal marié (VII, 2), dont le thème et le ton évoquent plutôt les Contes. On retrouve les fables réflexives, tel Le Pouvoir des fables (VIII, 4) [• Anthologie, texte 40], Le Dépositaire infidèle (IX, 1) [• Anthologie, texte 42]; le propos s'éloigne même parfois de la simple fable, comme dans le fameux Discours à Mme de La Sablière (non numéroté, à la fin du livre IX), ou bien la fable elle-même tend à s'allonger (90 vers pour L'Homme et la couleuvre, X, 1, 94 pour Le Paysan du Danube, XI, 7). Un certain lyrisme point plus souvent et plus nettement que dans le premier recueil : Tircis et Amarante (VIII, 13), Les Deux Pigeons (IX, 2), Le Songe d'un habitant du Mogol [• Anthologie, resp., textes 41, 43, 45]; l'épilogue du livre XI [• Anthologie, texte 47] semble fermer définitivement ce volet de l'inspiration lafontainienne, en encourageant d'autres « favoris » des Muses à reprendre le flambeau et à suivre le « chemin » ouvert par le fabuliste. La parution du Poème du quinquina et autres ouvrages en vers en 1682 semble confirmer ce renoncement, mais, dès 1685, les Ouvrages de prose et de poésie offrent dix fables nouvelles; il est vrai que ce recueil, par sa diversité même, brasse l'ensemble des genres qu'a pratiqués La Fontaine[3]; en 1692 est imprimée une nouvelle édition des deux premiers recueils, revue par l'auteur, alors que paraissent isolément quelques fables dans Le Mercure galant[4].

Le livre XII paraît donc bien quatorze ans après l'édition de 1679, mais cela ne signifie pas une si longue rupture par rapport à la pratique du genre. Il est publié en 1693, toujours chez Claude Barbin (avec la date de 1694, alors qu'il est achevé d'imprimer le 1er septembre 1693) : présenté à l'origine comme le « septième » livre des Fables, il est donc placé dans la continuité directe du premier recueil, refermant ainsi la parenthèse

---

3. On y trouve en effet Philémon et Baucis, Daphnis et Alcimadure, ainsi que Les Filles de Minée et cinq contes nouveaux.

4. Voir ci-dessus, p. 12.

des fables « pour adultes » dédiées à l'ancienne favorite du roi [5]. De fait, il est adressé au duc de Bourgogne, qui n'est autre que le fils du grand dauphin, à qui était dédié le recueil de 1668. La Fontaine y renoue donc apparemment avec la stricte tradition pédagogique de la fable. Mais ce livre ultime apparaît en fait comme la synthèse de son art ; la maturité s'y affirme au point qu'il ne craint pas de jouer avec les règles implicites qu'il a suivies jusque là [6]. Les 29 « fables » qui le composent retrouvent à la fois la tradition du premier recueil (*Le Loup et le renard*, XII, 9, *L'Aigle et la pie*, 11, *La Forêt et le bûcheron*, 16) et l'inspiration du recueil de 1678 (*Le Cerf malade*, 6, *Le Corbeau, la Gazelle, la Tortue et le rat*, 15, *Le Renard anglais*, 23). Quatorze pièces avaient déjà été publiées dans les années précédentes [7] : les fables 14 à 23 figuraient dans les *Œuvres de Maucroix et de La Fontaine* (1685), les fables 1, 3 et 4 avaient paru dans le *Mercure galant*, la douzième avait été dédiée au Prince de Conti en 1688. La veine des *Contes* est illustrée par *Belphégor* et *La Matrone d'Ephèse*, et on retrouve le « style héroïque » d'*Adonis* dans *Daphnis et Alcimadure* ou *Les Filles de Minée*. Enfin deux fables présentent une somme de la réflexion poétique des *Fables* : la première *(Les Compagnons d'Ulysse)* [• Anthologie, texte 54] rappelle les rapports ambigus de l'homme et de l'animal et la dernière *(Le Juge arbitre, l'hospitalier et le solitaire)* [• Anthologie, texte 56] marque l'aboutissement d'une sagesse longuement mûrie par l'œuvre et la vie du poète [8].

LES ORIGINES DU GENRE

Cette maturation est d'autant plus étonnante si l'on se rappelle les modestes origines du genre. La tradition pédagogique réservait une place importante à la fable, parce qu'elle est à la fois porteuse d'une morale pratique et fécond exercice d'écriture. G. Couton a magistralement montré comment La Fontaine a su passer du « pensum » scolaire à l'art de la

---

5. Voir J. Marmier, « Les livres VII à XII des *Fables* et leurs problèmes », *L'Information littéraire*, 1972, p. 199-204 ; plus récemment, P. Dandrey a fait le point sur le sujet dans « Le cordeau et le hasard : réflexions sur l'agencement du recueil des *Fables* », *PFSCL*, XXIII, 44 (1996), p. 73-85, avec une longue note bibliographique, p. 74 ; selon lui le fabuliste suit un ordre qui combine l'élégante négligence et la règle, comme dans l'esthétique des jardins à la française.

6. Voir M. Fumaroli, 1995, p. LXIV-LXVI, « Des fables à la Fable ».

7. Voir ci-dessus, chapitre I, p. 12.

8. Voir B. Beugnot, « Autour d'un texte : l'ultime leçon des *Fables* », dans les *Mélanges Pintard*, 1975, p. 291-301 ; sur le livre XII dans son ensemble, voir J. Grimm, *Le Pouvoir des fables*, 1994, p. 140-150 et p. 161-172.

fable [9]. En classe de grammaire, on apprenait le latin dans Phèdre – et dans Térence [10] – de même qu'on lisait Esope, en « classe supérieure de grammaire » pour apprendre les rudiments du grec. Cet intérêt pédagogique de l'humanisme pour de tels auteurs se traduisait par de nombreuses éditions et compilations [11]. L'érudit Nevelet avait recueilli les divers fabulistes en 1610, et son recueil était encore édité [12] en 1660 : La Fontaine devait l'avoir sous la main au moment même où il rédigeait les *Fables*. On a pu prétendre aussi avec raison que La Fontaine a connu Esope dans l'édition scolaire très répandue de Jean Meslier [13]. De fait, des collèges jésuites à Port-Royal, en passant par l'Oratoire, Esope et Phèdre ont toujours eu leur place dans l'enseignement des petites classes. A Port-Royal, haut lieu de la pédagogie moderne, Louis-Isaac Le Maistre de Sacy traduit les *Fables* de Phèdre en 1647, en insistant sur la haute valeur morale que recèle un genre en apparence si bas [14] :

> Les hommes sages […], pénétrant jusques dans le fonds de ces fables, y découvrent de tous côtés des instructions très hautes, et d'autant plus utiles, qu'elles sont mêlées avec des fictions ingénieuses et divertissantes. Ils contemplent avec plaisir et avec estime ces tableaux excellents de tout ce qui se passe dans le monde, dont les traits ne sont pas formés avec des couleurs mortes, mais avec des créatures vivantes et animées, et qui ne représentent pas seulement le visage ou la posture d'un homme, mais les actions de l'esprit, et toute la conduite de la vie.

Il est donc évident que, lorsque La Fontaine prétend que ces « fables [sont] sues de tout le monde » [• Anthologie, texte 12], il n'exagère nullement : bien au contraire, une bonne part du jeu de récriture qu'il entreprend ne peut se comprendre et se goûter que dans la mesure où le fonds original est bien familier au lecteur. C'est ici, transposée dans le registre mondain, la complicité d'une compétence culturelle partagée qui fait le plaisir de la reconnaissance.

9. *La Poétique de La Fontaine*, 1957, seconde partie, « Du pensum aux fables ».

10. Voir ci-dessus, p. 28-29.

11. Voir l'aperçu d'ensemble qu'en donne, à la suite de G. Couton, M. Fumaroli dans son édition (« Les *Fables* et la tradition humaniste de l'apologue ésopique », p. LXXIX-CIII).

12. *Mythologia Aesopica*, Francfort, 1610 ; voir M. Fumaroli, 1995, p. XCVI-XCVII (cf. F. Gohin, 1929, p. 54-58).

13. *Aesopi fabulæ gallicæ, latinæ, græcæ…*, Paris, S. Cramoisy, 1629 (voir G. Couton, 1957, p. 24).

14. On peut en lire la préface dans *Regole della traduzione*, a cura di L. De Nardis, Naples, 1991, p. 201-207 (citation suivante, p. 201-202).

D'autre part, le canevas traditionnel offert par les situations des fables les plus connues pouvait servir de départ aux exercices scolaires d'amplification (la « chrie [15] ») ; c'est à ce titre que « La Cigale et la fourmi » figure en tête des *Progymnasmata* (exercices rhétoriques) du rhéteur grec Aphtonius, qui étaient justement placés en annexe dans la plupart des manuels de rhétorique [16]. L'élève y apprend à utiliser les figures de mots et de style, à amplifier et à particulariser les « circonstances ». L'ornement que La Fontaine prétend ajouter aux *Fables* [• Anthologie, texte 12] n'est que le descendant direct de ces variations de styles que G. Couton a relevées dans les manuels du P. Pomey ou du P. Pajot [17]. On écrit par exemple deux fois la fable du loup et de l'agneau, tantôt en style simple *(stylo simplici)* tantôt en style plus soutenu *(stylo ornatiore)* : dans ses notes, le pédagogue jésuite (en l'occurrence Pomey) désigne et explique toutes les figures dont il se sert. Quant aux circonstances, essentielles pour l'art d'amplifier, elles doivent être développées avec une grande attention, comme l'explique Pajot :

> La fable peut être traitée soit par une narration simple, soit en utilisant une amplification plus développée au moyen de l'éthopée, et d'autres figures du même genre. La fable peut même comporter un préambule ou quelque chose comme un exorde. Il faut tenir un très grand compte des temps, des lieux et des autres circonstances [18].

Cette marque de la pédagogie jésuite des XVIe et XVIIe siècles demeure profonde dans la culture du temps, même « mondanisée » : La Fontaine traduira encore en 1685 une fable du P. Commire (*L'Amour et la folie*, XII, 14), qui était un de ces grands pédagogues jésuites [19]. Fénelon proposera encore ce type d'exercice à son élève, le duc de Bourgogne, qui est aussi le dédicataire du livre XII des *Fables* ; il lui fait même traduire en latin des fables de La Fontaine [20]. Le caractère très technique de cet apprentissage peut nous amener d'emblée à poser le problème du rapport entre matière et forme – que La Fontaine lui-même formule de façon

---

15. Voir G. Couton, 1957, p. 28-30.

16. *Ibid.* ; sur Aphtonius, voir aussi M. Fumaroli, 1995, p. LXXXIII.

17. 1957, p. 30-31 ; le *Tyrocinium eloquentiæ* du P. Pajot date de 1647 (avec de constantes rééditions), le *Candidatus Rhetoricæ* du P. Pomey de 1659.

18. Pajot, 2e éd., 1648, p. 242 (cité et traduit par G. Couton, 1957, p. 31).

19. Voir la note de J.-P. Collinet, *F.C.*, p. 1289-1290.

20. Voir dans l'édition des *Œuvres* de Fénelon par J. Le Brun (1983), les *Fables et opuscules pédagogiques*, notamment les textes IX à XXII ; cf. la notice p. 1293-1294 et, ci-dessous, textes 53 et 54.

explicite dès la préface [21] [• Anthologie, texte 12]. Qu'en est-il en effet d'un texte dont l'originalité essentielle apparaît dans l'invention quasiment mécanique de circonstances et l'application méthodique de figures ? Tout le passage de la « fable » – au sens aristotélicien de *muthos*, c'est-à-dire le récit originel qui structure le poème – au genre propre des fables réside, comme l'a montré F. Graziani, dans cette indétermination [22]. Contenu ou forme, le « canevas » originel informe l'*inventio* du fabuliste, mais lui laisse une entière liberté pour l'*elocutio*, comme le prouvent aussi bien les exercices très scolaires d'un Pomey que l'imitation adulte d'un La Fontaine. Toutefois le passage à l'*éthopée* (description de caractère) qui cherche à peindre les « mœurs » selon les normes du temps conduit inévitablement le poète à « ajouter du [sien] [23] » (IV, 18). Pour que la « logique du vraisemblable » propre à toute entreprise de persuasion atteigne son but et conserve sa cohérence, le fabuliste, comme l'orateur, est contraint d'adapter les mœurs et les circonstances à la *doxa* de son temps [24]. L'actualisation opérée dans les *Fables* n'est donc pas un sacrifice gratuit au goût du temps, mais elle constitue bien aussi une pièce maîtresse de leur fonction didactique et persuasive. L'amplification est alors un outil essentiel de la séduction, et non pas un surplus qui serait seulement anecdotique et purement décoratif. Cela induit les étranges métamorphoses du genre que la critique a souvent relevées chez La Fontaine, notamment dans la difficile articulation entre moralité et récit : on constate en effet la prééminence esthétique du second, et la tendance à fondre les deux, contrairement à la stricte dichotomie scolaire qui distinguait nettement le « corps » et l'« âme » de l'apologue [25].

Cette distinction très caractéristique a conduit la critique à rechercher des pistes d'interprétation dans la tradition de l'emblème, qui joue, de façon identique, sur la double réalité d'une image et d'un texte qui la commente [26]. On doit à G. Couton, une nouvelle fois, les premières

---

21. Voir p. 138, « je ne ferais rien si je ne les rendais nouvelles par quelques traits qui en relevassent le goût » ; cf. [• Anthologie, textes 14, 20 (v. 9-12)].

22. F. Graziani, « La poétique de la fable : entre *inventio* et *dispositio* », *XVIIe siècle*, 182 (1994, 1), p. 83-93 ; cet article a le mérite de montrer que, loin d'être une simple question technique d'écriture, le débat engage le statut même de la Fable – entendue comme mythologie – dans les conceptions poétiques du temps.

23. Voir les analyses de G. Couton, p. 30-36.

24. Sur ces notions, voir G. Declercq, *L'Art d'argumenter*, 1992, p. 40.

25. Voir P. Dandrey, 1991, p. 227-247 et son article intitulé « Moralité » (*Littératures classiques*, 1992) ; La Fontaine le dit lui-même dans sa préface de 1668 [• Anthologie, texte 12, p. 140].

26. Depuis les travaux pionniers d'A. Schöne (1964) et d'A. Henkel (1967), la connaissance de l'art des emblèmes et de son importance dans l'Europe de la Contre Réforme a été développée avec fruit : on se reportera à l'excellent livre d'A.-E. Spica, *Symbolique humaniste et emblématique* (1996)

enquêtes en ce sens [27]. L'illustration même des *Fables*, accompagnées en 1668 de gravures de François Chauveau [28] (déjà illustrateur du manuscrit d'*Adonis* en 1658), témoigne de cette filiation. Le récit de la fable commente la gravure, quand il ne va pas jusqu'à l'intégrer, par l'art de la description, au texte lui-même [29]. De fait, l'influence de cette tradition fut déterminante. On retiendra notamment le nom de Jean Baudoin, qui avait traduit les fables d'Esope en 1631, mais qui fut aussi le traducteur de la *Mythologie* de Natale Conti (1627) et de l'*Iconologie* de Cesare Ripa [30] (1636-1643). Il s'efforçait de « moraliser » tous les textes qu'il traduisait, en les prolongeant de maximes politiques et morales et en tentant de les expliquer de façon symbolique : en se consacrant aux œuvres de Conti ou de Ripa, avant d'écrire lui-même un *Recueil d'emblèmes divers* (1638-1639), Baudoin ne faisait donc que théoriser une pratique symbolique qui lui semblait naturelle dans son art de traduire et de commenter [31]. L'art des emblèmes, tel que le conçoivent Baudoin ou le P. Claude François Ménestrier, repose sur la mise en rapport d'une image et d'un contenu moral – ce qu'on appelle, en termes du temps, l'« application » – et sur la conviction profonde que la peinture, en tant qu'éloquence muette, « gagne le cœur par les yeux [32] ». Dans l'ordre poétique qui est celui de La Fontaine, cela correspond à la subtile dialectique entre le « plaire » et l'« instruire », entre le récit et la moralité : la fable et l'emblème ont, à ce titre, une « proximité de nature [33] ».

---

qui constitue la synthèse la plus récente sur le sujet, avec une abondante bibliographie. Entretemps, G. Couton, dans un ouvrage posthume (*Ecritures codées*, 1990) avait fait la synthèse de son propre apport sur la question.

27. La *Poétique de La Fontaine*, 1957, première partie, « La Fontaine et l'art des emblèmes » ; cf. *Ecritures codées*, notamment p. 131-136. On peut aussi se reporter au *C.A.I.E.F*, n° 28 (1976) qui comporte une section « L'allégorie du Moyen Age au XVIIᵉ siècle ».

28. Le lecteur moderne peut en redécouvrir la portée grâce à l'heureuse initiative de J.-P. Collinet, qui a édité les *Fables* avec leurs vignettes d'origine (1991).

29. G. Couton, 1957, p. 7.

30. L'ouvrage de Conti était une explication des fables, parue à Venise en 1551 ; celui de Ripa — dont E. Mâle a découvert l'importance en 1932 — proposait un répertoire d'images allégoriques aux artistes de la Contre Réforme (voir A.-E. Spica, *Symbolique humaniste et emblématique*, p. 305-311).

31. Voir E. Bury, « Jean Baudoin, traducteur de l'espagnol », 1991, notamment p. 61-62. G. Couton donne un exemple de ce type de commentaire, p. 11-12 ; cf. A.-E. Spica, p. 331-334, qui montre que Baudoin « oriente entièrement l'emblème du côté de la démonstration morale » (p. 332).

32. C. Fr. Ménestrier, *L'Art des emblèmes*, Lyon, 1662 (cité par A.-E. Spica, p. 137) ; cf. G. Couton, 1957, p. 5-7.

33. A.-E. Spica, p. 219 (l'auteur étudie l'appropriation par l'emblématique du genre de la fable, p. 219-226).

G. Couton a d'ailleurs insisté sur un autre relais probable entre l'emblématique et la fable telle que la pratique La Fontaine : *Les Fables héroïques* d'Audin, parues en 1648. Le titre précise qu'elles comprennent « les véritables maximes de la politique chrestienne et de la morale », le tout agrémenté de « discours » qui commentent la fable proprement dite. L'*Apologie en faveur des Fables* qui ouvre le premier tome regroupe les « lieux » habituels sur le sujet : parenté avec les paraboles de l'Ecriture sainte, exemples illustres (Démosthène, Ménénius Agrippa), portée morale qui ne concerne pas seulement les enfants, mais aussi les adultes. Tout cela sera encore de mise dans la préface de 1668 [• Anthologie, texte 12, p. 137 et 139]. Si l'on y ajoute l'ouvrage de Trichet du Fresne, intitulé *Figures diverses des Fables d'Esope et d'autres expliquées* (Paris, 1659), et auquel, selon G. Couton, La Fontaine doit aussi beaucoup [34], on voit que le terrain était déjà bien préparé pour l'entreprise des *Fables*. Grâce à la réflexion contemporaine sur l'emblème, La Fontaine a pu voir confirmée sa confiance en la Fable [35], et cela lui a sans doute permis de voir avec plus d'acuité quel parti il pouvait tirer de ce genre. Pour le dire vite, l'art des emblèmes, parce qu'il défend les prestiges d'une écriture figurée et d'une rhétorique indirecte, a ouvert la voie qui mène de la Fable aux Fables.

LE TRIOMPHE DE LA FABLE

Nous avons déjà rencontré les principales positions de principe de La Fontaine à l'égard de la « langue des dieux [36] ». C'est ce que le mot « fable » recoupe en bonne part pour un esprit du XVIIe siècle [37]. La croyance commune en une *Prisca Theologia* que voileraient les fables de la mythologie païenne est le propre de l'humanisme encore latent à l'âge classique. La Fontaine, nous l'avons dit, est témoin d'une époque où cette conviction est battue en brèche. Encore défendue par son ami P.-D. Huet à propos de l'*Origine des Romans*, cette « sagesse mystérieuse des Anciens » va bientôt être contestée par les plus fermes tenants du parti des Modernes, comme Fontenelle : celui-ci raille sans pitié l'origine des

---

34. Voir G. Couton, 1957, p. 12-15.

35. Voir ci-dessus, p. 33-40.

36. Voir ci-dessus, p. 42-43 et 86-87.

37. Voir J.-P. Collinet, « La Fontaine : de la mythologie à l'affabulation » [in] *La Mythologie au XVIIe siècle*, 1982, et l'article de F. Graziani déjà cité. A.-E. Spica y revient dans *Symbolique humaniste...*, p. 192-201, en insistant sur le fait que, pour les poéticiens classiques, la Fable est l'« objet absolu de toute poétique » (p. 193).

fables, dans le texte qui porte ce titre [38]. La querelle des Anciens et des Modernes va mettre en évidence, pour sa part, le soupçon qui porte sur le merveilleux païen [39]. Ce n'est donc pas un moindre paradoxe que de voir s'affirmer et s'achever l'entreprise des *Fables* au moment même où le sérieux qui s'attache à ce pan de la culture humaniste – et que confirmait justement toute la poétique de l'emblème – cède sous les assauts de l'ironie et du burlesque : le *Voyage de Mercure* de Furetière, *Les Murs de Troie* de Perrault sont autant de machines de guerre qui, à terme, vont ruiner la prétention de la mythologie à tout discours de vérité.

L'enjeu esthétique est crucial, car il s'agit bien ici de contester la légitimité d'une source essentielle de beauté. Aux « rêveries sur le Parnasse » chères à La Fontaine se substitue peu à peu un « bavardage allégorique » (Spica) qui triomphe, dans les ultimes années du siècle, dans l'« Olympe du Roi Soleil ». Il y aurait certes une histoire à écrire pour rendre compte de l'ambiguïté longtemps entretenue par le pouvoir royal dans son rapport à la mythologie : il n'est pas sûr que le poète des années 1660 – c'est-à-dire du jeune règne euphorique de Louis XIV – n'ait pas cru en une pérennité de la Fable comme lieu de savoir et de concorde [40]. Mais avec le temps, et aussi en raison d'une vieille fidélité à l'esthétique galante, le même poète a pu cultiver en toute connaissance de cause cet « univers de fiction », comme une sorte d'exercice spirituel épicurien – c'est-à-dire selon une doctrine où le plaisir n'est pas en surplus (comme « ornement » et voile d'une réalité plus amère), mais au contraire où il renvoie à l'essence de l'humaine condition. Le plaisir n'est plus alors un moyen, mais la fin même de l'apologue :

> Au moment où je fais cette moralité,
>   Si *Peau d'Ane* m'était conté,
>   J'y prendrais un plaisir extrême,
> Le monde est vieux, dit-on ; je le crois, cependant
> Il le faut amuser encore comme un enfant.

---

38. Voir ci-dessus, p. 48 ; on peut lire à ce sujet, M. Fumaroli, « Hiéroglyphes et Lettres : la "sagesse mystérieuse des anciens" au XVIIe siècle », *XVIIe siècle*, 158 et Ph.-J. Salazar, « Les pouvoirs de la fable : mythologie, littérature et tradition (1625-1750) » *R.H.L.F.*, 1991, 6 ; cf. une nouvelle fois, A.-E. Spica, « Le désenchantement du monde » dans *Symbolique humaniste...*, p. 483-481.

39. Voir B. Magné, « Le Procès de la mythologie dans la querelle des Anciens et des Modernes » [in] *La Mythologie au XVIIe siècle*, 1982, p. 49-55.

40. Voir ci-dessus, p. 45 ; le *Remerciement à l'Académie française*, (1684) [• Anthologie, texte 50] atteste clairement de l'ambiguïté de son attitude à l'égard du pouvoir : il ne peut s'empêcher de louer le règne selon les mêmes critères que Perrault ou Fontenelle ; reste à savoir si cela est de l'ordre du constat ou de l'ordre du souhait.

On a souvent glosé cette fameuse conclusion du *Pouvoir des fables*[41] (VIII, 4) [• Anthologie, texte 40]. Cet aspect ludique, hautement revendiqué par le fabuliste, repose sur la notion d'« eutrapélie » (venue d'Aristote), que l'enjouement galant avait, à sa façon, adapté à l'esprit français[42]. Dans ce cadre, la gaieté n'est pas du tout contradictoire avec la visée morale : c'est un « tempérament » (mélange) des deux que propose La Fontaine. Mais il glisse naturellement de la conjonction traditionnelle entre *docere* (instruire) et *delectare* (plaire) à la promotion du seul *delectare* comme leçon de la fable. Pour lui, la *suavitas* est en soi une leçon morale, semblable à celle de la fable *Le Chêne et le roseau* – où deux éthiques et deux rhétoriques s'opposent, avant que ne triomphent la faiblesse et le *sermo nudus*. Nous sommes ainsi renvoyés, d'un coup, par le simple jeu sur les styles, à la plus profonde des méditations sur notre faiblesse intrinsèque, avec une manière digne des *Pensées* de Pascal[43].

L'art suprême consistera donc à « égayer » le « savoir » des fables [• Anthologie, texte 12], en mêlant insensiblement les deux instances à l'origine nettement distinctes dans l'apologue ésopique, le récit (« le corps », le *delectare*) et la moralité (« l'âme », le *docere*). Encore eût-il fallu que, pour un épicurien, l'un et l'autre soient distincts[44] ! On serait donc tenté de croire que, à la lumière d'une telle doctrine, l'esthétique de la fable était inévitablement amenée à cette synthèse placée sous le signe absolu du plaisir, fût-il le « sombre plaisir d'un cœur mélancolique » [• Anthologie, texte 26]. Dès la préface de 1668, La Fontaine affirme que la pierre de touche de la réussite est le plaisir, même en matière d'apologue ésopique, alors que celui-ci n'est censé avoir pour but que l'exposition d'une moralité :

> Que s'il m'est arrivé de le faire [omettre la moralité], ce n'a été que dans les endroits où elle n'a pu entrer *avec grâce*, et où il est *aisé* au lecteur de la suppléer. On ne considère en France que ce qui *plaît* : c'est la grande règle, et pour ainsi dire la seule. [• Anthologie, texte 12]

On retrouve ici les critères galants de la grâce et de l'atticisme (aisance et art du demi-mot, pour ne pas ennuyer) : le plaisir est érigé en seule et unique règle (dans la vie comme dans l'art, semble-t-il). Si l'on considère,

---

41. Voir entre autres P. Dandrey, 1991, p. 225-247, J. Brody, *Lectures*, 1994, p. 53-68.

42. Voir ci-dessus, chap. I, p. 21-22 ; cf. E. Bury, *Littérature et politesse*, p. 117-121.

43. Voir la remarquable étude de J. Brody à ce sujet, *Lectures*, 1994, p. 13-27.

44. Voir Lucrèce, *De Rerum Natura*, livre III, v. 137-177 ; sur l'influence de Lucrèce chez La Fontaine, outre les travaux à paraître de J.-C. Darmon, voir J. Grimm, « La Fontaine, Lucrèce et l'épicurisme » *Le Pouvoir des fables*, 1994, p. 67-83 et M. Fumaroli, 1995, p. LXX-LXXV.

comme le rappelait encore *Le Pouvoir des fables* [• Anthologie, texte 40], que la fonction de l'apologue est de persuader, force est de constater que la persuasion, aux yeux de La Fontaine, ne saurait aboutir par la seule voie de la raison. Sans *delectare*, il est impossible de *docere*.

La poétique des tons serait alors à comprendre comme le versant esthétique d'une diététique épicurienne des plaisirs [45]. Dans cette optique, la Fable conserve une prééminence dans la mesure où elle est source de plaisir : « ceux qui ont le goût difficile » [• Anthologie, texte 15], tout comme l'« indiscret stoïcien » mis en scène dans *Le Philosophe scythe* (XII, 20) posent mal le problème, d'où les violences qu'ils font à la nature :

> Celui-ci retranche de l'âme
> Désirs et passions, le bon et le mauvais,
> Jusqu'aux plus innocents souhaits.
> Contre de telles gens, quant à moi je réclame.
> Ils ôtent de nos cœurs le principal ressort :
> Ils font cesser de vivre avant que d'être mort. (XII, 20, v. 31-36)

La Fable, si l'on en croit l'anthropologie que La Fontaine nous a fait pressentir au fil de ses textes, est une des principales clés qui soient capables de tendre ce « ressort ». Il faut simplement savoir en faire un usage adulte, c'est-à-dire en gardant conscience de la part de mensonge qu'elle recèle. Comme dans *Ballade*, où le narrateur se plaît, en toute connaissance de cause, aux *Amadis* et au *Roland Furieux*, le lecteur des *Fables* est constamment incité à garder présent à l'esprit le caractère fictif de ce qu'on lui conte : une bonne part du plaisir vient peut-être de cette conscience.

Cela est lié au constat souvent répété que la vérité nue ne peut pas se regarder en face. Ici épicurisme et augustinisme se rejoignent [46] dans une même vision pessimiste de la faiblesse propre à la nature humaine. Elle ne peut être séduite que par le biais d'artifices mensongers :

> Et même qui mentirait
> Comme Esope et comme Homère,
> Un vrai menteur ne serait.
> Le doux charme de maint songe
> Par leur bel art inventé,
> Sous les habits du mensonge
> Nous offre la vérité.
>
> (IX, 1) [• Anthologie, texte 42]

---

45. Sur l'économie des plaisirs chez Epicure, voir J. Salem, *L'Ethique d'Épicure*, 1989, chap. III, notamment p. 103-104 ; cf. J.-C. Darmon, « La Fontaine et le plaisir », *Le Fablier*, 1996.

46. Voir J. Lafond, « Augustinisme et épicurisme au XVIIe siècle », *XVIIe siècle*, 135 (1982, 2).

A côté des nombreuses affirmations concernant la nécessité de plaire, on trouve donc au fil des recueils tout un ensemble de remarques sur le caractère mensonger de la Fable et des *Fables*, où se côtoient côte à côte Esope et Homère – alors même que, selon la *préface*, le premier échappait à la condamnation que Platon avait porté contre le second [• Anthologie, texte 12, p. 139]. Il faut donc reconnaître que, chez La Fontaine, la confiance explicite en la parole mythologique se double d'une certaine ironie ; c'est ce qu'un critique a appelé avec bonheur une « poétique du mensonge avoué [47] ».

On pourrait aussi appeler cela un appel à la lucidité anthropologique. S'il est vrai que les leçons d'Epicure et de Gassendi conduisent La Fontaine à promouvoir le plaisir comme ultime leçon de la Fable, on peut aussi en trouver la source dans l'anthropologie formulée plus récemment par Hobbes, et que La Fontaine devait sans doute connaître par le biais de Samuel Sorbière [48]. Un texte est tout à fait éclairant à ce propos, dans la mesure où il dissocie explicitement la persuasion de tout rapport avec le critère de vérité. On le trouve dans le traité *De la nature humaine* (1651, ch. XIII, § 7) :

> Le langage sert encore à exciter ou à apaiser, à échauffer ou éteindre les passions des autres ; c'est la même chose que la persuasion ; il n'y a point de différence réelle, car inspirer des opinions ou faire naître des passions est la même chose : mais comme dans la persuasion nous nous proposons de faire naître l'opinion par l'entremise de la passion, dans le cas dont il s'agit on se propose d'exciter la passion à l'aide de l'opinion. Or comme pour faire naître l'opinion de la passion il est nécessaire de faire adopter une conclusion de tels principes qu'on veut ; de même en excitant la passion à l'aide de l'opinion, il n'importe que l'opinion soit vraie ou fausse, que le récit qu'on fait soit historique ou fabuleux ; *car ce n'est pas la vérité, c'est l'image qui excite la passion : une Tragédie bien jouée affecte autant que la vue d'un assassinat* [49].

L'articulation entre « persuasion » et « passion » donne une clé possible pour comprendre le bon usage de la Fable : son pouvoir n'a rien à voir avec la lumière de la vérité qui la nimberait – ce qui serait de l'ordre

47. L'expression est due à A. Tournon, « Les fables du Crétois », (*Littératures classiques*, 1992, p. 8), où il analyse brillamment l'ironie de La Fontaine à l'égard de la *feinte*.

48. P. Dandrey a déjà mis en rapport la poétique de la Fontaine avec le traité de *La Nature humaine* de Hobbes, à propos du rire (1991, p. 262-266).

49. Traduction d'Holbach (1772), éd. E. Naert, 1991, p. 159-160 ; c'est moi qui souligne. Sur le langage chez Hobbes, et le rapprochement possible de son anthropologie avec celle de l'épicurisme, voir P.-F. Moreau, *Hobbes, philosophie, science, religion*, 1989, p. 53-67.

de l'évidence cartésienne et rationnelle. Elle joue sur d'autres ressorts, ceux d'une nature humaine limitée par ses sens. Loin d'être un rapprochement hasardeux, la mise en perspective des vues anthropologiques de La Fontaine, à la lumière de Hobbes ou de Gassendi, rend d'autant plus vigoureuse la construction des *Fables*. Le recours esthétique à la mythologie, à la fiction et aux vers est fondé sur un arrière-plan éthique tout à fait cohérent, que la Fontaine s'est plu à masquer, sans doute par souci de politesse mondaine, et peut-être aussi par prudence. La fausseté n'étant plus un critère d'élimination, il lui est désormais permis de louer la *feinte* comme artifice suprême de ces petits exercices spirituels que sont les *Fables*.

Par son usage du burlesque, La Fontaine, nous l'avons vu, n'est pas étranger à ce regard ironique que l'on portait alors sur la Fable [50], même s'il préserve en dernière analyse, comme l'attestait *Clymène*, la légitimité du Parnasse dans le domaine de l'esthétique. Le burlesque appartient de plein droit à l'esthétique galante, je n'y reviens pas. A ce titre, le détournement constant du discours allégorique, aussi bien sur le mode plaisant que sur le mode sérieux, ressortit à cette même esthétique : on pourrait dire que, dans ce domaine, la tradition proprement humaniste a été fécondée par la galanterie et la préciosité [51].

C'est ainsi que La Fontaine parvient à nous mettre sous les yeux le « théâtre du monde » cher aux sermons de la Contre Réforme [52], mais avec une désinvolture enjouée digne de Sarasin :

> J'oppose quelquefois, par une double image,
> Le vice à la vertu, la sottise au bon sens,
>   Les agneaux aux loups ravissants,
> La mouche à la fourmi, faisant de cet ouvrage
> Une ample comédie à cent actes divers,
>   Et dont la scène est l'univers.
> Hommes, dieux, animaux, tout y fait quelque rôle,
> Jupiter comme un autre.

[• Anthologie, texte 18]

Le « comme un autre » est proprement burlesque, et nous prévient en garde contre toute dévotion excessive à l'égard des Olympiens. La Fontaine met

---

50. Voir ci-dessus, p. 22.

51. Voir à ce propos, J.-P. Collinet, « Allégorie et préciosité », *C.A.I.E.F*, n° 28 (1976), p. 103-116.

52. Voir E. Bury, « Le monde de l'honnête homme : aspects de la notion de « monde » dans l'esthétique du savoir-vivre », *Littératures classiques*, 22, 1994.

subtilement à distance l'univers de la Fable tout en expliquant que l'imagination de l'homme ne peut pas s'en passer : il faut simplement ne lui demander que ce qu'elle a à donner, le plaisir de la « feinte ». Celle-ci n'aurait cependant pas toute sa force si La Fontaine n'avait pas décidé de la parer de la livrée des Muses. A la dialectique constante entre fiction et vérité s'ajoute donc un troisième élément, qui relève, d'ordinaire, du domaine de la première, et qui n'est en apparence qu'une simple question formelle, celle du vers :

> Il n'y a point de bonne poésie sans harmonie ; mais il n'y en a point non plus sans fiction, et Socrate ne savait que dire la vérité.
>
> [• Anthologie, texte 12, p. 137]

Pour affirmer conjointement la valeur de la Fable et l'utilité morale du mensonge, La Fontaine avait donc besoin de cette ultime touche, qui devait rendre au Parnasse ce qui lui revient de droit : la musicalité.

DE LA PROSE AUX VERS

> Le mensonge et les vers de tout temps sont amis.
>
> [• Anthologie, texte 15, v. 4]

Cet impératif propre au « langage des dieux » explique que pour La Fontaine, il ne saurait y avoir de fable sans usage du vers. Parler des dieux, ou faire parler les dieux, c'est forcément avoir recours aux Muses. Même reconnue comme telle, la « feinte » ne doit donc pas être privée de ce qui fait son principal prestige : la beauté. Nous avons vu que la force de La Fontaine en ce domaine est d'avoir connu et utilisé toutes les richesses poétiques des diverses traditions mondaines. A la réflexion humaniste, qui depuis l'édition aldine d'Esope (1505) avait mis l'accent sur la puissance et la fécondité de la Fable, le poète allait donner une forme qui confirmât tout ce que ces prédécesseurs avaient loué dans le fond. Aux apologues en prose d'Audin ou de Baudoin, il allait offrir les grâces de la poésie, et affirmer la plasticité formelle du genre, capable d'englober tous les autres genres. Cette richesse était déjà proclamée par les citations d'Aulu-Gelle ou de Philostrate que proposait Alde en tête de son *Esope* :

> Esope, le fameux fabuliste de Phrygie, a été considéré à juste titre comme un sage : tout ce dont il est utile d'avertir et d'informer, il ne l'a pas prescrit ou déclaré *avec sévérité et hauteur*, comme le font d'ordinaire les philosophes, mais ayant imaginé des apologues spirituels et charmants, il fait

pénétrer dans l'esprit et le cœur des hommes, non sans les séduire, des observations salutaires et sagaces [53].

C'est ce « charme » (le latin dit *delectabiles*) que La Fontaine tente de restituer [54] et de prolonger grâce à l'usage du vers, défendu avec tant de force dès la préface de 1668 [• Anthologie, texte 12]. Philostrate mettait plutôt l'accent sur la valeur de la fiction, et le miroir de la vie humaine qu'elle offre :

> Les Fables viennent trouver Esope qu'elles aiment, en retour de la tendresse qu'il a pour elles. Ce n'est pas que ce genre de fiction ait été dédaigné par Homère, par Hésiode, ni par Archiloque, écrivant contre Lycambé ; mais c'est Esope qui a mis en fable toute la vie humaine, et qui a donné aux bêtes le langage, pour parler à notre raison ; car ainsi il réprime la cupidité, il bannit la violence et la fraude ; et cela en attribuant un rôle au lion, au renard, au cheval, à tous les animaux, voire à la tortue, qui cesse d'être muette, elle aussi, pour instruire les enfants des choses de la vie [55].

On retrouve en résumé les principaux arguments de la préface. Rien ne pouvait y paraître inédit pour un esprit formé par l'humanisme ; ce qui est en revanche une originalité de La Fontaine, c'est le choix du vers. Aux yeux des érudits de son temps, cela allait à l'encontre de l'esthétique même de l'apologue ésopique. Olivier Patru, dans ses *Lettres à Olinde*, s'était essayé à l'apologue en prose [56] ; c'est sans doute à lui que pense La Fontaine lorsqu'il écrit :

> Ce n'est pas qu'un des maîtres de notre éloquence n'ait désapprouvé le dessein de les mettre en vers. Il a cru que leur principal ornement est de n'en avoir aucun ; que d'ailleurs la contrainte de la poésie, jointe à la sévérité de notre langue, m'embarrasseraient en beaucoup d'endroits, et banniraient de la plupart de ces récits la brièveté, qu'on peut fort bien appeler l'âme du conte, puisque sans elle il faut nécessairement qu'il languisse. [• Anthologie, texte 12, p. 137]

En bon humaniste, La Fontaine invoque l'exemple de Socrate, qui, tout amoureux de la vérité qu'il fût, passa les derniers moments de sa vie à mettre en vers les fables d'Esope, car la beauté de la fiction poétique y

---

53. *Nuits attiques*, II, XXIX, 1 (trad. R. Marache, CUF, 1967, p. 138).

54. Voir le texte 39 (« A Mme de Montespan »), v. 7-10.

55. Philostrate, *Les Images*, I, 3, trad. A. Bougot (sous le titre *La Galerie de Tableaux*), Les Belles Lettres, 1991, p. 13-15.

56. Ces lettres datent de 1659, voir *Plaidoyers et œuvres diverses*, Paris, 1681, deuxième partie (*Œuvres diverses*), p. 22-33 ; cf. M. Fumaroli, 1995, p. XXVII-XXVIII.

rejoignait ainsi l'utilité morale [57]. Il s'agit donc d'« égayer » la narration ; puisque les sujets sont connus, il faut en « relever le goût [58] » :

> C'est ce qu'on demande aujourd'hui. On veut de la nouveauté et de la gaieté. Je n'appelle pas gaieté ce qui excite le rire ; mais un certain charme, un air agréable, qu'on peut donner à toutes sortes de sujets, même les plus sérieux. [• Anthologie, texte 13]

Cette subtile alchimie, qui mêle le sérieux et l'enjoué, ce *spoudogeloion* que La Fontaine avait appris chez Lucien, Erasme et Rabelais, et qu'il admirait dans le badinage de Marot et de son grand héritier Voiture, doit aussi éviter de « languir », c'est-à-dire d'ennuyer le lecteur. Le choix du vers fait entrer de plain pied dans l'univers mondain des genres poétiques, et efface par là même le caractère scolaire de l'amplification, qui serait le fait d'un « pédant ». La gaieté – qu'il faut comprendre, comme nous l'a appris J.-P. Collinet, au sens d'« ornement [59] » – rend certes la morale moins amère et plus souriante, mais elle vise aussi à masquer le caractère trop scolaire que pourrait avoir l'exercice de style.

C'est pourquoi, dans les *Fables*, la gaieté va de pair avec un art de l'amplification modérée. La brièveté demeure un impératif, aussi paradoxal que cela puisse paraître lorsqu'il s'agit d'amplification. On voit combien est délicat un tel équilibre, qui est parfois formulé de façon problématique :

> Une morale nue apporte de l'ennui ;
> Le conte fait passer le précepte avec lui.
> En ces sortes de feinte il faut instruire et plaire,
> Et conter pour conter me semble peu d'affaire.
> C'est par cette raison qu'égayant leur esprit
> Nombre de gens fameux en ce genre ont écrit.
> Tous ont fui l'ornement et le trop d'étendue :
> On ne voit point chez eux de parole perdue.
>
> (VI, 1) [• Anthologie, texte 20]

« Les longs ouvrages me font peur », écrira-t-il dans l'épilogue du livre VI [• Anthologie, texte 21]. A l'élégance du laconisme se joint l'idée chère à l'honnête homme qu'il ne faut pas « épuiser sa matière »

---

57. Cet exemple est traditionnel, comme le prouve la préface de Le Maistre de Sacy (éd. cit., p. 202).

58. Sur cette métaphore, voir ci-dessus, p. 54 ; la « gaieté » a été étudiée notamment par P. Dandrey, 1991, p. 249-272.

59. Voir ci-dessus, p. 58, et J.-P. Collinet, 1970, p. 28.

sur un sujet, car cela sent son pédant [60] : il suffit de songer à la fable XIX du premier livre, où le maître d'école est dangereux, car il bavarde au lieu d'agir :

> Je blâme ici plus de gens qu'on ne pense.
> Tout babillard, tout censeur, tout pédant,
> Se peut connaître au discours que j'avance :
> Chacun des trois fait un peuple fort grand;
> Le Créateur en a béni l'engeance.
> En toute affaire il ne font que songer
>   Aux moyens d'exercer leur langue.
> Hé mon ami, tire-moi de danger;
>   Tu feras après ta harangue.

Au demeurant, cette élégance est aussi une marque de complicité avec le lecteur, qui privilégie, comme dans la tradition galante et mondaine, une compréhension à demi-mot [61] :

> Cent exemples pourraient appuyer mon discours;
> Mais les ouvrages les plus courts
> Sont toujours les meilleurs. En cela j'ai pour guides
> Tous les maîtres de l'art, et tiens qu'il faut laisser
> Dans les plus beaux sujets quelque chose à penser.
>
> (X, 14) [• Anthologie, texte 44]

Ces vers, adressés à la Rochefoucauld, sont un juste hommage à l'art de la brièveté, illustrée par les *Maximes*, et La Fontaine reprend à son compte cette esthétique du fragment. La limite extrême peut aller jusqu'au silence, notamment lorsqu'il est impliqué par la prudence, comme à la fin de *L'Homme et la couleuvre* (X, 1), qui a pourtant longuement développé une suite de harangues pour la défense du serpent contre l'homme prédateur :

> … Mais que faut-il donc faire?
> Parler de loin; ou bien se taire.

La brièveté est donc une double exigence esthétique et morale, qui répond au besoin de clarté, de plaisir, mais aussi à la nécessité de la prudence.

La difficulté, soulevée par Patru, de concilier brièveté et versification aurait pu être une limite à cette esthétique [62]. Mais La Fontaine, fort des

---

60. Voir ci-dessus, chapitre I, p. 11.

61. Voir ci-dessus, p. 10-11.

62. Sur l'essai comparé de l'adaptation en prose et en vers, voir *L'Inscription tirée de Boissard*, *O. D.*, p. 769-773 (cf. J.-P. Collinet, 1970, p. 350-354).

leçons de son maître Voiture, a choisi la souplesse du vers libre; l'avertissement des *Contes* [• Anthologie, texte 5] faisait l'éloge du vers irrégulier,
« qui tient beaucoup de la prose ». Au nom du naturel, au nom de la
diversité des tons impliquée par la narration enjouée, le poète adoptait,
tout « Ancien » qu'il était par goût et par conviction, le vers moderne [63] :
Corneille (*Agésilas*, 1666) et Molière (*Amphitryon*, 1668), après Voiture,
lui montraient la voie à suivre. En brisant la monotonie du mètre unique
(et notamment de l'alexandrin), il répond une nouvelle fois à son exigence de diversité et de plaisir. L'art de la pointe, la chute, au fil du récit
ou en fin de poème, gagnent souvent à être soulignés par un changement
métrique :

> Je me figure un auteur
> Qui dit : je chanterai la guerre
> Que firent les Titans au Maître du tonnerre.
> C'est promettre beaucoup; mais qu'en sort-il souvent?
>> Du vent.

(V, 10) [• Anthologie, texte 19]

Cependant, même en cela, La Fontaine ne se contraint pas; il sait aussi
utiliser le vers régulier, notamment le décasyllabe, marotique et archaï-
sant, qu'il a beaucoup mis à profit dans les *Contes* (voir VI, 6, VII, 7).
Cette liberté métrique va de pair avec l'idéal d'enjouement, de raillerie
fine que La Fontaine a aussi hérité de Voiture; le poète avoue d'ailleurs
que le ridicule est la seule arme à laquelle il peut avoir recours :

> Comme la force est un point
> Dont je ne me pique point,
> Je tâche d'y tourner le vice en ridicule,
> Ne pouvant l'attaquer avec des bras d'Hercule.

(V, 1) [• Anthologie, texte 18]

Le renoncement à la « force » est en réalité conforme à l'esprit de La Fontaine : comme dans *Le Pouvoir des fables* [• Anthologie, texte 40], la
véhémence démosthénienne apparaît vaine. Le sublime n'est pas pour
autant exclu : il s'agit simplement de recourir, comme le dira Boileau dans
sa *X^e réflexion critique* sur Longin, à la « petitesse énergique des
paroles [64] ». Oter la sécheresse de l'apologue en lui donnant la musicalité
du vers, masquer le sérieux de l'intention derrière l'enjouement, refuser les
hauteurs du style pour séduire par la douceur : on voit bien la parenté qui

---

63. Voir ci-dessus, p. 64-66.

64. Boileau, *Œuvres*, éd. Escal, p. 550; voir J. Brody, *Boileau and Longinus*, p. 90-91 et sa
magnifique étude du *Pouvoir des Fables* dans *Lectures*, p. 60-62 (cf. ci-dessus, p. 108).

unit ces démarches. Si la crainte de réduire La Fontaine à un corps de doctrine ne faisait pas hésiter, on rattacherait tout cela à l'épicurisme. Cela est sans doute vrai et F. Gohin le faisait déjà remarquer en citant les vers fameux adressés à Saint-Evremond [• Anthologie, texte 52] : « C'est la morale d'un épicurien, mais d'un épicurien qui est en même temps un artiste [65] ». On pourrait paraphraser ce propos en faisant remarquer que, au cœur de l'esthétique classique, l'épicurisme était peut-être *la* philosophie qui correspondait le mieux à l'épanouissement d'une poésie fondée sur le plaisir et l'agrément. Héritier de Sarasin et lecteur de l'*Astrée*, La Fontaine aurait-il pu être « artiste » sans être « épicurien » ? En vérité, l'éloge de la volupté correspond bien, dans ces années 1660-1680, à la promotion de l'art de plaire, aussi bien dans la littérature et les arts que dans la société [66].

ETHIQUE ET ESTHETIQUE : VERS UN LYRISME EPICURIEN

L'humilité apparente du souci de brièveté, les aveux répétés de l'impuissance d'un tempérament combinent, en dernière analyse, l'éthique teintée d'épicurisme (« rien de trop » dit la fable) et le goût de la *suavitas* horatienne. Les leçons de *Psyché* et d'*Adonis* portent encore, même dans l'ultime livre des *Fables* : l'inconstance d'Hylas, devenue « diversité » chez La Fontaine, est à la fois un refus de ce qu'a d'inhumain la « constance » et de ce qu'aurait de languissant un style trop monochrome et tendu. Selon le premier point de vue, il suffit de songer à l'héroïsme stoïcien, qui a déterminé tant de formes, romanesques ou dramatiques, au courant du siècle. La Fontaine, fidèle aux leçons de Montaigne et de Charron, mais aussi attentif aux apports de Gassendi, lui préfère l'attitude en léger retrait que formulait *L'Astrée* et qu'esquissent encore quelques textes fameux des *Fables* [• Anthologie, textes 43-45, 47]. Pour la question du style, comme J. Brody l'a montré à la suite de L. Spitzer, la *douceur* correspond à la fois à l'esthétique horatienne de la *suavitas* et à l'exigence oratoire du *genus medium* [67] : l'art de plaire est un art de persuader par la douceur. Cette douceur est recherchée aussi par la voie difficile d'une versification souple et variée : on ne veut pas « guinder » l'esprit par la tension constante d'une métrique épique ou tragique.

On voit ici combien la leçon d'un Sarasin – relu et interprété par Pellisson, il est vrai – demeure vivante [68]. Les *Fables* parviennent ainsi à une

---

65. *L'Art de La Fontaine*, 1929, p. 26.

66. Voir E. Bury, *Littérature et politesse*, 1996, chap. III et V.

67. Voir ci-dessus, p. 20.

68. Voir ci-dessus, p. 24-25.

étrange synthèse des plus hautes exigences de l'esthétique mondaine et de celles de l'humanisme : cet effort de conciliation entre une *memoria* pluriséculaire et l'*ingenium* inédit et unique d'un *moi* avait déjà été tenté par Montaigne [69]. La Fontaine le renouvelle dans un contexte tout différent, avec des outils forgés par d'autres exigences : il est vrai que l'« honnêteté » montaignienne n'avait plus sa place dans l'univers contemporain de Versailles [70]. Tant sur le plan politique que philosophique, l'art de se taire et la prudence étaient de rigueur.

Même si elle relève d'une topique bien précise [71], la mise à distance du monde tel qu'il est, et que la sagesse du « solitaire » conseille de quitter [• Anthologie, texte 56], est justifiée, en retour, par l'étonnant cynisme de certaines fables, qui semblent plutôt appartenir à la tradition d'une satire anti-courtisane [72] : *Les Animaux malades de la peste* (VII, 1) témoigne de la terrible justice des grands de ce monde, et la parodie de procès que le Loup impose à l'Agneau (I, 10) est reprise sous de nombreuses formes ; c'est la leçon terrible de *L'Homme et la couleuvre* (X, 1), où l'homme n'est plus seulement un « loup pour l'homme », selon la fameuse formule reprise par Hobbes, mais pour toute la création :

> On en use ainsi chez les grands.
> La raison les offense : ils se mettent en tête
> Que tout est né pour eux, quadrupèdes, et gens,
>   Et serpents.

On retrouve la critique épicurienne de la prétendue supériorité de l'homme [73]. La création n'est pas faite pour lui seul ; la défense des animaux, qui s'affirme surtout contre la théorie cartésienne des animaux-machines, rejoint les spéculations d'un Cyrano de Bergerac [74]. A ce titre, en nous tendant le miroir de notre animalité (*Les Compagnons d'Ulysse*, XII, 1) [• Anthologie, texte 54], La Fontaine rétablit la pleine et heureuse

---

69. Je suis toujours frappé, au demeurant, par la qualité et la finesse des lectures de La Fontaine que proposent les spécialistes de Montaigne (Brody, Tournon) : au-delà de la spécialité « universitaire », où l'on court toujours le risque de pédantisme, il y a bien une authentique affinité d'esprit et la continuité affirmée de choix fondamentaux.

70. Ni dans certains idéaux philosophiques du temps : voir par exemple la façon dont Malebranche « règle son compte » à l'auteur des *Essais* dans *La Recherche de la vérité* (Livre II, 3ᵉ partie, ch. 5 ; cf. E. Bury, *Littérature et politesse*, p. 147-152).

71. Voir B. Beugnot, *Le Discours de la retraite au XVIIᵉ siècle*, ch. II, p. 87-127.

72. *Id.*, p. 131-144 ; cf. E. Bury, *Littérature et politesse*, p. 175-194.

73. Voir texte 46 et le *Discours à Mme de La Sablière* (à la fin du livre IX) ; cf. Lucrèce, *De Rerum Natura*, livre IV, v. 959-1023 ; cf. une nouvelle fois les leçons de Montaigne, dans *L'Apologie de Raimond Sebond* (*Essais*, II, 12, voir éd. Villey, p. 449-486).

74. Voir J.-C. Darmon, « La Fontaine et la philosophie », (1995), p. 276-280.

continuité entre l'homme et la création, dont il n'est qu'une partie, et qu'un acteur, parmi tant d'autres. D'où l'importance de la parole donnée aux animaux [75], qui renvoie à un âge d'or (« Au temps que les bêtes parlaient », comme dit Rabelais, *Pantagruel*, XV), et d'une certaine façon, renverse la perspective du monde :

> Les fables ne sont pas ce qu'elles semblent être :
> Le plus simple animal nous y tient lieu de maître.
>
> (VI, 1) [• Anthologie, texte 20]

On rejoint ici la fonction heuristique d'un véritable mythe philosophique, qui explique la tonalité nostalgique des pages les plus lyriques de La Fontaine ; c'est alors le regret d'un âge d'or qui sous-tend cette mélancolie, exprimée au détour de la description d'un paysage mental, goûté et senti dans toute sa plénitude :

> Solitude où je trouve une douceur secrète,
> Lieux que j'aimai toujours, ne pourrai-je jamais,
> Loin du monde et du bruit, goûter l'ombre et le frais ?
>
> (XI, 4) [• Anthologie, texte 45]

La suite de cette célèbre méditation conduit La Fontaine à évoquer le monde de la pastorale (« les ruisseaux » « quelque rive fleurie ») qui lui est si cher. Le lecteur de l'*Astrée*, l'admirateur de l'inconstant Hylas, si bien accordé à son tempérament amoureux et inquiet, laisse alors échapper les rares confidences qui font des *Fables* une grande œuvre lyrique. Il est d'ailleurs frappant de constater que, dans ce siècle où le moi a si souvent été déclaré « haïssable », La Fontaine parvient à nous faire entendre sa voix par le détour de la plus étrange polyphonie qui soit, celle d'une tradition pluriséculaire et d'un genre originellement impersonnel [76]. On comprend dès lors la visée profonde de la *Vie d'Esope* placée en tête du premier recueil : c'est bien à une voix, une vie, en un mot à un homme que La Fontaine prétend rattacher l'orchestration magique de cette « comédie à cent actes divers ». L'humilité du fabuliste grec, celle du genre qu'il pratique, autorisent paradoxalement le poète moderne à prendre la parole en son nom, à revendiquer le genre comme sien, même si cela est dit avec modestie :

---

75. Voir R. Zuber, « Les animaux orateurs : quelques remarques sur la parole des *Fables* », *Littératures classiques*, 1992.

76. Il convient d'ailleurs d'étudier les *Elégies* de 1671 (*O. D.*, p. 601-609) non seulement en rapport avec la tradition galante, mais aussi, en aval, avec l'écriture même des *Fables*; voir J.-P. Collinet, 1970, p. 293-309 (et cf. Z. Youssef, « Epître et élégie chez La Fontaine » *Littératures classiques*, 18, 1993).

Plus éloquents chez eux qu'ils ne sont dans mes vers,
Si ceux que j'introduis me trouvent peu fidèle,
Si mon œuvre n'est pas un assez bon modèle,
    J'ai du moins ouvert le chemin :
D'autres pourront y mettre une dernière main.

(Livre XI, *Epilogue*) [• Anthologie, texte 47]

Dans de tels vers, l'humaniste La Fontaine, l'homme de tradition, nous montre à quel point il s'est considéré comme un héritier que comme un fondateur. Cette conviction d'une originalité profonde nourrie de la plus authentique tradition explique la place que le fabuliste a acquise presque « naturellement » dans le panthéon classique de la littérature française [77]. La discrétion épicurienne qui l'a conduit à masquer son art a permis en définitive au poète de faire son miel de tout ce qui l'avait précédé, et d'imposer son ton de voix sans violence ; ses choix ont été guidés par un seul critère, qui joue aussi bien pour lui que pour son lecteur : le plaisir. A ce titre, La Fontaine, amer témoin de son temps dans les plus satiriques inflexions de ses *Fables*, n'a jamais voulu blesser son lecteur : l'esthétique épicurienne n'a pas choisi chez lui les sombres couleurs de Lucrèce. Aussi peu indulgent que le poète latin à l'égard de la nature humaine, il a pourtant préféré la douceur de l'ironie et le clin d'œil discret de la rhétorique indirecte à la virulence de l'invective. Face aux dures réalités de la vie comme elle va, La Fontaine prend ses distances en trouvant dans la littérature l'antidote qui lui permet de vivre « sans soins » : l'esthétique devient donc chez lui l'expression même d'une éthique et d'un choix de vie. La « douceur secrète » louée dans les derniers vers du *Songe d'un habitant du Mogol* [• Anthologie, texte 45] apparait ainsi, sous les couleurs d'un idéal de vie, l'allégorie même de ses choix poétiques. Seul le mode hypothétique nous rappelle que cet idéal ne peut s'atteindre que par le biais de la nostalgie et du désir. Cela est sans doute vrai pour l'expérience d'une vie, mais le lecteur de La Fontaine reconnaîtra au moins que, du point de vue de la réussite littéraire, La Fontaine a atteint son but.

---

77. Voir J. Grimm, « Fable et lyrisme personnel », *Le Pouvoir des fables*, 1994, p. 230-244 et J.-P. Collinet, « La Fontaine est-il poète ? », *La Fontaine en amont et en aval*, 1988, p. 257-291.

NOTE SUR LES TEXTES DE LA FONTAINE

Les textes que l'on trouvera ici sont classés par ordre chronologique ; il a paru plus commode de faire ressortir ainsi les évolutions aussi bien que les constantes. Cela a conduit à certains choix : on trouvera par exemple la préface d'*Adonis* en sa place, c'est-à-dire dissociée du texte lui-même, placé dès 1658. *L'Epître à Huet*, souvent située à la date de sa publication (1687), figure ici à la date probable de sa rédaction (1674, voir ci-dessus, p. 12). Pour les textes autres que les *Fables*, je précise la référence à l'édition des *Œuvres diverses* ; on peut aussi consulter ces textes dans la commode édition des *Œuvres complètes,* procurée par Jean Marmier dans la collection « L'Intégrale » aux Editions du Seuil (1965). Certains textes peu accessibles hors des œuvres complètes ont été édités par J.-P. Collinet dans la collection « La Petite Vermillon » (Gallimard 1994). A. Versaille vient aussi de procurer une utile édition (préfacée par M. Fumaroli) aux éditions Complexe (1995), qui présente tous les textes, accompagnés de leurs sources (citées et traduites), ce qui rend particulièrement aisés l'étude de la récriture, notamment pour les *Fables* et les *Contes*.

Texte 1 :

Avertissement de L'Eunuque (1654, O. D., p 263-264)

Ce n'est ici qu'une médiocre copie d'un excellent original. Peu de personnes ignorent de combien d'agréments est rempli *L'Eunuque* latin. Le sujet en est simple, comme le prescrivent nos maîtres; il n'est point embarrassé d'incidents confus; il n'est point chargé d'ornements inutiles et détachés; tous les ressorts y remuent la machine, et tous les moyens y acheminent à la fin. Quant au nœud, c'est un des plus beaux et des moins communs de l'antiquité. Cependant il se fait avec une facilité merveilleuse, et n'a pas une seule de ces contraintes que nous voyons ailleurs. La bienséance et la médiocrité, que Plaute ignorait, s'y rencontrent partout : le parasite n'y est point goulu par-delà la vraisemblance; le soldat n'y est point fanfaron jusqu'à la folie, les expressions y sont pures, les pensées délicates; et pour comble de louange, la nature y instruit tous les personnages, et ne manque jamais de leur suggérer ce qu'ils ont à faire et à dire. Je n'aurais jamais fait d'examiner toutes les beautés de *L'Eunuque* : les moins clairvoyants s'en sont aperçus aussi bien que moi; chacun sait que l'ancienne Rome faisait souvent ses délices de cet ouvrage, qu'il recevait les applaudissements des honnêtes gens et du peuple, et qu'il passait alors pour une des plus belles productions de cette Vénus africaine [1] dont tous les gens d'esprit sont amoureux. Aussi Térence s'est-il servi des modèles les plus parfaits que la Grèce ait jamais formés : il avoue être redevable à Ménandre de son sujet, et des caractères du parasite et du fanfaron. Je ne le dis point pour rendre cette comédie plus recommandable; au contraire, je n'oserais nommer deux si grands personnages sans crainte de passer pour profane et pour téméraire d'avoir osé travailler après eux et manier indiscrètement ce qui a passé par leurs mains. A la vérité, c'est une faute que j'ai commencée; mais quelques-uns de mes amis me l'ont fait achever : sans eux elle aurait été secrète, et le public n'en aurait rien su. Je ne prétends pas non plus empêcher la censure de mon ouvrage, ni que ces noms illustres de Térence et de Ménandre lui tiennent lieu d'un assez puissant bouclier contre toutes sortes d'atteintes; nous vivons dans un siècle et dans un pays où l'autorité n'est point respectée : d'ailleurs l'État des belles-lettres est entièrement populaire, chacun y a droit de suffrage, et le moindre particulier n'y reconnaît pas de plus souverain juge que soi. Je n'ai donc fait cet Avertissement que par une espèce de reconnaissance. Térence m'a fourni le

---

1. Térence était né en Afrique.

sujet, les principaux ornements, et les plus beaux traits de cette comédie. Pour les vers et pour la conduite, on y trouverait beaucoup plus de défauts, sans les corrections de quelques personnes dont le mérite est universellement honoré. Je tairai leurs noms par respect, bien que ce soit avec quelque sorte de répugnance; au moins m'est-il permis de déclarer que je leur dois la meilleure et la plus saine partie de ce que je ne dois pas à Térence. Quant au reste, peut-être le lecteur en jugera-t-il favorablement : quoi qu'il en soit, j'espérerai toujours davantage de sa bonté que de celle de mes ouvrages.

Texte 2 :

Adonis (1658), v. 1-14 (O. D., p. 5)

Je n'ai pas entrepris de chanter dans ces vers
Rome ni ses enfants vainqueurs de l'Univers,
Ni les fameuses tours qu'Hector ne put défendre,
Ni les combats des dieux aux rives du Scamandre.
Ces sujets sont trop hauts, et je manque de voix :
Je n'ai jamais chanté que l'ombrage des bois,
Flore, Écho, les Zéphyrs, et leurs molles haleines,
Le vert tapis des prés et l'argent des fontaines.
C'est parmi les forêts qu'a vécu mon héros;
C'est dans les bois qu'Amour a troublé son repos.
Ma Muse en sa faveur de myrte s'est parée;
J'ai voulu célébrer l'amant de Cythérée,
Adonis, dont la vie eut des termes si courts,
Qui fut pleuré des Ris, qui fut plaint des Amours.

texte 3 :

Adonis (1658 [2]), v. 61-78 (O. D., p. 6)

Elle trouve Adonis près des bords d'un ruisseau;
Couché sur des gazons, il rêve au bruit de l'eau.
Il ne voit presque pas l'onde qu'il considère :

2. La première publication imprimée date de 1669, à la suite des *Amours de Psyché*; le poème est repris en 1671, dans les *Fables nouvelles* (cf. texte 27, *Avertissement* de 1669-1671).

Mais l'éclat des beaux yeux qu'on adore en Cythère
L'a bientôt retiré d'un penser si profond.
Cet objet le surprend, l'étonne et le confond ;
Il admire les traits de la fille de l'onde :
Un long tissu de fleurs, ornant sa tresse blonde,
Avait abandonné ses cheveux aux Zéphyrs ;
Son écharpe, qui vole au gré de leurs soupirs,
Laisse voir les trésors de sa gorge d'albâtre.
Jadis en cet état Mars en fut idolâtre,
Quand aux champs de l'Olympe on célébra des jeux
Pour les Titans défaits par son bras valeureux.
Rien ne manque à Vénus, ni les lis, ni les roses,
Ni le mélange exquis des plus aimables choses,
Ni ce charme secret dont l'œil est enchanté,
Ni la grâce plus belle encor que la beauté.

Texte 4 :

Harangue de CALLIOPEE (Songe de Vaux[3], O. D., p. 93-95)

Juges, vous le savez, et dans tout cet empire
Mon charme est plus connu que l'air qu'on y respire.
C'est le seul entretien que l'on prise aujourd'hui.
Pour comble de bonheur, Alcandre en est l'appui.
Je n'en dirai pas plus, de peur que sa puissance
N'oblige vos esprits à quelque déférence.
Vous jugez bien pourtant quelle est une beauté
Qui possède son cœur, et qui l'a mérité ;
Mais, sans vous prévenir par les traits du bien dire,
Je répondrai par ordre et cela doit suffire.
On dirait que ces arts méritent tous le prix.
Chaque fée a sans doute ébranlé les esprits ;
Toutes semblent d'abord terminer la querelle.
La première a fait voir le besoin qu'on a d'elle ;
Si j'ai de son discours marqué les plus beaux traits,
Elle loge les dieux, et moi je les ai faits.
Ce mot est un peu vain, et pourtant véritable :

3. On trouvera l'avertissement, plus tardif (1671) au texte 31.

Ceux qui se font servir le nectar à leur table,
Sous le nom de héros ont mérité mes vers;
Je les ai déclarés maîtres de l'univers.
O vous qui m'écoutez, troupe noble et choisie,
Ainsi qu'eux quelque jour vous vivrez d'ambrosie;
Mais Alcandre lui-même aurait beau l'espérer,
S'il n'implorait mon art pour la lui préparer.
Ce point tout seul devrait me donner gain de cause :
Rendre un homme immortel sans doute est quelque chose;
Apellanire peut par ses savantes mains
L'exposer pour un temps aux regards des humains :
Pour moi, je lui bâtis un temple en leur mémoire;
Mais un temple plus beau, sans marbre et sans ivoire,
Que ceux où d'autres arts, avec tous leurs efforts,
De l'Univers entier épuisent les trésors.
Par le second discours on voit que la Peinture
Se vante de tenir école d'imposture,
Comme si de cet art les prestiges puissants
Pouvaient seuls rappeler les morts et les absents!
Ce sont pour moi des jeux : on ne lit point Homère,
Sans que tantôt Achille à l'âme si colère,
Tantôt Agamemnon au front majestueux,
Le bien-disant Ulysse, Ajax l'impétueux,
Et maint autre héros offre aux yeux son image.
Je les fais tous parler, c'est encor davantage.
La Peinture après tout n'a droit que sur les corps;
Il n'appartient qu'à moi de montrer les ressorts
Qui font mouvoir une âme, et la rendent visible;
Seule j'expose aux sens ce qui n'est pas sensible,
Et, des mêmes couleurs qu'on peint la vérité,
Je leur expose encor ce qui n'a point été.
Si pour faire un portrait Apellanire excelle,
On m'y trouve du moins aussi savante qu'elle;
Mais je fais plus encor, et j'enseigne aux amants
A fléchir leurs amours en peignant leurs tourments.
Les charmes qu'Hortésie épand sous ses ombrages
Sont plus beaux que dans mes vers qu'en ses propres ouvrages;
Elle embellit les fleurs de traits moins éclatants :
C'est chez moi qu'il faut voir les trésors du printemps.
Enfin, j'imite tout par mon savoir suprême;

Je peins, quand il me plaît, la Peinture elle-même.
Oui, beaux-arts, quand je veux, j'étale vos attraits :
Pouvez-vous exprimer le moindre de mes traits ?
Si donc j'ai mis les dieux au-dessus de l'envie,
Si je donne aux mortels une seconde vie,
Si maint œuvre de moi, solide autant que beau,
Peut tirer un héros de la nuit du tombeau,
Si, mort en ses neveux, dans mes vers il respire,
Si je le rends présent bien mieux qu'Apellanire,
Si de Palatiane, au prix de mes efforts,
Les monuments ne sont ni durables, ni forts,
Si souvent Hortésie est peinte en mes ouvrages,
Et si je fais parler ses fleurs et ses ombrages,
Juges, qu'attendez-vous ? et pourquoi consulter ?
Quel art peut mieux que moi cet écrin mériter ?
Ce n'est point sa valeur où j'ai voulu prétendre :
Je n'ai considéré que le portrait d'Alcandre.
On sait que les trésors me touchent rarement :
Mes veilles n'ont pour but que l'honneur seulement ;
Gardez ce diamant dont le prix est extrême ;
Je serai riche assez pourvu qu'Alcandre m'aime.

Texte 5 :

Avertissement des Contes (1664)

Les nouvelles en vers dont ce livre fait part au public, et dont l'une est tirée de l'Arioste, l'autre de Boccace, quoique d'un style bien différent, sont toutefois d'une même main. L'auteur a voulu éprouver lequel caractère est le plus propre pour rimer des contes. Il a cru que les vers irréguliers ayant un air qui tient beaucoup de la prose, cette manière pourrait sembler la plus naturelle, et par conséquent la meilleure. D'autre part aussi le vieux langage, pour des choses de cette nature, a des grâces que notre siècle n'a pas. Les Cente Nouvelles nouvelles, les vieilles traductions de Boccace et des Amadis, Rabelais, nos anciens poètes, nous en fournissent des preuves infaillibles. L'auteur a donc tenté ces deux voies sans être encore certain laquelle est la bonne. C'est au lecteur à le déterminer là-dessus ; car il ne prétend pas en demeurer là, et il a déjà jeté les yeux sur d'autres nouvelles pour les rimer. Mais auparavant il faut qu'il soit assuré du succès de celles-ci, et du goût de la plupart des personnes qui les liront. En cela, comme en d'autres choses, Térence lui doit servir de modèle. Ce poète n'écrivait pas pour se satisfaire seulement, ou pour satisfaire un petit nombre de gens choisis ; il avait pour but :

*Populo ut placerent quas fecisset fabulas.**

Texte 6 :

Préface de la première partie des Contes (1665)

J'avais résolu de ne consentir à l'impression de ces contes qu'après que j'y pourrais joindre ceux de Boccace qui sont le plus à mon goût ; mais quelques personnes m'ont conseillé de donner dès à présent ce qui me reste de ces bagatelles, afin de ne pas laisser refroidir la curiosité de les voir, qui est encore en son premier feu. Je me suis rendu à cet avis sans beaucoup de peine, et j'ai cru pouvoir profiter de l'occasion. Non seulement cela m'est permis, mais ce serait vanité à moi de mépriser un tel avantage. Il me suffit de ne pas vouloir qu'on impose en ma faveur à qui que ce soit, et de suivre un chemin contraire à celui de certaines gens, qui ne s'acquièrent des amis que pour acquérir des suffrages par leur moyen : créatures de la cabale, bien différents de cet Espagnol qui se piquait d'être fils de ses propres œuvres. Quoique j'aie autant de besoin de ces artifices que pas un autre, je ne saurais me résoudre à les employer : seulement je m'accommoderai, s'il m'est possible, au goût de mon siècle, instruit que je suis par ma propre expérience qu'il n'y a rien de plus nécessaire. En effet, on ne peut pas dire que toutes saisons soient favorables pour toutes sortes de livres. Nous avons vu les Rondeaux, les Métamorphoses, les Bouts-rimés, régner tour à tour ; maintenant ces galanteries sont hors de mode, et personne ne s'en soucie : tant il est certain que ce qui plaît en un temps peut ne pas plaire en un autre !

Il n'appartient qu'aux ouvrages vraiment solides, et d'une souveraine beauté, d'être bien reçus de tous les esprits et dans tous les siècles, sans avoir d'autre passeport que le seul mérite dont ils sont pleins. Comme les miens sont fort éloignés d'un si haut degré de perfection, la prudence veut que je les garde en mon cabinet, à moins que de bien prendre mon temps pour les en tirer. C'est ce que j'ai fait ou que j'ai cru faire dans cette seconde édition où je n'ai ajouté de nouveaux contes que parce qu'il m'a semblé qu'on était en train d'y prendre plaisir. Il y en a que j'ai étendus, et d'autres que j'ai

---

*. « Que les pièces qu'il avait faites plussent au peuple » (Prologue de l'*Andrienne*, v. 3)

accourcis, seulement pour diversifier et me rendre moins ennuyeux. On en trouvera même quelques-uns que j'ai prétendu mettre en épigrammes. Tout cela n'a fait qu'un petit recueil aussi peu considérable par sa grosseur que par la qualité des ouvrages qui le composent. Pour le grossir, j'ai tiré de mes papiers je ne sais quelle *Imitation des Arrêts d'Amour*, avec un fragment où l'on me raconte le tour que Vulcan fit à Mars et à Vénus, et celui que Mars et Vénus lui avaient fait. Il est vrai que ces deux pièces n'ont ni le sujet ni le caractère du tout semblables au reste du livre; mais, à mon sens, elles n'en sont pas entièrement éloignées. Quoi que c'en soit, elles passeront : je ne sais même si la variété n'était point plus à rechercher en cette rencontre qu'un assortiment si exact.

Mais je m'amuse à des choses auxquelles on ne prendra peut-être pas garde, tandis que j'ai lieu d'appréhender des objections bien plus importantes. On m'en peut faire deux principales : l'une, que ce livre est licencieux; l'autre, qu'il n'épargne pas assez le beau sexe. Quant à la première, je dis hardiment que la nature du conte le voulait ainsi; étant une loi indispensable, selon Horace, ou plutôt selon la raison et le sens commun, de se conformer aux choses dont on écrit. Or, qu'il ne m'ait été permis d'écrire de celles-ci, comme tant d'autres l'ont fait, et avec succès, je ne crois pas qu'on le mette en doute; et l'on ne me saurait condamner que l'on ne condamne aussi l'Arioste devant moi, et les anciens devant l'Arioste. On me dira que j'eusse mieux fait de supprimer quelques circonstances, ou tout au moins de les déguiser. Il n'y avait rien de plus facile; mais cela aurait affaibli le conte, et lui aurait ôté de sa grâce. Tant de circonspection n'est nécessaire que dans les ouvrages qui promettent beaucoup de retenue dès l'abord, ou par leur sujet, ou par la manière dont on les traite. Je confesse qu'il faut garder en cela des bornes, et que les plus étroites sont les meilleures : aussi faut-il m'avouer que trop de scrupule gâterait tout. Qui voudrait réduire Boccace à la même pudeur que Virgile ne ferait assurément rien qui vaille, et pécherait contre les lois de la bienséance, en prenant à tâche de les observer. Car, afin que l'on ne s'y trompe pas, en matière de vers et de prose, l'extrême pudeur et la bienséance sont deux choses bien différentes. Cicéron fait consister la dernière à dire ce qu'il est à propos qu'on die eu égard au lieu, au temps, et aux personnes qu'on entretient. Ce principe une fois posé, ce n'est pas une faute de jugement que d'entretenir les gens d'aujourd'hui de contes un peu libres. Je ne pèche pas non plus en cela contre la morale. S'il y a quelque chose dans nos écrits qui puisse faire impression sur les âmes, ce n'est nullement la gaieté de ces contes; elle passe légèrement : je craindrais plutôt une douce mélancolie, où les romans les plus chastes et les plus modestes sont très capables de nous plonger, et qui est une grande préparation pour l'amour. Quant à la seconde objection, par laquelle on me reproche que ce livre fait tort aux femmes, on aurait raison si je parlais sérieusement : mais qui ne voit que ceci est un jeu, et par conséquent ne peut porter coup ? Il ne faut pas avoir peur que les mariages en soient à l'avenir moins fréquents, et les maris plus fort sur leurs gardes. On me peut encore objecter que ces contes ne sont pas fondés, ou qu'ils ont partout un fondement aisé à détruire ; enfin, qu'il y a des absurdités, et pas la moindre teinture de vraisemblance. Je réponds en peu de mots que j'ai mes garants ; et puis ce n'est ni le vrai ni le vraisemblable qui font la beauté et la grâce de ces choses-ci ; c'est seulement la manière de les conter.

Voilà les principaux points sur quoi j'ai cru être obligé de me défendre. J'abandonne le reste aux censeurs : aussi bien serait-ce une entreprise infinie que de prétendre répondre à tout. Jamais la critique ne demeure court, ni ne manque de sujets à s'exercer : quand ceux que je puis prévoir lui seraient ôtés, elle en aurait bientôt trouvé d'autres.

Texte 7 :

« Ballade » (Contes, I, 1665)

Hier je mis, chez Chloris, en train de discourir
Sur le fait des romans Alizon la sucrée.
« N'est-ce pas grand'pitié, dit-elle, de souffrir
Que l'on méprise ainsi la Légende dorée,
Tandis que les romans sont si chère denrée ?
Il vaudrait beaucoup mieux qu'avec maint vers du temps,
De messire Honoré l'histoire fût brûlée.
– Oui, pour vous dit Chloris, qui passez cinquante ans :
Moi, qui n'en ai que vingt, je prétends que *l'Astrée*
Fasse en mon cabinet encor quelque séjour ;
Car, pour vous découvrir le fond de ma pensée,
   Je me plais aux livres d'amour ».

Chloris eut quelque tort de parler si crûment ;
Non que monsieur d'Urfé n'ait fait une œuvre exquise :
Etant petit garçon je lisais son roman,
Et je le lis encore ayant la barbe grise.
Aussi contre Alizon je faillis d'avoir prise,

Et soutins haut et clair qu'Urfé, par-ci par-là,
De préceptes moraux nous instruit à sa guise.
« De quoi, dit Alizon, peut servir tout cela ?
Vous en voit-on aller plus souvent à l'église ?
Je hais tous les menteurs ; et, pour vous trancher court,
Je ne puis endurer qu'une femme me dise :
   « Je me plais aux livres d'amour. »

Alizon dit ces mots avec tant de chaleur
Que je crus qu'elle était en vertus accomplie ;
Mais ses péchés écrits tombèrent par malheur :
Elle n'y prit pas garde. Enfin, étant sortie,
Nous vîmes que son fait était papelardie,
Trouvant entre autres points dans sa confession :
« J'ai lu maître Louis mille fois en ma vie ;
Et même quelquefois j'entre en tentation
Lorsque l'Ermite trouve Angélique endormie,
Rêvant à tels fatras souvent le long du jour.
Bref, sans considérer censure ni demie,
  Je me plais aux livres d'amour. »

Ah ! ah ! dis-je, Alizon ! vous lisez les romans,
Et vous vous arrêtez à l'endroit de l'Ermite !
Je crois qu'ainsi que vous pleine d'enseignements
Oriane prêchait, faisant la chattemite.
Après mille façons, cette bonne hypocrite
Un pain sur la fournée emprunté, dit l'auteur :
Pour un petit poupon l'on sait qu'elle en fut quitte ;
Mainte belle sans doute en a ri dans son cœur.
Cette histoire, Chloris, est du pape maudite ;
Quiconque y met le nez, devient noir comme un four.
Parmi ceux qu'on peut lire, et dont voici l'élite,
  Je me plais aux livres d'amour.

Clitophon a le pas par droit d'antiquité ;
Héliodore peut par son prix le prétendre.
Le roman d'*Ariane* est très souvent inventé ;
J'ai lu vingt et vingt fois celui du *Polexandre* ;
En fait d'événements, *Cléopâtre* et *Cassandre*
Entre les beaux premiers doivent être rangés.

Chacun prise *Cyrus* et la carte du Tendre,
Et le frère et la sœur ont les cœurs partagés.
Même dans les plus vieux je tiens qu'on peut apprendre :
Perceval le Gallois vient encore à son tour ;
Cervantes me ravit ; et, pour tout y comprendre,
Je me plais aux livres d'amour.

ENVOI

A Rome on ne lit point Boccace sans dispense :
Je trouve en ses pareils bien du contre et du pour.
Du surplus (honni soit celui qui mal y pense)
Je me plais aux livres d'amour.

Texte 8 :

Préface de la deuxième partie des Contes (1666)

Voici les derniers ouvrages de cette nature qui partiront des mains de l'auteur ; et par conséquent la dernière occasion de justifier ses hardiesses, et les licences qu'il s'est données. Nous ne parlons point des mauvaises rimes, des vers qui enjambent, des deux voyelles sans élision ; ni en général de ces sortes de négligences qu'il ne se pardonnerait pas lui-même dans un autre genre de poésie ; mais qui sont inséparables, pour ainsi dire, de celui-ci. Le trop grand soin de les éviter jetterait un faiseur de contes en de longs détours, en des récits aussi froids que beaux, en des contraintes fort inutiles ; et lui ferait négliger le plaisir du cœur pour travailler à la satisfaction de l'oreille. Il faut laisser les narrations étudiées pour les grands sujets, et ne pas faire un poème épique des aventures de Renaud d'Ast [4]. Quand celui qui a rimé ces nouvelles y aurait apporté tout le soin et l'exactitude qu'on lui demande ; outre que ce soin s'y remarquerait d'autant plus qu'il y est moins nécessaire, et que cela contrevient aux préceptes de Quintilien ; encore l'auteur n'aurait-il pas satisfait au principal point, qui est d'attacher le lecteur, de le réjouir, d'attirer malgré lui son attention, de lui plaire enfin. Car, comme l'on sait, le secret de plaire ne consiste pas toujours en l'ajustement ; ni même en la régularité : il faut du piquant et de l'agréable, si l'on veut toucher. Combien voyons-nous de ces beautés régulières qui ne touchent point, et

---

4. Allusion à l'un des contes du second recueil, « L'Oraison de saint Julien » (*F.C.*, p. 628-636).

dont personne n'est amoureux? Nous ne voulons pas ôter aux modernes la louange qu'ils ont méritée. Le beau tour du vers, le beau langage, la justesse, les bonnes rimes sont des perfections en un poète; cependant que l'on considère quelques-unes de nos épigrammes où tout cela se rencontre; peut-être y trouvera-t-on beaucoup moins de sel, j'oserais dire encore, bien moins de grâces, qu'en celles de Marot et de Saint-Gelais; quoique les ouvrages de ces derniers soient presque tout pleins de ces mêmes fautes qu'on nous impute. On dira que ce n'étaient pas des fautes en leur siècle, et que c'en sont de très grandes au nôtre. À cela nous répondons par un même raisonnement, et disons, comme nous avons déjà dit, que c'en serait en effet dans un autre genre de poésie, mais que ce n'en sont point dans celui-ci. Feu M. de Voiture en est le garant. Il ne faut que lire ceux de ses ouvrages où il fait revivre le caractère de Marot. Car notre auteur ne prétend pas que la gloire lui en soit due, ni qu'il ait mérité non plus de grands applaudissements du public pour avoir rimé quelques contes. Il s'est véritablement engagé dans une carrière toute nouvelle, et l'a fournie le mieux qu'il a pu; prenant tantôt un chemin, tantôt l'autre; et marchant toujours plus assurément quand il a suivi la manière de nos vieux poètes, *Quorum in hac re imitari neglegentiam exoptat, potium quam istorum diligentiam*[5]. Mais en disant que nous voulions passer ce point-là, nous nous sommes insensiblement engagés à l'examiner. Et possible n'a-ce pas été inutilement; car il n'y a rien qui ressemble mieux à des fautes que ces licences. Venons à la liberté que l'auteur se donne de tailler dans le bien d'autrui ainsi que dans le sien propre, sans qu'il en excepte les nouvelles mêmes les plus connues, ne s'en trouvant point d'inviolable pour lui. Il retranche, il amplifie, il change les incidents et les circonstances, quelquefois le principal événement et la suite : enfin, ce n'est plus la même chose; c'est proprement une nouvelle nouvelle; et celui qui l'a inventée aurait bien de la peine à reconnaître son propre ouvrage. *Non sic decet contaminari fabulas*[6], diront les critiques. Et comment ne le diraient-ils pas? Ils ont bien fait le même reproche à Térence; mais Térence s'est moqué d'eux; et a prétendu avoir droit d'en user ainsi. Il a mêlé du sien parmi les sujets qu'il a tirés de Ménandre, comme Sophocle et Euripide ont mêlé du leur parmi ceux qu'ils ont tirés des écrivains qui les précédaient, n'épargnant histoire ni fable où il s'agissait de la bienséance et des règles du dramatique. Ce privilège cessera-t-il à l'égard des contes faits à plaisir? Et faudra-t-il avoir

---

5. « Ceux dont il préfère imiter la négligence, plutôt que le soin excessif de ces autres » (d'après Térence – *Andrienne*, prologue, v. 20-21 – qui employait *æmulari*, « rivaliser avec », et précisait *obscuram diligentiam*, « obscure exactitude »).

6. Paraphrase de Térence (*Andrienne*, v. 16, *Contaminari non docere fabulas*) : « Il ne convient pas de mêler ainsi les sujets » (cf. d'Ablancourt, *Lettres et préfaces critiques*, éd. Zuber, 1972, p. 188, l. 200).

dorénavant plus de respect, et plus de religion, s'il est permis d'ainsi dire, pour le mensonge, que les Anciens n'en ont eu pour la vérité ? Jamais ce qu'on appelle un bon conte ne passe d'une main à l'autre sans recevoir quelque nouvel embellissement. D'où vient donc, nous pourra-t-on dire, qu'en beaucoup d'endroits l'auteur retranche au lieu d'enchérir ? Nous en demeurons d'accord, et il le fait pour éviter la longueur et l'obscurité, deux défauts intolérables dans ces matières, le dernier surtout : car si la clarté est recommandable en tous les ouvrages de l'esprit, on peut dire qu'elle est nécessaire dans les récits, où une chose, la plupart du temps, est la suite et la dépendance d'une autre, où le moindre fonde quelquefois le plus important ; en sorte que si le fil vient une fois à se rompre, il est impossible au lecteur de le renouer. D'ailleurs, comme les narrations en vers sont très malaisées, il se faut charger de circonstances le moins qu'on peut : par ce moyen vous vous soulagez vous-même, et vous soulagez aussi le lecteur, à qui l'on ne saurait manquer d'apprêter des plaisirs sans peine. Que si l'auteur a changé quelques incidents, et même quelque catastrophe, ce qui préparait cette catastrophe et la nécessité de la rendre heureuse l'y ont contraint. Il a cru que dans ces sortes de contes chacun devait être content de la fin : cela plaît toujours au lecteur ; à moins qu'on ne lui ait rendu les personnes trop odieuses : mais il n'en faut point venir là, si l'on peut, ni faire rire ni pleurer dans une même nouvelle. Cette bigarrure déplaît à Horace sur toutes choses : il ne veut pas que nos compositions ressemblent aux crotesques [7], et que nous fassions un ouvrage moitié femme moitié poisson [8]. Ce sont les raisons générales que l'auteur a eues : on en pourrait encore alléguer de particulières, et défendre chaque endroit ; mais il faut laisser quelque chose à faire à l'habileté et à l'indulgence des lecteurs. Ils se contenteront donc de ces raisons-ci. Nous les aurions mises un peu plus en jour, et fait valoir davantage, si l'étendue des préfaces l'avait permis.

---

7. Mot ancien pour « grotesque », c'est-à-dire les figures qui ornaient les grottes, dans l'art baroque notamment.

8. C'est le type même de « monstre » que refusait Horace dans son *Art poétique* (v. 4 : *desinat in piscem mulier formosa superne*, « [un ensemble] qui finirait en poisson [...] ce qui était une belle femme en haut »).

Texte 9 :

« La servante justifiée » (v. 1-16, Contes, II, 1666)

Boccace n'est le seul qui me fournit.
Je vas parfois en une autre boutique.
Il est bien vrai que ce divin esprit
Plus que pas un me donne de pratique.
Mais comme il faut manger de plus d'un pain
Je puise encore en un vieux magasin ;
Vieux, des plus vieux, où *Nouvelles Nouvelles*
Sont jusqu'à cent, bien déduites et belles
Pour la plupart, et de très bonne main.
Pour cette fois la reine de Navarre,
D'un *c'était moi* naïf autant que rare,
Entretiendra en ces vers le lecteur.
Voici le fait, quiconque en soit l'auteur.
J'y mets du mien selon les occurrences :
C'est ma coutume ; et, sans telles licences,
Je quitterais la charge de conteur.

Texte 10 :

« La fiancée du Roi de Garbe » (v. 1-16, Contes, II, 1666)

Il n'est rien qu'on ne conte en diverses façons :
On abuse du vrai comme on fait de la feinte :
Je le souffre aux récits qui passent pour chansons ;
Chacun y met du sien sans scrupule et sans crainte.
Mais aux événements de qui la vérité
　　Importe à la postérité
　　Tels abus méritent censure.
Le fait d'Alaciel est d'une autre nature.
Je me suis écarté de mon original.
On en pourra gloser ; on pourra me mécroire :
　　Tout cela n'est pas un grand mal :
　　Alaciel et sa mémoire
Ne sauraient guère perdre à tout ce changement.

J'ai suivi mon auteur en deux points seulement :
Points qui font véritablement
Le plus important de l'histoire.

Texte 11 :

Dédicace à Monseigneur le Dauphin (Fables, 1668)

Monseigneur,

S'il y a quelque chose d'ingénieux dans la république des lettres, on peut dire que c'est la manière dont Esope a débité sa morale. Il serait véritablement à souhaiter que d'autres mains que les miennes y eussent ajouté les ornements de la poésie, puisque le plus sage des anciens a jugé qu'ils n'y étaient pas inutiles. J'ose, Monseigneur, vous en présenter quelques essais. C'est un entretien convenable à vos premières années. Vous êtes en un âge où l'amusement et les jeux sont permis aux princes ; mais en même temps vous devez donner quelques unes de vos pensées à des réflexions sérieuses. Tout cela se rencontre aux fables que nous devons à Esope. L'apparence en est puérile, je le confesse ; mais ces puérilités servent d'enveloppe à des vérités importantes. Je ne doute point, Monseigneur, que vous ne regardiez favorablement des inventions si utiles et tout ensemble si agréables ; car que peut-on souhaiter davantage que ces deux points ? Ce sont eux qui ont introduit les sciences parmi les hommes. Esope a trouvé un art singulier de les joindre l'un avec l'autre. La lecture de son ouvrage répand insensiblement dans une âme les semences de la vertu, et lui apprend à se connaître sans qu'elle s'aperçoive de cette étude, et tandis qu'elle croit faire tout autre chose. C'est une adresse dont s'est servi très heureusement celui sur lequel Sa Majesté a jeté les yeux pour vous donner des instructions. Il fait en sorte que vous apprenez sans peine ou, pour mieux parler, avec plaisir, tout ce qu'il est nécessaire qu'un prince sache.

Texte 12 :

Préface des Fables (1668)

L'indulgence que l'on a eue pour quelques-unes de mes fables me donne lieu d'espérer la même grâce pour ce recueil. Ce n'est pas qu'un des maîtres de notre éloquence n'ait désapprouvé le dessein de les mettre en vers. Il a cru que leur principal ornement est de n'en avoir aucun ; que d'ailleurs la contrainte de la poésie, jointe à la sévérité de notre langue, m'embarrasseraient en beaucoup d'endroits, et banniraient de la plupart de ces récits la brièveté, qu'on peut fort bien appeler l'âme du conte, puisque sans elle il faut nécessairement qu'il languisse. Cette opinion ne saurait partir que d'un homme d'excellent goût ; je demanderais seulement qu'il en relâchât quelque peu, et qu'il crût que les grâces lacédémoniennes ne sont pas tellement ennemies des Muses françaises, que l'on ne puisse souvent les faire marcher de compagnie.

Après tout, je n'ai entrepris la chose que sur l'exemple, je ne veux pas dire des anciens, qui ne tire point à conséquence pour moi, mais sur celui des modernes. C'est de tout temps, et chez tous les peuples qui font profession de poésie, que le Parnasse a jugé ceci de son apanage. A peine les fables qu'on attribue à Esope virent le jour, que Socrate trouva à propos de les habiller des livrées des Muses. Ce que Platon en rapporte est si agréable, que je ne puis m'empêcher d'en faire un des ornements de cette préface. Il dit que, Socrate étant condamné au dernier supplice, l'on remit l'exécution de l'arrêt, à cause de certaines fêtes. Cébès l'alla voir le jour de sa mort. Socrate lui dit que les dieux l'avaient averti plusieurs fois, pendant son sommeil, qu'il devait s'appliquer à la musique avant qu'il mourût. Il n'avait pas entendu d'abord ce que ce songe signifiait ; car, comme la musique ne rend pas l'homme meilleur, à quoi bon s'y attacher ? Il fallait qu'il y eût du mystère là-dessous, d'autant plus que les dieux ne se lassaient point de lui envoyer la même inspiration. Elle lui était encore venue une de ces fêtes. Si bien qu'en songeant aux choses que le Ciel pouvait exiger de lui, il s'était avisé que la musique et la poésie ont tant de rapports, que possible était-ce de la dernière qu'il s'agissait. Il n'y a point de bonne poésie sans harmonie ; mais il n'y en a point non plus sans fiction, et Socrate ne savait que dire la vérité. Enfin il avait trouvé un tempérament : c'était de choisir des fables qui continssent quelque chose de véritable, telles que sont celles d'Esope. Il s'employa donc à les mettre en vers les derniers moments de sa vie.

Socrate n'est pas le seul qui ait considéré comme soeurs la poésie et nos fables. Phèdre a témoigné qu'il était de se sentiment ; et par l'excellence de son ouvrage nous pouvons juger de celui du prince des philosophes. Après Phèdre, Aviénus a traité le même sujet. Enfin les modernes les ont suivis : nous en avons des exemples non seulement chez les étrangers, mais chez nous. Il est vrai que lorsque nos gens y ont travaillé, la langue était si différente de ce qu'elle est qu'on ne les doit considérer que comme étrangers. Cela ne m'a point détourné de mon entreprise ; au contraire, je me suis flatté de l'espérance que si je ne courais dans cette carrière avec succès, on me donnerait au moins la gloire de l'avoir ouverte.

Il arrivera possible que mon travail fera naître à d'autres personnes l'envie de porter la chose plus loin. Tant s'en faut que cette matière soit épuisée, qu'il reste encore plus de fables à mettre en vers que je n'en ai mis. J'ai choisi véritablement les meilleures, c'est-à-dire celles qui m'ont semblé telles ; mais outre que je puis m'être trompé dans mon choix, il ne sera pas difficile de donner un autre tour à celles-là même que j'ai choisies ; et si le tour est moins long, il sera sans doute plus approuvé. Quoi qu'il en arrive, on m'aura toujours obligation ; soit que ma témérité ait été heureuse et que je ne me soit point trop écarté du chemin qu'il fallait tenir, soit que j'aie seulement excité les autres à mieux faire.

Je pense avoir justifié suffisamment mon dessein : quant à l'exécution, le public en sera juge. On ne trouvera pas ici l'élégance ni l'extrême brièveté qui rendent Phèdre recommandable : ce sont qualités au-dessus de ma portée. Comme il m'était impossible de l'imiter en cela, j'ai cru qu'il fallait en récompense égayer l'ouvrage plus qu'il n'a fait. Non que je le blâme d'en être demeuré dans ces termes : la langue latine n'en demandait pas davantage ; et si l'on y veut prendre garde, on reconnaîtra dans cet auteur le vrai caractère et le vrai génie de Térence. La simplicité est magnifique chez ces grands hommes ; moi je n'ai pas les perfections du langage comme il les ont eues, je ne la puis élever un si haut point. Il a donc fallu se récompenser d'ailleurs : c'est ce que j'ai fait avec d'autant plus de hardiesse que Quintilien dit qu'on ne saurait trop égayer les narrations. Il ne s'agit pas ici d'en apporter une raison : c'est assez que Quintilien l'ait dit. J'ai pourtant considéré que, ces fables étant sues de tout le monde, je ne ferais rien si je ne les rendais nouvelles par quelques traits qui en relevassent le goût. C'est ce qu'on demande aujourd'hui : on veut de la nouveauté et de la gaieté. Je n'appelle pas gaieté ce qui excite le rire mais un certain charme, un air agréable qu'on peut donner à toutes sortes de sujets, même les plus sérieux.

Mais ce n'est pas tant par la forme que j'ai donnée à cet ouvrage qu'on en doit mesurer le prix, que par son utilité et par sa matière. Car qu'y a-t-il de recommandable dans les productions de l'esprit ; qui ne se rencontre dans l'apologue. C'est quelque chose de si divin, que plusieurs personnages de l'antiquité ont attribué la plus grande partie de ces fables à Socrate, choisissant pour leur servir de père, celui des mortels qui avait le plus de communication avec les dieux. Je ne sais comme ils n'ont pas fait descendre du ciel ces mêmes fables, et comme ils ne leur ont point assigné un dieu qui en eût la direction, ainsi qu'à la poésie et à l'éloquence. Ce que je dis n'est pas tout à fait sans fondement, puisque, s'il m'est permis de mêler ce que nous avons de plus sacré parmi les erreurs du paganisme, nous voyons que la Vérité a parlé aux hommes par paraboles ; et la parabole est-elle autre chose que l'apologue, c'est-à-dire un exemple fabuleux, et qui s'insinue avec d'autant plus de facilité et d'effet, qu'il est plus commun et plus familier ? Qui ne nous proposerait à imiter que les maîtres de la sagesse nous fournirait un sujet d'excuse ; il n'y en a point quand les abeilles et des fourmis sont capables de cela même qu'on nous demande.

C'est pour ces raisons que Platon, ayant banni Homère de sa république, y a donné à Esope une place très honorable. Il souhaite que les enfants sucent ces fables avec le lait, il recommande aux nourrices de les leur apprendre ; car on ne saurait s'accoutumer de trop bonne heure à la sagesse et à la vertu. Plutôt que d'être déduits à corriger nos habitudes, il faut travailler à les rendre bonnes pendant qu'elles sont encore indifférentes au bien ou au mal. Or, quelle méthode y peut contribuer plus utilement que ces fables ? Dites à un enfant que Crassus, allant contre les Parthes, s'engagea dans leur pays sans considérer comment il en sortirait ; que cela le fit périr, lui et son armée, quelque effort qu'il fît pour se retirer. Dites au même enfant que le Renard et le Bouc descendirent au fond d'un puits pour y éteindre leur soif ; que le Renard en sortit s'étant servi des épaules et des cornes de son camarade comme d'une échelle ; au contraire, le Bouc y demeura pour n'avoir pas eu tant de prévoyance, et par conséquent il faut considérer en toute chose la fin. Je demande lequel de ces deux exemples fera le plus d'impression sur cet enfant. Ne s'arrêtera-t-il pas au dernier, comme plus conforme et moins disproportionné que l'autre à la petitesse de son esprit ? Il ne faut pas m'alléguer que les pensées de l'enfance sont d'elles-mêmes assez enfantines, sans y joindre encore de nouvelles badineries. Ces badineries ne sont telles qu'en apparence, car dans le fond elles portent un sens très solide. Et comme, par la définition du point, de la ligne, de la surface, et par d'autres principes très familiers, nous parvenons à des connaissances qui mesurent enfin le ciel et la terre, de même aussi, par les raisonnements et les conséquences que l'on peut tirer de ces fables, on se forme le jugement et les mœurs, on se rend capable de grandes choses.

Elles ne sont pas seulement morales, elles donnent encore d'autres connaissances. Les propriétés des animaux et leurs divers caractères y sont exprimés ; par conséquent les nôtres aussi, puisque nous sommes l'abrégé de ce qu'il y a de bon et de mauvais dans les créatures irraisonnables. Quand Prométhée voulut former l'homme, il prit la qualité dominante de chaque bête : de ces pièces si différentes il composa notre espèce ; il fit cet ouvrage qu'on appelle le Petit Monde. Ainsi ces fables sont un tableau où chacun de nous se trouve dépeint. Ce qu'elles nous représentent confirme les personnes d'âge avancé dans les connaissances que l'usage leur a données, et apprend aux enfants ce qu'il faut qu'ils sachent. Comme ces derniers sont nouveaux-venus dans le monde, ils n'en connaissent pas encore les habitants, ils ne se connaissent pas eux-mêmes. On ne les doit laisser dans cette ignorance que le moins qu'on peut ; il leur faut apprendre ce que c'est qu'un lion, un renard, ainsi du reste ; et pourquoi l'on compare quelquefois un homme à ce renard ou à ce lion. C'est à quoi les fables travaillent ; les premières leçons de ces choses proviennent d'elles.

J'ai déjà passé la longueur ordinaire des préfaces ; cependant je n'ai pas encore rendu raison de la conduite de mon ouvrage. L'apologue est composé de deux parties, dont on peut appeler l'une le corps, l'autre l'âme. Le corps est la fable ; l'âme, la moralité. Aristote n'admet dans la fable que les animaux ; il en exclut les hommes et les plantes. Cette règle est moins de nécessité que de bienséance, puisque ni Esope, ni Phèdre, ni aucun des fabulistes, ne l'a gardée ; tout au contraire de la moralité, dont aucun ne se dispense. Que s'il m'est arrivé de le faire, ce n'a été que dans les endroits où elle n'a pu entrer avec grâce, et où il est aisé au lecteur de la suppléer. On ne considère en France que ce qui plaît ; c'est la grande règle, et pour ainsi dire la seule. Je n'ai donc pas cru que ce fût un crime de passer par-dessus les anciennes coutumes lorsque je ne pouvais les mettre en usages sans leur faire tort. Du temps d'Esope, la fable était contée simplement, la moralité séparée, et toujours en suite. Phèdre est venu, qui ne s'est pas assujetti à cet ordre : il embellit la narration, et transporte quelquefois la moralité de la fin au commencement. Quand il serait nécessaire de lui trouver place, je ne manque à ce précepte que pour en observer un qui n'est pas moins important. C'est Horace qui nous le donne. Cet auteur ne veut pas qu'un écrivain s'opiniâtre contre l'incapacité de son esprit, ni contre celle de sa matière. Jamais, à ce qu'il prétend, un homme qui veut réussir n'en vient jusque-là ; il abandonne les choses dont il voit bien qu'il ne saurait rien faire de bon :

Et quae
Desperat tractata nitescere posse relinquit.

C'est ce que j'ai fait à l'égard de quelques moralités du succès desquelles je n'ai pas bien espéré.

Il ne me reste plus qu'à parler de la vie d'Esope. Je ne vois presque personne qui ne tienne pour fabuleuse celle que Planude nous a laissée. On s'imagine que cet auteur a voulu donner à son héros un caractère et des aventures qui répondissent à ses fables. Cela m'a paru d'abord spécieux; mais j'ai trouvé à la fin peu de certitude en cette critique. Elle est en partie fondée sur ce qui se passe entre Xantus et Esope; on y trouve trop de niaiseries; et qui est le sage à qui de pareilles choses n'arrivent point? Toute la vie de Socrate n'a pas été sérieuse. Ce qui me confirme en mon sentiment, c'est que le caractère que Planude donne à Esope est semblable à celui que Plutarque lui a donné dans son Banquet des sept sages, c'est-à-dire d'un homme subtil, et qui ne laisse rien passer. On me dira que le Banquet des sept sages est aussi une invention. Il est aisé de douter de tout : quant à moi, je ne vois pas bien pourquoi Plutarque aurait voulu imposer à la postérité dans ce traité-là, lui qui fait profession d'être véritable partout ailleurs, et de conserver à chacun son caractère. Quand cela serait, je ne saurais que mentir sur la foi d'autrui : me croira-t-on moins que si je m'arrête à la mienne? Car ce que je puis est de composer un tissu de mes conjectures, lequel j'intitulerai : Vie d'Esope. Quelque vraisemblable que je le rende, on ne s'y assurera pas, et, fable pour fable, le lecteur préférera toujours celle de Planude à la mienne.

Texte 13 :

« *A Monseigneur le Dauphin* » *(Fables, I, 1668)*

Je chante les héros dont Esope est le père,
Troupe de qui l'histoire, encor que mensongère,
Contient des vérités qui servent de leçon.
Tout parle en mon ouvrage, et même les poissons.
Ce qu'ils disent s'adresse à tous tant que nous sommes;
Je me sers d'animaux pour instruire les hommes.
Illustre rejeton d'un Prince aimé des Cieux,
Sur qui le monde entier a maintenant les yeux,
Et qui, faisant fléchir les plus superbes têtes,
Comptera désormais ses jours par ses conquêtes,
Quelque autre te dira d'une plus forte voix
Les faits de tes aïeux et les vertus des rois.

Je vais t'entretenir de moindres aventures,
Te tracer en ces vers de légères peintures.
Et si de t'agréer je n'emporte le prix,
J'aurai du moins l'honneur de l'avoir entrepris.

Texte 14 :

« *La Mort et la Malheureux* » *(Fables, I, XV-XVI, 1668)*

Un Malheureux appelait tous les jours
    La Mort à son secours.
« O Mort, lui disait-il, que tu me sembles belle !
Viens vite, viens finir ma fortune cruelle. »
La Mort crut, en venant, l'obliger en effet.
Elle frappe à sa porte, elle entre, elle se montre.
« Que vois-je ? cria-t-il, ôtez-moi cet objet ;
    Qu'il est hideux ! que sa rencontre
    Me cause d'horreur et d'effroi !
N'approche pas, ô mort ; ô mort, retire-toi. »

    Mécénas fut un galant homme ;
Il a dit quelque part : « Qu'on me rende impotent,
Cul-de-jatte, goutteux, manchot, pourvu qu'en somme
Je vive, c'est assez, je suis plus que content. »
Ne vient jamais, ô mort, on t'en dit tout autant.

Ce sujet a été traité d'une autre façon par Esope, comme la fable suivante le fera voir. Je composai celle-ci pour une raison qui me contraignait de rendre la chose ainsi générale. Mais quelqu'un me fit connaître que j'eusse beaucoup mieux fait de suivre mon original, et que je laissais un des plus beaux traits qui fût dans Esope. Cela m'obligea d'y avoir recours. Nous ne saurions aller plus avant que les anciens : ils ne nous ont laissé pour notre part que la gloire de les bien suivre. Je joins toutefois ma fable à celle d'Esope, non que la mienne le mérite, mais à cause du mot de Mécénas que j'y fais entrer, et qui est si beau et si à propos que je n'ai pas cru le devoir omettre.

La Mort et le Bûcheron

Un pauvre Bûcheron, tout couvert de ramée,
Sous le faix du fagot aussi bien que des ans
Gémissant et courbé, marchait à pas pesants,
Et tâchait de gagner sa chaumine enfumée.
Enfin, n'en pouvant plus d'effort et de douleur,
Il met bas son fagot, il songe à son malheur.
Quel plaisir a-t-il eu depuis qu'il est au monde?
En est-il un plus pauvre en la machine ronde?
Point de pain quelquefois, et jamais de repos.
Sa femme, ses enfants, les soldats, les impôts,
        Le créancier, et la corvée
Lui font d'un malheureux la peinture achevée.
Il appelle la Mort. Elle vient sans tarder,
        Lui demande ce qu'il faut faire.
        « C'est, dit-il, afin de m'aider
A recharger ce bois ; tu ne tarderas guère. »

        Le trépas vient tout guérir ;
        Mais ne bougeons d'où nous sommes.
        Plutôt souffrir que mourir,
        C'est la devise des hommes.

Texte 15 :

« Contre ceux qui ont le goût difficile » (Fables, II, I)

Quand j'aurais, en naissant, reçu de Calliope
Les dons qu'à ses amants cette Muse a promis,
Je les consacrerais aux mensonges d'Esope :
Le mensonge et les vers en tout temps sont amis.
Mais je ne me crois pas si chéri du Parnasse
Que de savoir orner toutes ces fictions.
On peut donner du lustre à leurs inventions ;
On le peut, je l'essaie : un plus savant le fasse.
Cependant jusqu'ici d'un langage nouveau
J'ai fait parler le Loup et répondre l'Agneau ;

J'ai passé plus avant : les arbres et les plantes
Sont devenus chez moi créatures parlantes.
Qui ne prendrait ceci pour un enchantement ?
        « Vraiment, me diront nos critiques,
        Vous parlez magnifiquement
        De cinq ou six contes d'enfant. »

Censeurs, en voulez-vous qui soient plus authentiques
Et d'un style plus haut ? En voici : Les Troyens,
Après dix ans de guerre autour de leurs murailles,
Avaient lassé les grecs qui, par mille moyens,
        Par mille assauts, par cent batailles,
N'avaient pu mettre à bout cette fière cité ;
Quand un cheval de bois, par Minerve inventé,
        D'un rare et nouvel artifice,
Dans ses énormes flancs reçut le sage Ulysse,
Le vaillant Diomède, Ajax l'impétueux,
        Que ce colosse monstrueux
Avec leurs escadrons devait porter dans Troie,
Livrant à leur fureur ses dieux mêmes en proie.
Stratagème inouï, qui des fabricateurs
        Paya la constance et la peine.
- C'est assez, me dira quelqu'un de nos auteurs :
La période est longue, il faut reprendre haleine ;
        Et puis votre cheval de bois,
        Vos héros avec leurs phalanges,
        Ce sont des contes plus étranges
Qu'un renard qui cajole un corbeau sur sa voix ;
De plus, il vous sied mal d'écrire en si haut style.
- Eh bien ! baissons d'un ton. La jalouse Amarylle
Songeait à son Alcippe, et croyait de ses soins
N'avoir que ses moutons et son chien pour témoins.
Tircis, qui l'aperçut, se glisse entre des saules ;
Il entend la bergère adressant ces paroles
        Au doux Zéphire, et le priant
        De les porter à son amant.
        « Je vous arrête à cette rime,
        Dira mon censeur à l'instant ;
        Je ne la tiens pas légitime,
        Ni d'une assez grande vertu :

Remettez, pour le mieux, ces deux vers à la fonte. »
Maudit censeur ! te tairas-tu ?
Ne saurais-je achever mon conte ?
C'est un dessein très dangereux
Que d'entreprendre de te plaire.
Les délicats sont malheureux :
Rien ne saurait les satisfaire.

Texte 16 :

« *Le Meunier, son fils et l'âne* » *(Fables, III, I, 1668)*

L'invention des arts étant un droit d'aînesse,
Nous devons l'apologue à l'ancienne Grèce ;
Mais ce champ ne se peut tellement moissonner
Que les derniers venus n'y trouvent à glaner.
La feinte est un pays plein de terres désertes ;
Tous les jours nos auteurs y font des découvertes.
Je t'en veux dire un trait assez bien inventé,
Autrefois à Racan Malherbe l'a conté.
Ces deux rivaux d'Horace, héritiers de sa lyre,
Disciples d'Apollon, nos maîtres, pour mieux dire,
Se rencontrant un jour tout seuls et sans témoins
(Comme ils se confiaient leurs pensers et leurs soins),
Racan commence ainsi : « Dites-moi, je vous prie,
Vous qui devez savoir les choses de la vie,
Qui par tous ses degrés avez déjà passé,
Et que rien ne doit fuir en cet âge avancé,
A quoi me résoudrai-je ? Il est temps que j'y pense.
Vous connaissez mon bien, mon talent, ma naissance :
Dois-je dans la province établir mon séjour,
Prendre emploi dans l'armée, ou bien charge à la cour ?
Tout au monde est mêlé d'amertume et de charmes :
La guerre a ses douceurs, l'hymen a ses alarmes.
Si je suivais mon goût, je saurais où buter ;
Mais j'ai les miens, la cour, le peuple à contenter »
Malherbe là-dessus : « Contenter tout le monde !
Ecoutez ce récit avant que je réponde.

(v. 1-26)

Texte 17 :

« Le Berger et la mer » (Fables, IV, II, 1668)

Ceci n'est pas un conte à plaisir inventé.
    Je me sers de la vérité
    Pour montrer par expérience
    Qu'un sou quand il est assuré
    Vaut mieux que cinq en espérance ;
Qu'il se faut contenter de sa condition ;
Qu'aux conseils de la mer et de l'ambition
    Nous devons fermer les oreilles.
Pour un qui s'en louera, dix mille s'en plaindront.
    La mer promet monts et merveilles ;
Fiez-vous-y, les vents et les voleurs viendront.

                      (v. 21-31)

Texte 18 :

« Le Bûcheron et Mercure » (Fables, V, 1, 1668)

À M.L.C.D.B.

Votre goût a servi de règle à mon ouvrage.
J'ai tenté les moyens d'acquérir son suffrage.
Vous voulez qu'on évite un soin trop curieux
Et des vains ornements l'effort ambitieux.
Je le veux comme vous : cet effort ne peut plaire.
Un auteur gâte tout quand il veut trop bien faire.
Non qu'il faille bannir certains traits délicats :
Vous les aimez, ces traits, et je ne les hais pas,
Quant au principal but qu'Esope se propose,
    J'y tombe au moins mal que je puis.
Enfin si dans ces vers je ne plais et n'instruis,
Il ne tient pas à moi, c'est toujours quelque chose.
    Comme la force est un point
    Dont je ne me pique point,
Je tâche d'y tourner le vice en ridicule,

Ne pouvant l'attaquer avec des bras d'Hercule.
C'est là tout mon talent ; je ne sais s'il suffit.
    Tantôt je peins en un récit
La sotte vanité jointe avecque l'envie,
Deux pivots sur qui roule aujourd'hui notre vie.
    Tel est ce chétif animal
Qui voulut en grosseur au boeuf se rendre égal.
J'oppose quelquefois, par une double image,
Le vice à la vertu, la sottise au bon sens,
    Les agneaux aux loups ravissants,
La mouche à la fourmi, faisant de cet ouvrage
Une ample comédie à cent actes divers,
Et dont la scène est l'univers.
Hommes, dieux, animaux, tout y fait quelque rôle,
Jupiter comme un autre. Introduisons celui
Qui porte de sa part aux belles la parole :
Ce n'est pas de cela qu'il s'agit aujourd'hui.
                    (v. 1-32)

Texte 19 :

« *La Montagne qui accouche* » *(Fables, V, X, 1668)*

Une Montagne en mal d'enfant
Jetait une clameur si haute,
Que chacun, au bruit accourant,
Crut qu'elle accoucherait, sans faute,
D'une cité plus grosse que Paris :
Elle accoucha d'une Souris.

Quand je songe à cette fable,
Dont le récit est menteur
    Et le sens est véritable,
    Je me figure un auteur
    Qui dit : « Je chanterai la guerre
Que firent les Titans au maître du tonnerre. »
C'est promettre beaucoup ; mais qu'en sort-il souvent ?
           Du vent.

Texte 20 :

« Le Pâtre et le lion » (Fables, VI, I, 1668)

Les fables ne sont pas ce qu'elles semblent être ;
Le plus simple animal nous y tient lieu de maître.
Une morale nue apporte de l'ennui ;
Le conte fait passer le précepte avec lui.
En ces sortes de feinte il faut instruire et plaire,
Et conter pour conter me semble peu d'affaire.
C'est par cette raison qu'égayant leur esprit,
Nombre de gens fameux en ce genre ont écrit.
Tous ont fui l'ornement et le trop d'étendue :
On ne voit point chez eux de parole perdue.
Phèdre était si succinct qu'aucuns l'en ont blâmé.
Esope en moins de mots s'est encore exprimé.
Mais sur tous certain Grec renchérit et se pique
    D'une élégance laconique.
Il renferme toujours son conte en quatre vers :
Bien ou mal, je le laisse à juger aux experts.
Voyons-le avec Esope en un sujet semblable :
L'un amène un chasseur, l'autre un pâtre, en sa fable.
J'ai suivi leur projet quant à l'événement,
Y cousant en chemin quelque trait seulement.
Voici comme à peu près Esope le raconte.

(v. 1-21)

Texte 21 :

« Épilogue » (Fables, VI, 1668)

Bornons ici cette carrière :
Les longs ouvrages me font peur.
Loin d'épuiser une matière,
On n'en doit prendre que la fleur.
Il s'en va temps que je reprenne
Un peu de forces et d'haleine
Pour fournir à d'autres projets.

Amour, ce tyran de ma vie,
Veut que je change de sujets :
Il faut contenter son envie.
Retournons à Psyché ; Damon, vous m'exhortez
A peindre ses malheurs et ses félicités :
J'y consens ; peut-être ma veine
En sa faveur s'échauffera.
Heureux si ce travail est la dernière peine
Que son époux me causera!

Texte 22 :

Préface des Amours de Psyché (1669, O. D., p. 123-126)

J'ai trouvé de plus grandes difficultés dans cet ouvrage qu'en aucun autre qui soit sorti de ma plume. Cela surprendra sans doute ceux qui le liront. On ne s'imaginera jamais qu'une fable contée en prose m'ait tant emporté de loisir. Car pour le principal point, qui est la conduite, j'avais mon guide ; il m'était impossible de m'égarer : Apulée me fournissait la matière ; il ne restait que la forme, c'est-à-dire les paroles ; et d'amener de la prose à quelque point de perfection, il ne semble pas que ce soit une chose fort mal aisée : c'est la langue naturelle de tous les hommes. Avec cela, je confesse qu'elle me coûte autant que les vers. Que si jamais elle m'a coûté, c'est dans cet ouvrage. Je ne savais quel caractère choisir : celui de l'histoire est trop simple ; celui du roman n'est pas encore assez orné ; et celui du poème l'est plus qu'il ne faut. Mes personnages me demandaient quelque chose de galant ; leurs aventures, étant pleines de merveilleux en beaucoup d'endroits, me demandaient quelque chose d'héroïque et de relevé. D'employer l'un en un endroit, et l'autre en un autre, il n'est pas permis : l'uniformité de style est la règle la plus étroite que nous avons. J'avais donc besoin d'un caractère nouveau, et qui fût mêlé de tous ceux-là ; il me le fallait réduire dans un juste tempérament. J'ai cherché ce tempérament avec un grand soin : que je l'aie ou non rencontré, c'est ce que le public m'apprendra.

Mon principal but est toujours de plaire : pour en venir là, je considère le goût du siècle. Or, après plusieurs expériences, il m'a semblé que ce goût se porte au galant et à la plaisanterie : non que l'on méprise les passions ; bien loin de cela, quand on ne les trouve pas dans un roman, dans un poème, dans une pièce de théâtre, on se plaint de leur absence ; mais dans un conte comme celui-ci, qui est plein de merveilleux, à la vérité, mais d'un merveilleux accompagné de badineries, et propre à amuser des enfants, il a fallu badiner depuis le commencement jusqu'à la fin ; il a fallu chercher du galant et de la plaisanterie. Quand il ne l'aurait pas fallu, mon inclination m'y portait, et peut-être y suis-je tombé en beaucoup d'endroits contre la raison et la bienséance.

Voilà assez raisonné sur le genre d'écrire que j'ai choisi : venons aux inventions. Presque toutes sont d'Apulée, j'entends les principales et les meilleures. Il y a quelques épisodes de moi, comme l'aventure de la grotte, le vieillard et les deux bergères, le temple de Vénus et son origine, la description des enfers, et tout ce qui arrive à Psyché pendant le voyage qu'elle y fait, et à son retour jusqu'à la conclusion de l'ouvrage. La manière de conter est aussi de moi, et les circonstances, et ce que disent les personnages. Enfin ce que j'ai pris de mon auteur est la conduite et la fable ; et c'est en effet le principal, le plus ingénieux, et le meilleur de beaucoup. Avec cela j'y ai changé quantité d'endroits, selon la liberté ordinaire que je me donne. Apulée fait servir Psyché par des voix dans un lieu où rien ne doit manquer à ses plaisirs, c'est-à-dire qu'il lui fait goûter ces plaisirs sans que personne paraisse. Premièrement, cette solitude est ennuyeuse ; outre cela elle est effroyable. Où est l'aventurier et le brave qui toucherait à des viandes lesquelles viendraient d'elles-mêmes se présenter ? Si un luth jouait tout seul, il me ferait fuir, moi qui aime extrêmement la musique. Je fais donc servir Psyché par des Nymphes qui ont soin de l'habiller, qui l'entretiennent de choses agréables, qui lui donnent des comédies et des divertissements de toutes les sortes.

Il serait long, et même inutile, d'examiner les endroits où j'ai quitté mon original, et pourquoi je l'ai quitté. Ce n'est pas à force de raisonnement qu'on fait entrer le plaisir dans l'âme de ceux qui lisent : leur sentiment me justifiera, quelque téméraire que j'aie été, ou me rendra condamnable, quelque raison qui me justifie. Pour bien faire, il faut considérer mon ouvrage sans relation à ce qu'a fait Apulée, et ce qu'a fait Apulée sans relation à mon livre, et là-dessus s'abandonner à son goût. Au reste, j'avoue qu'au lieu de rectifier l'oracle dont il se sert au commencement des aventures de Psyché, et qui fait en partie le nœud de la fable, j'en ai augmenté l'inconvénient, faute d'avoir rendu cet oracle ambigu et court, qui sont les deux qualités que les réponses des dieux doivent avoir et qu'il m'a été impossible de bien observer. Je me suis assez mal tiré de la dernière, en disant que cet oracle contenait aussi la glose des prêtres ; car les prêtres n'entendent pas ce que le dieu leur fait dire : toutefois il peut leur avoir inspiré la paraphrase aussi bien qu'il leur a inspiré le texte, et je me sauverai encore par là. Mais, sans que je cherche ces petites subtilités, quiconque fera réflexion sur la chose trouvera que ni Apulée ni moi nous n'avons failli. Je conviens qu'il faut tenir l'esprit en suspens dans ces sortes de narrations, comme dans les pièces de théâtre : on ne doit jamais découvrir la fin des événements; on doit bien les préparer, mais on ne doit pas les prévenir. Je conviens encore qu'il faut que Psyché appréhende que son mari ne soit un monstre. Tout cela est apparemment contraire à l'oracle dont il s'agit, et ne l'est pas en effet : car premièrement la suspension des esprits et l'artifice de cette fable ne consistent pas à empêcher que le lecteur ne s'aperçoive de la véritable qualité du mari qu'on donne à Psyché; il suffit que Psyché ignore qui est celui qu'elle a épousé, et que l'on soit en attente de savoir si elle verra cet époux, par quels moyens elle le verra, et quelles seront les agitations de son âme après qu'elle l'aura vu. En un mot, le plaisir que doit donner cette fable à ceux qui la lisent, ce n'est pas leur incertitude à l'égard de la qualité de ce mari, c'est l'incertitude de Psyché seule : il ne faut pas que l'on croie un seul moment qu'une si aimable personne ait été livrée à la passion d'un monstre, ni même qu'elle s'en tienne assurée; ce serait un trop grand sujet d'indignation au lecteur. Cette belle doit trouver de la douceur dans la conversation et dans les caresses de son mari, et de fois à autres appréhender que ce ne soit un démon ou un enchanteur; mais le moins de temps que cette pensée lui peut durer jusqu'à ce qu'il soit besoin de préparer la catastrophe, c'est assurément le plus à propos. Qu'on ne dise point que l'oracle l'empêche bien de l'avoir. Je confesse que cet oracle est très claire pour nous; mais il pouvait ne l'être pas pour Psyché : elle vivait dans un siècle si innocent, que les gens d'alors pouvaient ne pas connaître l'amour sous toutes les formes que l'on lui donne. C'est à quoi on doit prendre garde; et par ce moyen il n'y aura plus d'objection à me faire pour ce point-là.

Assez d'autres fautes me seront reprochées, sans doute; j'en demeurerai d'accord, et ne prétends pas que mon ouvrage soit accompli : j'ai taché seulement de faire en sorte qu'il plût, et que même on y trouvât du solide aussi bien que de l'agréable. C'est pour cela que j'y ai enchâssé des vers en beaucoup d'endroits, et quelques autres enrichissements, comme le voyage des quatre amis, leur dialogue touchant la compassion et le rire, la description des enfers, celle d'une partie de Versailles. Cette dernière n'est pas tout à fait conforme à l'état présent des lieux; je les ai décrits en celui où dans deux ans on les pourra voir. Il se peut que faire mon ouvrage ne vivra pas si longtemps; mais quelque peu d'assurance qu'ait un auteur qu'il entretiendra un jour la postérité, il doit toujours se la proposer, autant qu'il lui est possible, et essayer de faire les choses pour son usage.

Texte 23 :

Du rire et de la compassion (1) (Psyché, 1669, O. D., p. 175)

La compassion a aussi ses charmes, qui ne sont pas moindres que ceux du rire. Je tiens même qu'ils sont plus grands, et crois qu'Ariste est de mon avis. Soyez si tendre et si émouvant que vous voudrez, nous ne vous en écouterons tous deux que plus volontiers.

– Et moi, dit Gélaste, que deviendrai-je ? Dieu m'a fait la grâce de me donner des oreilles aussi bien qu'à vous. Quand Poliphile les consulterait, et qu'il ne ferait pas tant le pathétique, la chose n'en irait que mieux, vu la manière d'écrire qu'il a choisie.

Le sentiment de Gélaste fut approuvé. Et Ariste, qui s'était tu jusque-là, dit en se tournant vers Poliphile :

Je voudrais que vous me pussiez attendrir le cœur par le récit des aventures de votre belle ; je lui donnerais des larmes avec le plus grand plaisir du monde. La pitié est celui des mouvements du discours qui me plaît le plus : je le préfère de bien loin aux autres. Mais ne vous contraignez point pour cela : il est bon de s'accommoder à son sujet ; mais il est encore meilleur de s'accommoder à son génie. C'est pourquoi suivez le conseil que vous a donné Gélaste.

– Il faut bien que je le suive, continua Poliphile : comment ferais-je autrement ? J'ai déjà mêlé malgré moi de la gaieté parmi les endroits les plus sérieux de cette histoire ; je ne vous assure pas que tantôt je n'en même aussi parmi les plus tristes. C'est un défaut dont je ne me saurais corriger, quelque peine que j'y apporte.

– Défaut pour défaut, dit Gélaste, j'aime beaucoup mieux qu'on me fasse rire quand je dois pleurer, que si l'on me faisait pleurer lorsque je dois rire. C'est pourquoi, encore une fois, continuez comme vous avez commencé.

Texte 24 :

Comédie et tragédie (Psyché, 1669, O. D., p. 176-184)

Au sortir de cet endroit, ils firent cinq ou six pas sans rien dire. Gélaste, ennuyé de ce long silence, l'interrompis ; et fronçant un peu son sourcil :

« Je vous ai, dit-il, tantôt laissés mettre le plaisir du rire après celui de pleurer ; trouverez-vous bon que je vous guérisse de cette erreur ? Vous savez que le rire est ami de l'homme, et le mien particulier ; m'avez-vous cru capable d'abandonner sa défense sans vous contredire le moins du monde ?

– Hélas ! Non, repartit Acante ; car, quand il n'y aurait que le plaisir de contredire, vous le trouvez assez grand pour nous engager en une très longue et très opiniâtre dispute ».

Ces paroles, à quoi Gélaste ne s'attendait point, et qui firent faire un petit éclat de risée, l'interdirent un peu. Il en revint aussitôt.

« Vous croyez, dit-il, vous sauver par-là ; c'est l'ordinaire de ceux qui ont tort, et qui connaissent leur faible, de chercher des fuites ; mais évitez tant que vous voudrez le combat, si faut-il que vous m'avouiez que votre proposition est absurde, et qu'il vaut mieux rire que pleurer.

– A le prendre en général comme vous faites, poursuivit Ariste, cela est vrai ; mais vous falsifiez notre texte. Nous vous disons seulement que la pitié est celui des mouvements du discours que nous tenons le plus noble, le plus excellent si vous voulez : je passe encore outre, et le maintiens le plus agréable : voyez la hardiesse de ce paradoxe !

– O dieux immortels ! s'écria Gélaste, y a-t-il des gens assez fous au monde pour soutenir une opinion si extravagante ? Je ne dis pas que Sophocle et Euripide ne me divertissent davantage que quantité de faiseurs de comédies ; mais mettez les choses en pareil degré d'excellence, quitterez-vous le plaisir de voir attraper deux vieillards par un drôle comme Phormion, pour aller pleurer avec la famille du roi Priam ?

– Oui, encore un coup, je le quitterai, dit Ariste.

– Et vous aimez mieux, ajouta Gélaste, écouter Sylvandre faisant des plaintes, que d'entendre Hylas entretenant agréablement ses maîtresses ?

– C'est un autre point, poursuivit Ariste ; mettez les choses, comme vous dites, en pareil degré d'excellence, je vous répondrai là-dessus. Sylvandre, après tout, pourrait faire de telles plaintes que vous les préféreriez vous-même aux bons mots d'Hylas.

– Aux bons mots d'Hylas ? répartit Gélaste : pensez-vous bien à ce que vous dites ? Savez-vous quel homme c'est que l'Hylas de qui nous parlons ? C'est le véritable héros d'*Astrée* : c'est un homme plus nécessaire dans le roman qu'une douzaine de Céladons.

– Avec cela, dit Ariste, s'il n'y en avait deux, ils vous ennuieraient ; et les autres, en quelque nombre qu'ils soient, ne vous ennuient point. Mais nous ne faisons qu'insister l'un et l'autre pour notre avis, sans en apporter d'autre fondement que notre avis même. Ce n'est pas là le moyen de terminer la dispute, ni de découvrir qui a tort ou qui a raison.

– Cela me fait souvenir, dit Acante, de certaines gens dont les disputes se passent entières à nier et à soutenir, et point d'autre preuve. Vous en allez avoir une pareille si vous ne vous y prenez d'autre sorte.

– C'est à quoi il faut remédier, dit Ariste : cette matière en vaut bien la peine, et nous peut fournir beaucoup de choses dignes d'être examinées. Mais comme elles mériteraient plus de temps que nous n'en avons, je suis d'avis de ne toucher que le principal, et qu'après nous réduisions la dispute au jugement qu'on doit faire de l'ouvrage de Poliphile, afin de ne pas sortir entièrement du sujet pour lequel nous nous rencontrons ici. Voyons seulement qui établira le premier son opinion. Comme Gélaste est l'agresseur, il serait juste que ce fût lui. Néanmoins je commencerai s'il le veut.

– Non, non, dit Gélaste, je ne veux point qu'on m'accorde de privilège : vous n'êtes pas assez fort pour donner de l'avantage à votre ennemi. Je vous soutiens donc que, les choses étant égales, la plus saine partie du monde préférera toujours la comédie à la tragédie. Que dis-je, la plus saine partie du monde ? mais tout le monde. Je vous demande où le goût universel d'aujourd'hui se porte. La Cour, les dames, les cavaliers, les savants, le peuple, tout demande la comédie, point de plaisir que la comédie. Aussi voyons-nous qu'on se sert indifféremment de ce mot de comédie pour qualifier tous les divertissements du théâtre : on n'a jamais dit « les tragédiens », ni : « Allons à la tragédie ».

– Vous en savez mieux que moi la véritable raison, dit Ariste, et que cela vient du mot de bourgade, en grec. Comme cette érudition serait longue, et qu'aucun de nous ne l'ignore, je la laisse à part, et m'arrêterai seulement à ce que vous dites. Parce que le mot de comédie est pris abusivement pour toutes les espèces du dramatique, la comédie est préférable à la tragédie : n'est-ce pas là bien conclure ? Cela fait voir seulement que la comédie est plus commune ; et parce qu'elle est plus commune, je pourrais dire qu'elle touche moins les esprits.

– Voilà bien conclure à votre tour, répliqua Gélaste : le diamant est plus commun que certaines pierres ; donc le diamant touche moins les yeux. Hé ! mon ami, ne voyez-vous pas qu'on ne se lasse jamais de rire ? On peut se lasser du jeu, de la bonne chère, des dames ; mais de rire, point. Avez-vous entendu dire à qui que ce soit : « Il y a huit jours entiers que nous rions ; je vous prie, pleurons aujourd'hui » ?

– Vous sortez toujours, dit Ariste, de notre thèse, et apportez des raisons si triviales, que j'en ai honte pour vous.

– Voyez un peu l'homme difficile ! reprit Gélaste. Et vraiment, puisque vous voulez que je discoure de la comédie et du rire en philosophe platonicien, j'y consens; faites-moi seulement la grâce de m'écouter. Le plaisir dont nous devons faire le plus de cas est toujours celui qui convient le mieux à notre nature; car c'est s'unir à soi-même que de le goûter. Or y a-t-il rien qui nous convienne mieux que le rire? Il n'est pas moins naturel à l'homme que la raison. Il lui est même particulier : vous ne trouverez aucun animal qui rie, et en rencontrerez quelques-uns qui pleurent. Je vous défie, tout sensible que vous êtes, de jeter des larmes aussi grosses que celles d'un cerf qui est aux abois, ou du cheval de ce pauvre prince dont on voit la pompe funèbre dans l'onzième de l'*Énéide*. Tombez d'accord de ces vérités; je vous laisserai après pleurer tant qu'il vous plaira : vous tiendrez compagnie au cheval du pauvre Pallas, et moi je rirai avec tous les hommes ».

La conclusion de Gélaste fit rire ses trois amis, Ariste comme les autres; après quoi celui-ci dit :

« Je vous nie vos deux propositions, aussi bien la seconde que la première. Quelque opinion qu'ait eue l'école jusqu'à présent, je ne conviens pas avec elle que le rire appartienne à l'homme privativement au reste des animaux. Il faudrait entendre la langue de ces derniers pour connaître qu'ils ne rient point. Je les tiens sujets à toutes nos passions : il n'y a pour ce point-là de différence entre nous et eux que du plus au moins, et en la manière de s'exprimer. Quant à votre première proposition, tant s'en faut que nous devions toujours courir après les plaisirs qui nous sont les plus naturels, et que nous avons le plus à commandement, que ce n'est pas même un plaisir de posséder une chose très commune. De là vient que dans Platon l'Amour est fils de la Pauvreté, voulant dire que nous n'avons de passion que pour les choses qui nous manquent, et dont nous sommes nécessiteux. Ainsi le rire, qui nous est, à ce que vous dites, si familier, sera, dans la scène, le plaisir des laquais et du menu peuple; le pleurer, celui des honnêtes gens.

– Vous poussez la chose un peu trop loin, dit Acante; je ne tiens pas que le rire soit interdit aux honnêtes gens.

– Je ne le tiens pas non plus, reprit Ariste. Ce que je dis n'est que pour payer Gélaste de sa monnaie. Vous savez combien nous avons ri en lisant Térence, et combien je ris en voyant les Italiens : je laisse à la porte ma raison et mon argent, et je ris après tout mon soûl. Mais que les belles tragédies ne nous donnent une volupté plus grande que celle qui vient du comique, Gélaste ne le niera pas lui-même, s'il y veut faire réflexion.

– Il faudrait, repartit froidement Gélaste, condamner à une très grosse amende ceux qui font ces tragédies dont vous nous parlez. Vous allez là pour vous réjouir, et vous y trouvez un homme qui pleure auprès d'un autre homme, et cet autre auprès d'un autre, et tous ensemble avec la comédienne qui représente Andromaque, et la comédienne avec le poète : c'est une chaîne de gens qui pleurent, comme dit votre Platon. Est-ce ainsi que l'on doit contenter ceux qui vont là pour se réjouir ?

– Ne dites point qu'ils y vont pour se réjouir, reprit Ariste ; dites qu'ils y vont pour se divertir. Or, je vous soutiens, avec le même Platon, qu'il n'y a divertissement égal à la tragédie, ni qui mène plus les esprits où il plaît au poète. Le mot dont se sert Platon fait que je me figure le même poète se rendant maître de tout un peuple, et faisant aller les âmes comme des troupeaux, et comme s'il avait en ses mains la baguette du dieu Mercure. Je vous soutiens, dis-je, que les maux d'autrui nous divertissent, c'est-à-dire qu'ils nous attachent l'esprit.

– Ils peuvent attacher le vôtre agréablement, poursuivit Gélaste, mais non pas le mien. En vérité, je vous trouve de mauvais goût. Il vous suffit que l'on vous attache l'esprit ; que ce soit avec des charmes agréables ou non, avec les serpents de Tisiphone, il ne vous importe. Quand vous me feriez passer l'effet de la tragédie pour une espèce d'enchantement, cela ferait-il que l'effet de la comédie n'en fût un aussi ? Ces deux choses étant égales, serez-vous si fou que de préférer la première à l'autre ?

– Mais vous-même, reprit Ariste, osez-vous mettre en comparaison le plaisir du rire avec la pitié ? la pitié, qui est un ravissement, une extase ? Et comment ne le serait-elle pas, si les larmes que nous versons pour nos propres maux sont, au sentiment d'Homère (non pas tout à fait au mien), si les larmes, dis-je, sont, au sentiment de ce divin poète, une espèce de volupté ? Car en cet endroit où il fait pleurer Achille et Priam, l'un du souvenir de Patrocle, l'autre de la mort du dernier de ses enfants, il dit qu'ils se soûlent de ce plaisir ; il les fait jouir du pleurer, comme si c'était quelque chose de délicieux.

– Le Ciel vous veuille envoyer beaucoup de jouissances pareilles, reprit Gélaste, je n'en serai nullement jaloux. Ces extases de la pitié n'accommodent pas un homme de mon humeur. Le rire a pour moi quelque chose de plus vif et de plus sensible : enfin le rire me rit davantage. Toute la nature est en cela de mon avis. Allez-vous-en à la Cour de Cythérée, vous y trouverez des Ris, et jamais de pleurs.

– Nous voici déjà retombés, dit Ariste, dans ces raisons qui n'ont aucune solidité ; vous êtes le plus frivole défenseur de la comédie que j'aie vu depuis bien longtemps.

– Et nous voici retombés dans le platonisme, répliqua Gélaste : demeurons-y donc, puisque cela vous plaît tant. Je m'en vais vous dire quelque chose d'essentiel contre le pleurer, et veux vous convaincre par ce même endroit d'Homère dont vous avez fait votre capital. Quand Achille a pleuré son soûl (par parenthèse, je crois qu'Achille ne riait pas de moins bon courage : tout ce que font les héros, ils le font dans le suprême degré de perfection), lorsque Achille, dis-je, s'est rassasié de ce beau plaisir de verser des larmes, il dit à Priam : « Vieillard, tu est misérable : telle est la condition des mortels, ils passent leur vie dans les pleurs. Les dieux seuls sont exempts de mal, et vivent là-haut à leur aise, sans rien souffrir ». Que répondrez-vous à cela ?

– Je répondrai, dit Ariste, que les mortels sont mortels quand ils pleurent de leurs douleurs ; mais, quand ils pleurent des douleurs d'autrui, ce sont proprement des dieux.

– Les dieux ne pleurent ni d'une façon ni d'une autre, reprit Gélaste ; pour le rire, c'est leur partage. Qu'il ne soit ainsi, Homère dit en un autre endroit que, quand les bienheureux Immortels virent Vulcain qui boitait dans leur maison, il leur prit un rire inextinguible. Par ce mot d'inextinguible, vous voyez qu'on ne peut trop rire ni trop longtemps ; par celui de bienheureux, que la béatitude consiste au rire.

– Par ces deux mots que vous dites, reprit Ariste, je vois qu'Homère a failli, et ne vois rien autre chose. Platon l'en reprend dans son troisième de la *République* ? Il le blâme de donner aux dieux un rire démesuré, et qui serait même indigne de personnes tant soit peu considérables.

– Pourquoi voulez-vous qu'Homère ait plutôt failli que Platon ? répliqua Gélaste. Mais laissons les autorités, et n'écoutons que la raison seule. Nous n'avons qu'à examiner sans prévention la comédie et la tragédie. Il arrive assez souvent que cette dernière ne nous touche point : car le bien ou le mal d'autrui ne nous touche que par rapport à nous-mêmes, et en tant que nous croyons que pareille chose nous peut arriver, l'amour-propre faisant sans cesse que l'on tourne les yeux sur soi. Or, comme la tragédie ne nous représente que des aventures extraordinaires, et qui vraisemblablement ne nous arriveront jamais, nous n'y prenons point de part, et nous sommes froids, à moins que l'ouvrage ne soit excellent, que le poète ne nous transforme, que nous ne devenions d'autres hommes par son adresse, et ne nous mettions en la place de quelque roi. Alors j'avoue que la tragédie nous touche, mais de crainte, mais de colère, mais de mouvements funestes qui nous renvoient au logis pleins des choses que nous avons vues, et incapables de tout plaisir. La comédie, n'employant que des aventures ordinaires et qui peuvent nous arriver, nous touche toujours ; plus ou moins, selon son degré de perfection. Quand elle est fort bonne, elle nous fait rire. La tragédie nous attache, si vous voulez ; mais la comédie nous amuse agréablement, et mène les âmes aux Champs Élysées, au lieu que vous les menez dans la demeure des malheureux. Pour preuve infaillible de ce que j'avance, prenez garde que, pour effacer les impressions que la tragédie avait faites en nous, on lui fait souvent succéder un divertissement comique; mais de celui-ci à l'autre il n'y a point de retour : ce qui vous fait voir que le suprême degré du plaisir, après quoi il n'y a plus rien, c'est la comédie. Quand on vous la donne, vous vous en retournez content et de belle humeur; quand on ne vous la donne pas, vous vous en retournez chagrin et rempli de noires idées. C'est ce qu'il y a à gagner avec les Orestes et les Œdipes, tristes fantômes qu'a évoqués le poète magicien dont vous nous avez parlé tantôt. Encore serions-nous heureux s'ils excitaient le terrible toutes les fois que l'on nous les fait paraître : cela vaut mieux que de s'ennuyez; mais où sont les habiles poètes qui nous dépeignent ces choses au vif? Je ne veux pas dire que le dernier soit port avec Euripide ou avec Sophocle; je dis seulement qu'il n'y en a guère. La difficulté n'est pas si grande dans le comique; il est plus assuré de nous toucher, en ce que ses incidents sont d'une telle nature que nous nous les appliquons à nous-mêmes plus aisément.

– Cette fois-là, dit Ariste, voilà des raisons solides, et qui méritent qu'on y réponde; il faut y tâcher. Le même ennui qui nous fait languir pendant une tragédie où nous ne trouvons que de médiocres beautés est commun à la comédie et à tous les ouvrages de l'esprit, particulièrement aux vers : je vous le prouverais aisément si c'était la question; mais ne s'agissant que de comparer deux choses également bonnes, chacune selon son genre, et la tragédie, à ce que vous dites vous-même, devant l'être souverainement, nous ne devons considérer la comédie que dans un pareil degré. En ce degré donc vous dites qu'on peut passer de la tragédie à la comédie; et de celle-ci à l'autre, jamais. Je vous le confesse, mais je ne tombe pas d'accord de vos conséquences, ni de la raison que vous apportez. Celle qui me semble la meilleure est que dans la tragédie nous faisons une grande contention d'âme; ainsi on nous représente ensuite quelque chose qui délasse notre cœur, et nous remet en l'état où nous étions avant le spectacle, afin que nous en puissions sortir que d'un songe. Par votre propre raisonnement, vous voyez déjà que la comédie touche beaucoup moins que la tragédie. Il reste à prouver que cette dernière est beaucoup plus agréable que l'autre. Mais auparavant, de crainte que la mémoire ne n'en échappe, je vous dirai qu'il s'en faut bien que la tragédie nous renvoie chagrins et mal satisfaits, la comédie tout à fait contents et de belle humeur; car, si nous apportons à la tragédie quelque sujet de tristesse qui nous soit propre, la compassion en détourne l'effet ailleurs, et nous sommes heureux de répandre pour les maux d'autrui les larmes que nous gardions pour les nôtres.

La comédie, au contraire, nous faisant laisser notre mélancolie à la porte, nous la rend lorsque nous sortons. Il ne s'agit donc que du temps que nous employons au spectacle et que nous ne saurions mieux employer qu'à la pitié. Premièrement, niez-vous qu'elle soit plus noble que le rire ?

– Il y a si longtemps que nous disputons, repartit Gélaste, que je ne vous veux plus rien nier.

– Et moi je vous veux prouver quelque chose, reprit Ariste ; je vous veux prouver que la pitié est le mouvement le plus agréable de tous. Votre erreur provient de ce que vous confondez ce mouvement avec la douleur. Je crains celle-ci encore plus que vous ne faites ; quant à l'autre, c'est un plaisir, et très grand plaisir. En voici quelques raisons nécessaires et qui vous prouveront par conséquent que la chose est telle que je vous dis. La pitié est un mouvement charitable et généreux, une tendresse de cœur dont tout le monde se sait bon gré. Y a-t-il quelqu'un qui veuille passer pour un homme dur et impénétrable à ses traits ? Or, qu'on ne fasse les choses louables avec un très grand plaisir, je m'en rapporte à la satisfaction intérieure des gens de bien ; je m'en rapporte à vous-même, et vous demande si c'est une chose louable que de rire. Assurément ce n'en est pas une, non plus que de boire et de manger, ou de prendre quelque plaisir qui ne regarde que notre intérêt. Voilà donc déjà un plaisir qui se rencontre en la tragédie, et qui ne se rencontre pas en la comédie. Je vous en puis alléguer beaucoup d'autres. Le principal, à mon sens, c'est que nous nous mettons au-dessus des rois par la pitié que nous avons d'eux, et devenons dieux à leur égard, contemplant d'un lieu tranquille leurs embarras, leurs afflictions, leurs malheurs ; ni plus ni moins que les dieux considèrent de l'Olympe les misérables mortels. La tragédie a encore cela au-dessus de la comédie, que le style dont elle se sert est sublime ; et les beautés du sublime, si nous en croyons Longin et la vérité, sont bien plus grandes et ont tout un autre effet que celles du médiocre. Elles enlèvent l'âme, et se font sentir à tout le monde avec la soudaineté des éclairs. Les traits comiques, tout beaux qu'ils sont, n'ont ni la douceur de ce charme ni sa puissance. Il est de ceci comme d'une beauté excellente, et d'une autre qui a des grâces : celle-ci plaît, mais l'autre ravit. Voilà proprement la différence que l'on doit mettre entre la pitié et le rire. Je vous apporterais plus de raisons que vous n'en souhaiteriez, s'il n'était temps de terminer la dispute. Nous sommes venus pour écouter Poliphile ; c'est lui cependant qui nous écoute avec beaucoup de silence et d'attention, comme vous le voyez.

— Je veux bien ne pas répliquer, dit Gélaste, et avoir cette complaisance pour lui : mais ce sera à condition que vous ne prétendrez pas m'avoir convaincu ; sinon, continuons la dispute.

Texte 25 :

Myrtis et Mégano (Psyché, 1669, O. D., p. 224-225)

Un roi de Lydie, appelé Philocharès, pria autrefois les Grecs de lui donner femme. Il ne lui importait de quelle naissance, pourvu que la beauté s'y trouvât : une fille est noble quand elle est belle. Ses ambassadeurs disaient que leur prince avait le goût extrêmement délicat. On lui envoya deux jeunes filles : l'une s'appelait Myrtis, l'autre Megano. Celle-ci était fort grande, de belle taille, les traits de visage très beaux, et si bien proportionnés qu'on n'y trouvait que reprendre ; l'esprit fort doux ; avec cela, son esprit, sa beauté, sa taille, sa personne ne touchait point, faute de Vénus qui donnât le sel à ces choses. Myrtis, au contraire, excellait en ce point-là. Elle n'avait pas une beauté si parfaite que Megano : même un médiocre critique y aurait trouvé matière de s'exercer. En récompense, il n'y avait si petit endroit sur elle qui n'eût sa Vénus, et plutôt deux qu'une, outre celle qui animait tout le corps en général. Aussi le roi la préféra-t-il à Megano, et voulut qu'on la nommât Aphrodisée, tant à cause de son charme, que parce que le nom de Myrtis sentait sa bergère, ou sa nymphe au plus, et ne sonnait pas assez pour une reine. Les gens de sa Cour, afin de plaire à leur prince, appelèrent Megano, Anaphrodite. Elle en conçut un tel déplaisir qu'elle mourut peu de temps après. Le roi la fit enterrer honorablement. Aphrodisée vécut fort longtemps, et toujours heureuse, possédant le cœur de son mari tout entier : on lui en offrit beaucoup d'autres qu'elle refusa. Comme les Grâces étaient cause de son bonheur, elle se crut obligée à quelque reconnaissance envers leur déesse, et persuada à son mari de lui faire bâtir un temple, disant que c'était un vœu qu'elle avait fait. Philocharès approuva la chose : il y consuma tout ce qu'il avait de richesses ; puis ses sujets y contribuèrent. La dévotion fut si grande que les femmes consentirent que l'on vendit leurs colliers et, n'en ayant plus, elles suivirent l'exemple de Rhodopé. Myrtis eut la satisfaction de voir, avant que de mourir, la parachèvement de son vœu. Elle ordonna par son testament qu'on lui bâtit un tombeau le plus près du temple qu'il se pourrait, hors du parvis toutefois, joignant le chemin le plus fréquenté. Là ses cendres seraient enfermées, et son aventure écrite à l'endroit le plus en vue. Philocharès, qui lui survécut, exécuta cette volonté. Il fit élever à son épouse un mausolée digne d'elle et de lui aussi ; car son cœur y devait tenir compagnie à celui d'Aphrodisée. Et, pour rendre plus célèbre la mémoire de cette chose, et la gloire de Myrtis plus grande, on transporta en ce lieu les cendres de Megano. Elles furent mises dans un tombeau presque aussi superbe que le premier, sur l'autre côté du chemin : les deux sépulcres se regardaient. On voyait Myrtis sur le sein, entourée d'Amours qui lui accommodaient le corps et la tête sur des carreaux. Megano, de l'autre part, se voyait couchée sur le côté, un bras sous la tête, versant des larmes, en la posture où elle était morte. Sur la bordure du mausolée où reposait la reine des Lydiens, ces mots se lisaient :

Ici repose Myrtis, qui parvint à la royauté par ses charmes, et qui en acquit le surnom d'Aphrodisée.

A l'une des faces, qui regardait le chemin, ces autres paroles étaient :

Vous qui allez visiter ce temple, arrêtez-vous un peu, et écoutez-moi. De simple bergère que j'étais née, je me suis vue reine. Ce qui m'a procuré ce bien, ce n'est pas tant la beauté que ce sont les grâces. J'ai plu, et cela suffit. C'est ce que j'avais à vous dire. Honorez ma tombe de quelques fleurs ; et pour récompense, veuille la déesse des grâces que vous plaisiez !

Sur la bordure de l'autre tombe étaient ces paroles :

Ici sont les cendres de Megano, qui ne put gagner le cœur qu'elle contestait, quoiqu'elle eût une beauté accomplie.

A la face du tombeau ces autres paroles se rencontraient :

Si les rois ne m'ont aimée, ce n'est pas que je ne fusse assez belle pour mériter que les dieux m'aimassent ; mais je n'étais pas, dit-on, assez jolie. Cela se peut-il ? Oui, cela se peut, et si bien qu'on me préféra ma compagne. Elle en acquit le surnom d'Aphrodisée, mois celui d'Anaphrodite. J'en suis morte de déplaisir. Adieu, passant ; je ne te retiens pas davantage. Sois plus heureux que je n'ai été, et ne te mets point en peine de donner des larmes à ma mémoire. Si je n'ai fait la joie de personne, du moins ne veux-je troubler la joie de personne aussi.

Texte 26 :

L'hymne à la Volupté (Psyché, 1669, O. D., p. 257-258)

O douce Volupté, sans qui, dès notre enfance,
Le vivre et le mourir nous deviendraient égaux ;
Aimant universel de tous les animaux,
Que tu sais attirer avecque violence !
 Par toi tout se meut ici-bas.
 C'est pour toi, c'est pour tes appas,
 Que nous courons après la peine :
 Il n'est soldat, ni capitaine,
Ni ministre d'État, ni prince, ni sujet,
 Qui ne t'ait pour unique objet.
Nous autres nourrissons, si pour fruit de nos veilles
Un bruit délicieux ne charmait nos oreilles,
Si nous ne nous sentions chatouillés de ce son,
 Ferions-nous un mot de chanson ?
Ce qu'on appelle gloire en termes magnifiques,
Ce qui servait de prix dans les jeux olympiques,
N'est que toi proprement, divine Volupté.
Et le plaisir des sens est-il de rien compté ?
 Pour quoi sont faits les dons de Flore,
 Le Soleil couchant et l'Aurore,
 Pomone et ses mets délicats,
 Bacchus, l'âme des bons repas,
 Les forêts, les eaux, les prairies,
 Mère des douces rêveries ?
Pour quoi tant de beaux arts, qui tous sont tes enfants ?
Mais pour quoi les Chloris aux appas triomphants,
 Que pour maintenir ton commerce ?
J'entends innocemment : sur son propre désir
 Quelque rigueur que l'on exerce,
 Encore y prend-on du plaisir.
Volupté, Volupté, qui fus jadis maîtresse
 Du plus bel esprit de la Grèce,
Ne me dédaigne pas, viens-t'en loger chez moi ;
 Tu n'y seras pas sans emploi.
J'aime le jeu, l'amour, les livres, la musique,

La ville et la campagne, enfin tout; il n'est rien
    Qui ne me soit souverain bien,
Jusqu'au sombre plaisir d'un cœur mélancolique.
Viens donc; et de ce bien, ô douce Volupté,
Veux-tu savoir au vrai la mesure certaine?
Il m'en faut tout au moins un siècle bien compté;
    Car trente ans, ce n'est pas la peine.

Texte 27 :

Avertissement d'Adonis (texte de 1671, O. D., p. 3-4)

Il y a longtemps que cet ouvrage est composé; et peut-être n'en est-il pas moins digne de voir la lumière. Quand j'en conçus le dessein, j'avais plus d'imagination que je n'en ai aujourd'hui. Je m'étais toute ma vie exercé en ce genre de poésie que nous nommons héroïque : c'est assurément le plus beau de tous, le plus fleuri, le plus susceptible d'ornements et de ces figures nobles et hardies qui font une langue à part, une langue assez charmante pour mériter qu'on l'appelle la langue des dieux. Le fonds que j'en avais fait, soit par la lecture des anciens, soit par celle de quelques-uns de nos modernes, s'est presque entièrement consumé dans l'embellissement de ce poème, bien que l'ouvrage soit court, et qu'à proprement parler il ne mérite que le nom d'idylle. Je l'avais fait marcher à la suite de *Psyché*, croyant qu'il était à propos de joindre aux amours du fils celles de la mère. Beaucoup de personnes m'ont dit que je faisais tort à l'*Adonis*. Les raisons qu'ils m'en apportent sont bonnes; mais je m'imagine que le public se soucie très peu d'en être informé; ainsi je les laisse à part. On est tellement rebuté des poèmes à présent, que j'ai toujours craint que celui-ci ne reçût un mauvais accueil et ne fût enveloppé dans la commune disgrâce : il est vrai que la matière n'y est pas sujette. Si d'un côté le goût du temps m'est contraire, de l'autre il m'est favorable. Combien y a-t-il de gens aujourd'hui qui ferment l'entrée de leur cabinet aux divinités que j'ai coutume de célébrer? il n'est pas besoin que je les nomme, on sait assez que c'est l'Amour et Vénus; ces puissances ont moins d'ennemis qu'elles n'en ont jamais eu. Nous sommes en un siècle où on écoute assez favorablement tout ce qui regarde cette famille. Pour moi, qui lui dois les plus doux moments que j'aie passés jusqu'ici, j'ai cru ne pouvoir moins faire que de raconter ses aventures de la façon la plus agréable qu'il m'est possible.

Texte 28 :

Apollon et Clio (Clymène, 1671, O. D., p. 32-33)

THALIE

Sire, Acante est un homme inégal à tel point
Que d'un moment à l'autre on ne le connaît point :
Inégal en amour, en plaisir, en affaire ;
Tantôt gai, tantôt triste ; un jour il désespère,
Un autre jour il croit que la chose ira bien :
Pour vous en parler franc, nous n'y connaissons rien.
Clymène aime à railler : toutefois, quand Acante
S'abandonne aux soupirs, se plaint et se tourmente,
La pitié qu'elle en a lui donne un sérieux
Qui fait que l'amitié n'en va souvent que mieux.

APOLLON

Clio, divertissez un peu la compagnie.

CLIO

Sire, me voilà prête.

APOLLON

Il me prend une envie
De goûter de ce genre où Marot excellait.

CLIO

Eh bien ! Sire, il vous faut donner un triolet.

APOLLON

C'est trop ! vous nous deviez proposer un distique !
Au reste, n'allez pas chercher ce style antique

Dont à peine les mots s'entendent aujourd'hui :
Montez jusqu'à Marot, et point par delà lui ;
Même son tour suffit.

CLIO

J'entends : il reste, Sire,
Que Votre Majesté seulement daigne dire
Ce qu'il lui plaît, ballade, épigramme, ou rondeau
J'aime fort les dizains.

APOLLON

En un sujet si beau
Le dizain est trop court ; et, vu votre matière,
La ballade n'a point de trop ample carrière.
(v. 273-296)

Texte 29 :

Apollon et Calliope (Clymène, 1671, O. D., p. 34-36)

APOLLON

Votre tour est venu, Calliope ; essayez
Un de ces deux chemins qu'aux auteurs ont frayés
Deux écrivains fameux : je veux dire Malherbe,
Qui louait ses héros en un style superbe ;
Et puis maître Vincent, qui même aurait loué
Proserpine et Pluton en un style enjoué.

CALLIOPE

Sire, vous nommez là deux trop grands personnages :
Le moyen d'imiter sur-le-champ leurs ouvrages ?

APOLLON

Il faut que je me sois sans doute expliqué mal;
Car, vouloir qu'on imite aucun original
N'est mon but, ni ne doit non plus être le vôtre,
Hors ce qu'on fait passer d'une langue en une autre.
C'est un bétail servile et sot, à mon avis,
Que les imitateurs; on dirait des brebis
Qui n'osent avancer qu'en suivant la première,
Et s'iraient sur ses pas jeter dans la rivière.
Je veux donc seulement que vous nous fassiez voir,
En ce style où Malherbe a montré son savoir,
Quelque essai des beautés qui sont propres à l'ode;
Ou si, ce genre-là n'étant plus à la mode
Et demandant d'ailleurs un peu trop de loisir,
L'autre vous semble plus selon votre désir,
Vous louiez galamment la maîtresse d'Acante,
Comme maître Vincent dont la plume élégante
Donnait à son encens un goût exquis et fin,
Que n'avait pas celui qui partait d'autre main.

CALLIOPE

Je vais, puisqu'il vous plaît, hasarder quelque stance.
Si je débute mal, imposez-moi silence.

APOLLON

Calliope manquer!

CALLIOPE

     Pourquoi non? Très souvent.
L'ode est chose pénible, et surtout dans le grand.

Toi, qui soumets les dieux aux passions des hommes,
Amour, souffriras-tu qu'en ce siècle où nous sommes,
Clymène montre un cœur insensible à tes coups?
Cette belle devrait donner d'autres exemples:

Tu devrais l'obliger, pour l'honneur de tes temples,
D'aimer ainsi que nous.

URANIE

Les Muses n'aiment pas.

CALLIOPE

Et qui les en soupçonne?
Ce « nous » n'est pas pour nous; je parle en la personne
Du sexe en général des dévotes d'Amour.

APOLLON

Calliope a raison; qu'elle achève à son tour.

CALLIOPE

J'en demeurerai là, si vous l'agréez, Sire.
On m'a fait oublier ce que je voulais dire.
APOLLON

A vous donc, Polymnie : entrez en lice aussi.

POLYMNIE

Sur quel ton?

APOLLON

Je vois bien que sur ce dernier-ci
L'on ne réussit pas toujours comme on souhaite.
Calliope a bien fait d'user d'une défaite :
Cette interruption est venue à propos.
C'est pourquoi choisissez des tons un peu moins hauts.
Horace en a de tous; voyez ceux qui vous duisent.
J'aime fort les auteurs qui sur lui se conduisent :
Voilà les gens qu'il faut à présent imiter.

POLYMNIE

C'est bien dit, si cela pouvait s'exécuter :
Mais avons-nous l'esprit qu'autrefois à cet homme
Nous savions inspirer sur le déclin de Rome?
Tout est trop fort déchu dans le sacré vallon.

APOLLON

J'en conviens : jusque même au métier d'Apollon,
Il n'est rien qui n'empire, hommes, dieux; mais que faire?
Irons-nous pour cela nous cacher et nous taire?
Je ne regarde pas ce que j'étais jadis,
Mais ce que je serai quelque jour, si je vis.
Nous vieillissons enfin, tout autant que nous sommes
De dieux nés de la fable et forgés par les hommes.
Je prévois par mon art un temps où l'Univers
Ne se souciera plus ni d'auteurs, ni de vers,
Où vos divinités périront, et la mienne.
Jouons de notre reste avant que ce temps vienne.
C'est à vous, Polymnie, à nous entretenir.

(v. 332-398)

Texte 30 :

La mort de la poésie (Clymène, 1671, O. D., p. 40-41)

APOLLON

Il ne nous reste plus qu'Uranie, et c'est fait.
Mais quand j'y pense bien, je trouve qu'en effet
Tant de louange ennuie, et surtout quand on loue
Toujours le même objet : enfin je vous avoue
Que, pour peu que durât l'éloge encor de temps,
Vous me verriez bâiller. Comment peuvent les gens
Entendre, sans dormir, une oraison funèbre?
Il n'est panégyriste au monde si célèbre,
Qui ne soit un Morphée à tous ses auditeurs.

Uranie, il vous faut reployer vos douceurs :
Aussi bien qui pourrait mieux parler de Clymène
Que l'amoureux Acante ? Allons vers l'Hippocrène ;
Nous l'y rencontrerons encore assurément :
Ce nous sera sans doute un divertissement.
La solitude est grande autour de ces ombrages ;
Que vous semble ? On croirait, au nombre des ouvrages
Et des compositeurs (car chacun fait des vers),
Qu'il nous faudrait chercher un mont dans l'Univers,
Non pas double, mais triple, et de plus d'étendue
Que l'Atlas : cependant ma cour est morfondue ;
Je ne rencontre ici que deux ou trois mortels,
Encor très peu dévots à nos sacrés autels.
Cherchez-en la raison dans les cieux, Uranie.

URANIE

Sire, il n'est pas besoin, et sans l'astrologie
Je vous dirai d'où vient ce peu d'adorateurs.
Il est vrai que jamais on n'a vu tant d'auteurs :
Chacun forge des vers ; mais pour la poésie,
Cette princesse est morte, aucun ne s'en soucie.
Avec un peu de rime, on va vous fabriquer
Cent versificateurs en un jour, sans manquer.
Ce langage divin, ces charmantes figures,
Qui touchaient autrefois les âmes les plus dures,
Et par qui les rochers et les bois attirés
Tressaillaient à des traits de l'Olympe admirés ;
Cela, dis-je, n'est plus maintenant en usage.
On vous méprise, et nous, et ce divin langage.
« Qu'est-ce, dit-on ? – Des vers. » Suffit ; le peuple y court.
Pourquoi venir chercher ces traits en notre cour ?
Sans cela l'on parvient à l'estime des hommes.

(v. 490-528)

Texte 31 :

Avertissement du Songe de Vaux (1671, O. D., p. 78-80)

Parmi les ouvrages dont ce recueil est composé, le lecteur verra trois fragments d'une description de Vaux, laquelle j'entrepris de faire il y a environ douze ans. J'y consumai près de trois années. Il est depuis arrivé des choses qui m'ont empêché de continuer. Je reprendrais ce dessein si j'avais quelque espérance qu'il réussît, et qu'un tel ouvrage pût plaire aux gens d'aujourd'hui ; car la poésie lyrique ni l'héroïque, qui doivent y régner, ne sont plus en vogue comme elles étaient alors. J'expose donc au public trois morceaux de cette description. Ce sont des échantillons de l'un et de l'autre style : que j'aie bien fait ou non de les employer tous deux dans un même poème, je m'en dois remettre au goût du lecteur plutôt qu'aux raisons que j'en pourrais dire. Selon le jugement qu'on fera de ces trois morceaux, je me résoudrai : si la chose plaît, j'ai dessein de continuer ; sinon, je n'y perdrai pas de temps davantage. Le temps est chose de peu de prix quand on ne s'en sert pas mieux que je fais ; mais, puisque j'ai résolu de m'en servir, je fois reconnaître qu'à mon égard la saison de le ménager est tantôt venue.

Passons à ce qu'il est nécessaire qu'on sache pour l'intelligence de ces fragments. Je ne la saurais donner au lecteur sans exposer à ses yeux presque tout le plan de l'ouvrage. C'est ce que je m'en vas faire, moins succinctement à la vérité que je ne voudrais, mais utilement pour moi ; car, par ce moyen, j'apprendrai le sentiment du public, aussi bien sur l'invention et sur la conduite de mon poème en gros, que sur l'exécution de chaque endroit en détail, et sur l'effet que le tout ensemble pourra produire.

Comme les jardins de Vaux étaient tout nouveau plantés, je ne les pouvais décrire en cet état, à moins que je n'en donnasse une idée peu agréable, et qui, au bout de vingt ans, aurait été sans doute peu ressemblante. Il fallait donc prévenir le temps. Cela ne se pouvait faire que par trois moyens : l'enchantement, la prophétie, et le songe. Les deux premiers ne me plaisaient pas ; car, pour les amener avec quelque grâce, je me serais engagé dans un dessein de trop d'étendue : l'accessoire aurait été plus considérable que le principal. D'ailleurs il ne faut avoir recours au miracle que quand la nature est impuissante pour nous servir. Ce n'est pas qu'un songe soit si suivi, ni même si long que le mien sera ; mais il est permis de passer le cours ordinaire dans ces rencontres ; et j'avais pour me défendre, outre le *Roman de la Rose*, *le Songe de Poliphile*, et celui de *Scipion*.

Je feins donc qu'en une nuit du printemps m'étant endormi, je m'imagine que je vas trouver le Sommeil, et le prie que par son moyen je puisse voir Vaux en songe : il commande aussitôt à ses ministres de me le montrer. Voilà le sujet du premier fragment.

A peine les Songes ont commencé de me représenter Vaux que tout ce qui s'offre à mes sens me semble réel ; j'oublie le dieu du sommeil, et les démons qui l'entourent ; j'oublie enfin que je songe. Les cours du château de Vaux me paraissent jonchées de fleurs. Je découvre de tous les côtés l'appareil d'une grande cérémonie. J'en demande la raison à deux guides qui me conduisent. L'un deux me dit qu'en creusant les fondements de cette maison on avait trouvé, sous des voûtes fort anciennes, une table de porphyre, et sur cette table un écrin plein de pierreries, qu'un certain sage, nommé Zirzimir, fils du soudan Zarzafiel, avait autrefois laissé à un druide de nos provinces. Au milieu de ces pierreries, un diamant d'une beauté extraordinaire, et taillé en cœur, se faisait d'abord remarquer ; et, sur les bords d'un compartiment qui le séparait d'avec les autres joyaux, se lisait en lettres d'or cette devise, que l'on n'avait pu entendre :

Je suis constant, quoique j'en aime deux.

On avait porté à Oronte l'écrin ouvert, et au même état qu'il s'était trouvé. Il l'avait laisser fermer en le maniant, sans que depuis il eût été possible de le rouvrir, tant la force de l'enchantement était grande. Sur le couvercle de cet écrin se voyait le portrait du Roi ; et autour était écrit : *Soit donné à la plus savante des fées.* Sous l'écrin cette prophétie était gravée :

Quand celle-là qui plus vaut qu'on la prise
En fait de charme, et plus a de pouvoir,
Aux assistants, dans Vaux en mainte guise,
De son bel art aura fait apparoir,
Lors s'ouvrira l'écrin de forme exquise
Que Zirzimir forgea par grand savoir,
Et l'on verra le sens de la devise
Qu'aucun mortel n'aura jamais su voir.

Pour satisfaire à l'intention du mage, et pour l'accomplissement de la prophétie, mais plus encore pour attirer les maîtresses de tous les arts, et leur donner par ce moyen l'occasion d'embellir la maison de Vaux, Oronte avait fait publier que tout ce qu'il y avait de savantes fées dans le monde pouvaient venir contester le prix proposé ; et ce prix était le portrait du Roi, qui serait donné par des juges, sur les raisons que chacune apporterait pour prouver les charmes et l'excellence de son art. Plusieurs étaient accourues ; mais, la plupart ne pouvant contribuer aux beautés de Vaux, et, par conséquent, le prix n'étant pas pour elles apparemment, la plupart, dis-je, persuadées que la prophétie ne les regardait en aucune sorte, s'étaient retirées. Il n'en était demeuré que quatre, l'Architecture, la Peinture, l'Intendance du jardinage, et la Poésie : je les appelle Palatiane, Apellanire, Hortésie, et Calliopée. Le lendemain ce grand différend se devait juger en la présence d'Oronte et de force demi-dieux. Voilà ce que l'un de mes deux guides me dit, et le sujet du second fragment : il contient les harangues des quatre fées.

Et, pour égayer mon poème, et le rendre plus agréable, car une longue suite de descriptions historiques serait une chose fort ennuyeuse, je les voulais entremêler d'épisodes d'un caractère galant. Il y en a trois d'achevés : l'aventure d'un écureuil, celle d'un cygne prêt à mourir, celle d'un saumon et d'un esturgeon qui avaient été présentés vifs à Oronte. Cette dernière aventure fait le sujet de mon troisième fragment.

Le reste de ce recueil contient des ouvrages que j'ai composés en divers temps sur divers sujets. S'ils ne plaisent par leur bonté, leur variété suppléera peut-être à ce qui leur manque ailleurs.

Texte 32 :

Prologue des « Oies de frère Philippe » (Contes, 3ème partie, 1671)

Je dois trop au beau sexe ; il me fait trop d'honneur
De lire ces récits ; si tant est qu'il les lise.
Pourquoi non ? c'est assez qu'il condamne en son cœur
    Celles qui font quelque sottise.
    Ne peut-il pas, sans qu'il le dise,
    Rire sous cape de ces tours,
    Quelque aventure qu'il y trouve ?
    S'ils sont faux, ce sont vains discours ;
    S'ils sont vrais, il les désapprouve.
    Irait-il après tout s'alarmer sans raison
    Pour un peu de plaisanterie ?
Je craindrais bien plutôt que la cajolerie
    Ne mît le feu dans la maison.
Chassez les soupirants, belles, souffrez mon livre :
    Je réponds de vous corps pour corps :

Mais pourquoi les chasser? ne saurait-on bien vivre
   Qu'on ne s'enferme avec les morts?
   Le monde ne vous connaît guères,
S'il croit que les faveurs sont chez vous familières :
   Non pas que les heureux amants
   Soient ni phénix ni corbeaux blancs;
   Aussi ne sont-ce fourmilières.
Ce que mon livre en dit, doit passer pour chansons.
J'ai servi des beautés de toutes les façons :
   Qu'ai-je gagné? très peu de chose;
Rien. Je m'aviserais sur le tard d'être cause
Que la moindre de vous commît le moindre mal!
Contons; mais contons bien; c'est le point principal;
C'est tout : à cela près, censeurs, je vous conseille
De dormir comme moi sur l'une et l'autre oreille.
   Censurez tant qu'il vous plaira
   Méchants vers, et phrases méchantes;
   Mais pour bons tours, laissez-les là;
   Ce sont choses indifférentes;
   Je n'y vois rien de périlleux.
Les mères, les maris, me prendront aux cheveux
   Pour dix ou douze contes bleus!
   Voyez un peu la belle affaire!
Ce que je n'ai pas fait, mon livre irait le faire?
Beau sexe, vous pouvez le lire en sûreté.

                    (v. 1-40)

Texte 33 :

Avertissement au Poème de la captivité de saint Malc
(1673, O. D., p. 47-48)

A SON ALTESSE
MONSEIGNEUR
LE CARDINAL DE BOUILLON

GRAND AUMONIER DE FRANCE

MONSEIGNEUR,

VOTRE Altesse Éminentissime ne refusera pas sa protection au poème que je lui dédie : tout ce qui porte le caractère de piété est auprès de vous d'une recommandation trop puissante. C'est pour moi un juste sujet d'espérer dans l'occasion qui s'offre aujourd'hui : mais, si j'ose dire la vérité, mes souhaits ne se bornent point à cet avantage ; je voudrais que cet idylle, outre la sainteté du sujet, ne vous parût pas entièrement dénué des beautés de la poésie. Vous ne les dédaignez pas, ces beautés divines, et les grâces de cette langue que parlait le peuple prophète. La lecture des Livres Saints vous en a appris les principaux traits. C'est là que la Sagesse divine rend ses oracles avec plus d'élévation, plus de majesté et plus de force que n'en ont les Virgiles et les Homères. Je ne veux pas dire que ces derniers vous soient inconnus : ignorez-vous rien de ce qui mérite d'être su par une personne de votre rang ? Le Parnasse n'a point d'endroits où vous soyez capable de vous égarer. Certes, Monseigneur, il est glorieux pour vous de pouvoir ainsi démêler les diverses routes d'une contrée où vous vous êtes arrêté si peu. Que si votre goût peut donner le prix aux beautés de la poésie, il le peut bien mieux donner à celles de l'éloquence. Je vous ai entendu juger de nos orateurs avec un discernement qu'on ne peut assez admirer : tout cela sans autre secours que celui d'une bienheureuse naissance, et par des talents que vous ne tenez ni des précepteurs ni des livres. C'est aux lumières nées avec vous que vous êtes redevable de ces progrès dont tout le monde s'est étonné. Ce qui consume la vie de plusieurs vieillards enchaînés aux livres dès leur enfance, la jeunesse d'un prince l'a fait ; et nous l'avons vu, et la renommée l'a publié. Elle a joint au bruit de votre savoir celui de ces mœurs si pures, et d'une sagesse qui est la fille du temps chez les autres, et qui le devance chez vous. Un mérite si singulier a été universellement reconnu. Celui qui dispense les trésors du Ciel, et le monarque qui par ses armes victorieuses s'est rendu l'arbitre de l'Europe, ont concouru et de faveurs et d'estime pour vous élever. Après des témoignages d'un si grand poids, mes louanges seraient inutiles à votre gloire. Je ne dois ajouter ici qu'une protestation respectueuse d'être toute ma vie,

MONSEIGNEUR

DE VOTRE ALTESSE SÉRÉNISSIME,

Le très humble et très obéissant serviteur,

DE LA FONTAINE

Texte 34 :

Prologue de « Pâté d'anguille » (Nouveaux Contes, 1674)

> Même beauté, tant soit exquise,
> Rassasie et soûle à la fin.
> Il me faut d'un et d'autre pain ;
> Diversité c'est ma devise.
> Cette maîtresse un tantet bise
> Rit à mes yeux ; pourquoi cela ?
> C'est qu'elle est neuve ; et celle-là
> Qui depuis longtemps m'est acquise
> Blanche qu'elle est, en nulle guise
> Ne me cause d'émotion.
> Son cœur dit oui ; le mien dit non ;
> D'où vient ? en voici la raison,
> Diversité c'est ma devise.
> Je l'ai jà dit d'autre façon ;
> Car il est bon que l'on déguise
> Suivant la loi de ce dicton,
> Diversité c'est ma devise.

(v. 1-17)

Texte 35 :

Epître à Huet (1674, publiée en 1687, O. D., p. 647-649)

A MONSEIGNEUR L'EVEQUE DE SOISSONS

EN LUI DONNANT UN QUINTILIEN DE LA TRADUCTION
D'ORATIO TOSCANELLA

Je vous fais un présent capable de me nuire.
Chez vous Quintilien s'en va tous nous détruire ;
Car enfin qui le suit ? qui de nous aujourd'hui
S'égale aux anciens tant estimés chez lui ?
Tel est mon sentiment, tel doit être le vôtre.
Mais si notre suffrage en entraîne quelque autre,
Il ne fait pas la foule ; et je vois des auteurs
Qui, plus savants que moi, sont moins admirateurs.
Si nous les en croyons, on ne peut sans faiblesse
Rendre hommage aux esprits de Rome et de la Grèce :
« Craindre ces écrivains ! on écrit tant chez nous !
La France excelle aux arts, ils y fleurissent tous ;
Notre prince avec art nous conduit aux alarmes,
Et sans art nous louerions le succès de ses armes !
Dieu désapprendrait-il à former des talents ?
Les Romains et les Grecs sont-ils seuls excellents ? »
Ces discours sont fort beaux, mais fort souvent frivoles :
Je ne vois point l'effet répondre à ces paroles ;
Et, faute d'admirer les Grecs et les Romains,
On s'égare en voulant tenir d'autres chemins.
Quelques imitateurs, sot bétail, je l'avoue,
Suivent en vrais moutons le pasteur* de Mantoue :
J'en use d'autre sorte ; et, me laissant guider,
Souvent à marcher seul j'ose me hasarder.
On me verra toujours pratiquer cet usage ;
Mon imitation n'est point un esclavage :
Je ne prends que l'idée, et les tours, et les lois,
Que nos maîtres suivaient eux-mêmes autrefois.
Si d'ailleurs quelque endroit plein chez eux d'excellence

* Virgile.

Peut entrer dans mes vers sans nulle violence,
Je l'y transporte, et veux qu'il n'ait rien d'affecté,
Tâchant de rendre mien cet air d'antiquité.
Je vois avec douleur [ces] routes méprisées :
Art et guides, tout est dans les Champs-Élysées.
J'ai beau les évoquer, j'ai beau vanter leurs traits,
On me laisse tout seul admirer leurs attraits.
Térence est dans mes mains; je m'instruis dans Horace;
Homère et son rival sont mes dieux du Parnasse.
Je le dis aux rochers; on veut d'autres discours :
Ne pas louer son siècle est parler à des sourds.
Je le loue, et je sais qu'il n'est pas sans mérite;
Mais près de ces grands noms notre gloire est petite :
Tel de nous, dépourvu de leur solidité,
N'a qu'un peu d'agrément, sans nul fonds de beauté;
Je ne nomme personne : on peut tous nous connaître.
Je pris certains auteur** autrefois pour mon maître;
Il pensa me gâter. A la fin, grâce aux Cieux,
Horace, par bonheur, me dessilla les yeux.
L'auteur avait du bon, du meilleur; et la France
Estimait dans ses vers le tour et la cadence.
Qui ne les eût prisés? J'en demeurai ravi;
Mais ses traits ont perdu quiconque l'a suivi.
Son trop d'esprit s'épand en trop de belles choses :
Tous métaux y sont or, toutes fleurs y sont roses***.*
On me dit là-dessus : « De quoi vous plaignez-vous? »
De quoi! Voilà mes gens aussitôt en courroux;
Ils se moquent de moi, qui, plein de ma lecture,
Vas partout prêchant l'art de la simple nature.
Ennemi de ma gloire et de mon propre bien,
Malheureux, je m'attache à ce goût ancien.
« Qu'a-t-il sur nous, dit-on, soit en vers, soit en prose?
L'antiquité des noms ne fait rien à la chose,
L'autorité non plus, ni tout Quintilien. »
Confus à ces propos, j'écoute, et ne dis rien.
J'avouerai cependant qu'entre eux qui les tiennent
J'en vois dont les écrits sont beaux et se soutiennent :

** Quelques auteurs de ce temps-là affectaient les antithèses, et ces sortes de pensées qu'on appelle *concetti*. Cela a suivi immédiatement Malherbe.

*** Vers de Malherbe. [notes de La Fontaine]

Je les prise, et prétends qu'ils me laissent aussi
Révérer les héros du livre que voici.
Recevez leur tribut des mains de Toscanelle;
Ne vous étonnez pas qu'il donne pour modèle
A des ultramondains un auteur sans brillants :
Tout peuple peut avoir du goût et du bon sens;
Ils sont de tout pays; du fond de l'Amérique :
Qu'on y mène un rhéteur habile et bon critique,
Il fera des savants. Hélas! qui sait encor
Si la science à l'homme est un si grand trésor?
Je chéris l'Arioste et j'estime le Tasse;
Plein de Machiavel, entêté de Boccace,
J'en parle si souvent qu'on en est étourdi;
J'en lis qui sont du Nord, et qui sont du Midi.
Non qu'il ne faille un choix dans leurs plus beaux ouvrages;
Quand notre siècle aurait ses savants et ses sages,
En trouverais-je un seul approchant de Platon?
La Grèce en fourmillait dans son moindre canton.
La France a la satire et le double théâtre;
Des bergères d'Urfé chacun est idolâtre;
On nous promet l'histoire, et c'est un haut projet.
J'attends beaucoup de l'art, beaucoup plus du sujet :
Il est riche, il est vaste, il est plein de noblesse;
Il me ferait trembler pour Rome et pour la Grèce.
Quant aux autres talents, l'ode, qui baisse un peu,
Veut de la patience; et nos gens ont du feu.
Malherbe avec Racan, parmi les chœurs des anges,
Là-haut de l'Éternel célébrant les louanges,
Ont emporté leur lyre; et j'espère qu'un jour
J'entendrai leurs concerts au céleste séjour.
Digne et savant prélat, vos soins et vos lumières
Me feront renoncer à mes erreurs premières :
Comme vous je dirai l'auteur de l'Univers;
Cependant agréez mon rhéteur et mes vers.

Texte 36 :

A Madame de Thiange
(à propos de la satire Le Florentin, 1674, O. D., p. 615-617)

Je pourrais alléguer encore un autre point :
Les conseils, « Et de qui ? » Du public : c'est la ville,
C'est la Cour, et ce sont toute sorte de gens,
    Les amis, les indifférents,
Qui m'ont fait employer le peu que j'ai de bile :
Ils ne pouvaient souffrir cette atteinte à mon nom ;
    La méritais-je ? On dit que non.
Mon opéra, tout simple, et n'étant, sans spectacle,
Qu'un ours qui vient de naître, et non encor léché,
Plaît déjà. Que m'a donc Saint-Germain reproché ?
Un peu de pastorale ? Enfin ce fut l'obstacle.
J'introduisais d'abord des bergers ; et le Roi
Ne se plaît à donner qu'aux héros de l'emploi :
Je l'en loue. Il fallait qu'on lui vantât la suite ;
Faute de quoi, ma Muse aux plaintes est réduite.
Que si le nourrisson de Florence eût voulu,
    Chacun eût fait ce qu'il eût pu.
Celui qui nous a peint un des travaux d'Alcide
    (Je ne veux dire Euripide,
Mais Quinault), Quinault donc pour sa part aurait eu
Saint-Germain, où sa Muse au grand jour eût paru ;
    Et la mienne, moins parfaite,
Eût eu du moins Paris, partage de cadette :
Cadette que peut-être on eût cru quelque jour
Digne de partager en aînée à son tour ;
Quelque jour j'eusse pu divertir le monarque.
Heureux sont les auteurs connus à cette marque
Les neuf Sœurs proprement n'ont qu'eux pour favoris :
    Qu'est-ce qu'un auteur de Paris ?
Paris a bien des voix ; mais souvent, faute d'une,
    Tout le bruit qu'il fait est fort vain.
Chacun attend sa gloire ainsi que sa fortune
    Du suffrage de Saint-Germain.
Le maître y peut beaucoup ; il sert de règle aux autres :

Comme maître premièrement,
Puis comme ayant un sens meilleur que tous les nôtres.
Qui voudra l'éprouver obtienne seulement
    Que le Roi lui parle un moment.
Ah! si c'était ici le lieu de ses louanges!
Que ne puis-je en ces vers avec grâce parler
    Des qualités qui font voler
    Son nom jusqu'aux peuples étranges!
    On verrait qu'entre tous les rois
    Le nôtre est digne qu'on l'estime;
    Mais il faut pour une autre fois
    Réserver le feu qui m'anime.
Je ne puis seulement qu'étaler aujourd'hui
Son esprit et son goût à juger d'un ouvrage,
L'honneur et le plaisir de travailler pour lui.
Ceux sont je me suis plaint m'ôtent cet avantage :
    Puis-je jamais vouloir du bien
    A leur cabale trop heureuse?
D'en dire aussi du mal la chose est dangereuse;
    Je crois que je n'en dirai rien.
    Si pourtant notre homme se pique
D'un sentiment d'honneur, et me fait à son tour
    Pour le Roi travailler un jour,
    Je lui garde un panégyrique.
Il est homme de Cour, je suis homme de vers :
    Jouons-nous tous deux des paroles;
    Ayons deux langages divers,
    Et laissons les hontes frivoles.
        (v. 17-78)

Texte 37 :

A M. de Niert (sur l'opéra, 1677, O. D., p. 617-620)

Des machines d'abord le surprenant spectacle
Éblouit le bourgeois, et fit crier miracle;
Mais la seconde fois il ne s'y pressa plus;
Il aima mieux le Cid, Horace, Héraclius.
Aussi de ces objets l'âme n'est point émue,

Et même rarement ils contentent la vue.
Quand j'entends le sifflet, je ne trouve jamais
Le changement si prompt que je me le promets :
Souvent au plus beau char le contre-poids résiste ;
Un dieu pend à la corde, et crie au machiniste ;
Un reste de forêt demeure dans la mer,
Ou la moitié du ciel au milieu de l'enfer.
« Quand le théâtre seul ne réussirait guère,
La comédie au moins, me dira-tu, doit plaire :
Les ballets, les concerts, se peut-il rien de mieux
Pour contenter l'esprit et réveiller les yeux ? »
Ces beautés, néanmoins, toutes trois séparées,
Si tu veux l'avouer, seraient mieux savourées.
De genres si divers le magnifique appas
Aux règles de chaque art ne s'accommode pas.
Il ne faut point, suivant les préceptes d'Horace,
Qu'un grand nombre d'acteurs le théâtre embarrasse ;
Qu'en sa machine un dieu vienne tout ajuster.
Le bon comédien ne doit jamais chanter :
Le ballet fut toujours une action muette.
La voix veut le téorbe, et non pas la trompette ;
Et la viole, propre aux plus tendres amours,
N'a jamais jusqu'ici pu se joindre aux tambours.

(v. 11-38)

Ce n'est plus la saison de Raymond ni d'Hilaire :
Il faut vingt clavecins, cent violons, pour plaire,
On ne va plus chercher au fond de quelque bois
Des amoureux bergers la flûte et le hautbois.
Le téorbe charmant, qu'on ne voulait entendre
Que dans une ruelle, avec une voix tendre,
Pour suivre et soutenir par des accords touchants
De quelques airs choisis les mélodieux chants,
Boisset, Gaultier, Hémon, Chambonnière, la Barre,
Tout cela seul déplaît, et n'a plus rien de rare ;
On laisse là du But, et Lambert, et Camus ;
On ne veut plus qu'*Alceste*, ou *Thésée*, ou *Cadmus*.
Que l'on n'y trouve point de machines nouvelles,
Que les vers soient mauvais, que les voix soient cruelles
(De Baptiste épuisé les compositions

Ne sont, si vous voulez, que répétitions).
Le Français, pour lui seul contraignant sa nature,
N'a que pour l'opéra de passion qui dure.
Les jours de l'opéra, de l'un à l'autre bout,
Saint-Honoré, rempli de carrosses partout,
Voit, malgré la misère à tous états commune,
Que l'opéra tout seul faut leur bonne fortune.
Il a l'or de l'abbé, du brave, du commis;
La coquette s'y fait mener par ses amis
L'officier, le marchand, tout son rôti retranche
Pour y pouvoir porter tout son gain le dimanche;
On ne va plus au bal, on ne va plus au Cours :
Hiver, été, printemps, bref, opéra toujours;
Et quiconque n'en chante, ou bien plutôt n'en gronde
Quelque récitatif, n'a pas l'air du beau monde.
Mais que l'heureux Lulli ne s'imagine pas
Que son mérite seul fasse tout ce fracas :
Si Louis l'abandonne à ce rare mérite,
Il verra si la ville et la cour ne le quitte.
Ce grand prince a voulu tout écouter, tout voir;
Mais il sait de nos sens jusqu'où va le pouvoir,
Et que, si notre esprit a trop peu de portée,
Leur puissance est encor beaucoup plus limitée;
Que lorsqu'à quelque objet l'un d'eux est attaché,
Aucun autre de rien ne peut être touché :
Si les yeux sont charmés, l'oreille n'entend guères;
Et tel, quoiqu'en effet il ouvre les paupières,
Suit attentivement un discours sérieux,
Qui ne discerne pas ce qui frappe ses yeux.
Mais ne vaut-il pas mieux, dis-moi ce qu'il t'en semble,
Qu'on ne puisse sentir tous les plaisirs ensemble,
Et que, pour en goûter les douceurs purement,
Il faille les avoir chacun séparément?
La musique en sera d'autant mieux concertée;
La grave tragédie, à son point remontée,
Aura les beaux sujets, les nobles sentiments,
Les vers majestueux, les heureux dénoûments;
Les ballets reprendront leurs pas et leurs machines,
Et le bal éclatant de cent nymphes divines,
Qui de tout temps des cours a fait la majesté,
Reprendra de nos jours sa première beauté.   (v. 63-118)

Texte 38 :

Deuxième partie des Fables, Avertissement (1678)

Voici un second recueil de fables que je présente au public. J'ai jugé àpropos de donner à la plupart de celle-ci un air et un tour un peu différent de celui que j'ai donné aux premières, tant à cause de la différence des sujets, que pour remplir de plus de variété mon ouvrage. Les traits familiers, que j'ai semés avec assez d'abondance dans les deux autres parties, convenaient bien mieux aux inventions d'Esope qu'à ces dernières, où j'en use plus sobrement pour ne pas tomber en des répétitions : car le nombre de ces traits n'est pas infini. Il a donc fallu que j'aie cherché d'autres enrichissements et étendu davantage les circonstances de ces récits, qui d'ailleurs me semblaient le demander de la sorte. Pour peu que le lecteur y prenne garde, il le reconnaîtra lui-même ; ainsi je ne tiens pas qu'il soit nécessaire d'en étaler ici les raisons, non plus que de dire où j'ai puisé ces derniers sujets. Seulement je dirai, par reconnaissance, que j'en dois la plus grande partie à Pilpay, sage Indien. Son livre a été traduit en toutes les langues. Les gens du pays le croient fort ancien, et original à l'égard d'Esope, si ce n'est Esope lui-même sous le nom du sage Locman. Quelques autres m'ont fourni des sujets assez heureux. Enfin j'ai tâché de mettre en ces deux dernières parties toute la diversité dont j'étais capable. Il s'est glissé quelques fautes dans l'impression ; j'en ai fait faire un Errata ; mais ce sont de légers remèdes pour un défaut considérable. Si on veut avoir quelque plaisir de la lecture de cet ouvrage, il faut que chacun fasse corriger ces fautes à la main dans son exemplaire, ainsi qu'elles sont marquées par chaque errata, aussi bien pour les deux premières parties que pour les dernières.

Texte 39 :

« A Mme de Montespan » (Fables, 1678)

L'apologue est un don qui vient des Immortels ;
    Ou si c'est un présent des hommes,
Quiconque nous l'a fait mérite des autels :
    Nous devons, tous tant que nous sommes,
    Eriger en divinité
    Le sage par qui fut ce bel art inventé.

C'est proprement un charme : il rend l'âme attentive,
    Ou plutôt il la tient captive,
    Nous attachant à des récits
Qui mènent à son gré les coeurs et les esprits.
O vous qui l'imitez, Olympe, si ma Muse
A quelquefois pris place à la table des dieux,
Sur ses dons aujourd'hui daignez porter les yeux ;
Favorisez les jeux où mon esprit s'amuse.
Le temps qui détruit tout, respectant votre appui,
Me laissera franchir les ans dans cet ouvrage :
Tout auteur qui voudra vivre encore après lui
    Doit s'acquérir votre suffrage.
C'est de vous que mes vers attendent tout leur prix :
    Il n'est beauté dans nos écrits
Dont vous ne connaissiez jusques aux moindres traces.
Eh ! qui connaît que vous les beautés et les grâces ?
Paroles et regards, tout est charme dans vous.
    Ma Muse, en un sujet si doux,
    Voudrait s'étendre davantage ;
Mais il faut réserver à d'autres cet emploi,
    Et d'un plus grand maître que moi
    Votre louange est le partage.
Olympe, c'est assez qu'à mon dernier ouvrage
Votre nom serve un jour de rempart et d'abri.
Protégez désormais le livre favori
Par qui j'ose espérer une seconde vie ;
    Sous vos seuls auspices, ces vers
    Seront jugés, malgré l'envie,
    Dignes des yeux de l'univers.
Je ne mérite pas une faveur si grande :
    La fable en son nom la demande.
Vous savez quel crédit ce mensonge a sur nous.
S'il procure à mes vers le bonheur de vous plaire,
Je croirai lui devoir un temple pour salaire ;
Mais je ne veux bâtir des temples que pour vous.

Texte 40 :

Le pouvoir des Fables (Fables, VIII, I, 1678)

à Monsieur de Barillon

La qualité d'ambassadeur
Peut-elle s'abaisser à des contes vulgaires?
Vous puis-je offrir mes vers et leurs grâces légères?
S'ils osent quelquefois prendre un air de grandeur,
Seront-ils point traités par vous de téméraires?
    Vous avez bien d'autres affaires
    A démêler que les débats
    Du lapin et de la belette.
    Lisez-les, ne les lisez pas;
    Mais empêchez qu'on ne nous mette
    Toute l'Europe sur les bras.
    Que de mille endroits de la terre
    Il nous vienne des ennemis,
    J'y consens; mais que l'Angleterre
Veuille que nos rois se lassent d'être amis,
    J'ai peine à digérer la chose.
N'est-il point encor temps que Louis se repose?
Quel autre Hercule enfin ne se trouverait las
De combattre cette hydre? et faut-il qu'elle oppose
Une nouvelle tête aux efforts de son bras?
    Si votre esprit plein de souplesse,
    Par éloquence ou par adresse,
Peut adoucir les coeurs et détourner ce coup,
Je vous sacrifierai cent moutons : c'est beaucoup
    Pour un habitant du Parnasse;
    Cependant faites-moi la grâce
    De prendre en don ce peu d'encens.
    Prenez en gré mes voeux ardents,
Et le récit en vers qu'ici je vous dédie.
Son sujet vous convient, je n'en dirai pas plus :
    Sur les éloges que l'envie
    Doit avouer qui vous sont dus,
    Vous ne voulez pas qu'on appuie.

Dans Athènes autrefois, peuple vain et léger,
Un orateur, voyant sa patrie en danger,
Courut à la tribune; et d'un art tyrannique,
Voulant forcer les coeurs dans une république,
Il parla fortement sur le commun salut.
On ne l'écoutait pas. L'orateur recourut
    A ces figures violentes
Qui savent exciter les âmes les plus lentes :
Il fit parler les morts, tonna, dit ce qu'il put.
Le vent emporta tout; personne ne s'émut;
    L'animal aux têtes frivoles,
Etant fait à ces traits, ne daignait l'écouter;
Tous regardaient ailleurs; il en vit s'arrêter
A des combats d'enfants, et point à ses paroles.
Que fit le harangueur? Il prit un autre tour.
« Cérès, commença-t-il, faisait voyage un jour
    Avec l'anguille et l'hirondelle;
Un fleuve les arrête; et l'anguille en nageant,
    Comme l'hirondelle en volant,
Le traversa bientôt. » L'assemblée à l'instant
Cria tout d'une voix : « Et Cérès, que fit-elle?
    - Ce qu'elle fit? Un prompt courroux
    L'anima d'abord contre vous.
Quoi! de contes d'enfants son peuple s'embarrasse!
    Et du péril qui le menace
Lui seul entre les Grecs il néglige l'effet!
Que ne demandez-vous ce que Philippe fait? »
    A ce reproche l'assemblée,
    Par l'apologue réveillée,
    Se donne entière à l'orateur :
    Un trait de fable en eut l'honneur.
Nous sommes tous d'Athènes en ce point; et moi-même,
Au moment que je fais cette moralité,
    Si Peau d'âne m'était conté,
    J'y prendrais un plaisir extrême.
Le monde est vieux, dit-on, je le crois; cependant
Il le faut amuser encor comme un enfant.

Texte 41 :

Tircis et Amarante (Fables, VIII, XIII, 1678, v. 1-27)

Pour Mademoiselle de Sillery

J'avais Esope quitté
Pour être tout à Boccace;
Mais une divinité
Veut revoir sur le Parnasse
Des fables de ma façon.
Or d'aller lui dire : « Non »,
Sans quelque valable excuse,
Ce n'est pas comme on en use
Avec les divinités,
Surtout quand ce sont de celles
Que la qualité de belles
Fait reines des volontés.
Car, afin que l'on le sache,
C'est Sillery qui s'attache
A vouloir que de nouveau,
Sire Loup, sire Corbeau,
Chez moi se parlent en rime.
Qui dit Sillery dit tout :
Peu de gens en leur estime
Lui refusent le haut bout;
Comment le pourrait-on faire?
Pour venir à notre affaire,
Mes contes à son avis,
Sont obscurs. Les beaux esprits
N'entendent pas toute chose.
Faisons donc, quelques récits
Qu'elle déchiffre sans glose.

Texte 42 :

Le dépositaire infidèle (Fables, IX, I, 1679, v. 1-40)

Grâce aux Filles de Mémoire,
J'ai chanté des animaux ;
Peut-être d'autre héros
M'auraient acquis moins de gloire.
Le loup, en langue des dieux,
Parle au chien dans mes ouvrages :
Les bêtes, à qui mieux mieux,
Y font divers personnages :
Les uns fous, les autres sages,
De telle sorte pourtant
Que les fous vont l'emportant ;
La mesure en est plus pleine.
Je mets aussi sur la scène
Des trompeurs, des scélérats,
Des tyrans et des ingrats,
Mainte imprudente pécore,
Force sots, force flatteurs ;
Je pourrais y joindre encore
Des légions de menteurs.
Tout homme ment, dit le Sage.
S'il n'y mettait seulement
Que les gens du bas étage,
On pourrait aucunement
Souffrir ce défaut aux hommes ;
Mais que tous tant que nous sommes
Nous mentions, grand et petit,
Si quelque autre l'avait dit,
Je soutiendrais le contraire.
Et même qui mentirait
Comme Esope et comme Homère,
Un vrai menteur ne serait.
Le doux charme de maint songe
Par leur bel art inventé,
Sous les habits du mensonge
Nous offre la vérité.

L'un et l'autre a fait un livre
Que je tiens digne de vivre
Sans fin, et plus, s'il se peut :
Comme eux ne ment pas qui veut.

Texte 43 :

Les Deux Pigeons (Fables, IX, II, 1679, v. 65-83)

Amants, heureux amants, voulez-vous voyager ?
          Que ce soit aux rives prochaines.
Soyez-vous l'un à l'autre un monde toujours beau,
          Toujours divers, toujours nouveau ;
Tenez-vous lieu de tout, comptez pour rien le reste.
J'ai quelquefois aimé ; je n'aurais pas alors
          Contre le Louvre et ses trésors,
          Contre le firmament et sa voûte céleste,
          Changé les bois, changé les lieux
Honorés par les pas, éclairé par les yeux
          De l'aimable et jeune bergère
          Pour qui, sous le fils de Cythère,
Je servis, engagé par mes premiers serments.
Hélas ! quand reviendront de semblables moments ?
Faut-il que tant d'objets si doux et si charmants
Me laissent vivre au gré de mon âme inquiète ?
Ah ! si mon coeur osait encor se renflammer !
Ne sentirai-je plus de charme qui m'arrête ?
          Ai-je passé le temps d'aimer ?

Texte 44 :

Discours à M. le Duc de La Rochefoucauld
(Fables, X, XIV, 1679, v. 43-70)

Un intérêt de biens, de grandeur, et de gloire,
Aux gouverneurs d'Etats, à certains courtisans,

A gens de tous métiers, en fait tout autant faire.
On nous voit tous, pour l'ordinaire,
Piller le survenant, nous jeter sur sa peau.
La coquette et l'auteur sont de ce caractère ;
Malheur à l'écrivain nouveau.
Le moins de gens qu'on peut à l'entour du gâteau,
C'est le droit du jeu, c'est l'affaire.
Cent exemples pourraient appuyer mon discours ;
Mais les ouvrages les plus courts
Sont toujours les meilleurs. En cela, j'ai pour guide
Tous les maîtres de l'art, et tiens qu'il faut laisser
Dans les plus beaux sujets quelque chose à penser :
Ainsi ce discours doit cesser.
Vous qui m'avez donné ce qu'il a de solide,
Et dont la modestie égale la grandeur,
Qui ne pûtes jamais écouter sans pudeur
La louange la plus permise,
La plus juste et la mieux acquise ;
Vous enfin dont à peine ai-je encore obtenu
Que votre nom reçût ici quelques hommages,
Du temps et des censeurs défendant mes ouvrages,
Comme un nom qui, des ans et des peuples connu,
Fait honneur à la France, en grands noms plus féconde
Qu'aucun climat de l'univers,
Permettez-moi du moins d'apprendre à tout le monde
Que vous m'avez donné le sujet de ces vers.

Texte 45 :

Le Songe d'un habitant du Mogol (Fables, XI, IV, 1679, v. 18-40)

Si j'osais ajouter au mot de l'interprète,
J'inspirerais ici l'amour de la retraite :
Elle offre à ses amants des biens sans embarras,
Biens purs, présents du Ciel, qui naissent sous les pas.
Solitude, où je trouve une douceur secrète,
Lieux que j'aimai toujours, ne pourrai-je jamais,
Loin du monde et du bruit, goûter l'ombre et le frais ?
O qui m'arrêtera sous vos sombres asiles ?

Quand pourront les neuf Soeurs, loin des cours et des villes,
M'occuper tout entier, et m'apprendre des cieux
Les divers mouvements inconnus à nos yeux,
Les noms et les vertus de ces clartés errantes
Par qui sont nos destins et nos mœurs différentes?
Que si je ne suis né pour de si grands projets,
Du moins que les ruisseaux m'offrent de doux objets!
Que je peigne en mes vers quelque rive fleurie!
La Parque à filets d'or n'ourdira point ma vie;
Je ne dormirai point sous de riches lambris.
Mais voit-on que le somme en perde de son prix?
En est-il moins profond, et moins plein de délices?
Je lui voue au désert de nouveaux sacrifices.
Quand le moment viendra d'aller trouver les morts,
J'aurai vécu sans soins, et mourrai sans remords.

Texte 46 :

La Souris et le chat-huant (Fables, XI, IX, 1679)

Il ne faut jamais dire aux gens :
« Ecoutez un bon mot, oyez une merveille. »
Savez-vous si les écoutants
En feront une estime à la vôtre pareille?
Voici pourtant un cas qui peut être excepté.
Je le maintiens prodige, et tel que d'une fable
Il a l'air et les traits, encor que véritable.

On abattit un pin pour son antiquité,
Vieux palais d'un Hibou, triste et sombre retraite
De l'oiseau qu'Atropos prend pour son interprète.
Dans un tronc caverneux, et miné par le temps,
Logeaient, entre autres habitants,
Force Souris sans pied, toutes rondes de graisse.
L'Oiseau les nourrissait parmi des tas de blé,
Et de son bec avait leur troupeau mutilé.
Cet Oiseau raisonnait : il faut qu'on le confesse.
En son temps, aux Souris le compagnon chassa.
Les premières qu'il prit du logis échappées,

Pour y remédier, le drôle estropia
Tout ce qu'il prit ensuite ; et leurs jambes coupées
Firent qu'il les mangeait à sa commodité,
 Aujourd'hui l'une, et demain l'autre.
Tout manger à la fois, l'impossibilité
S'y trouvait, joint aussi le soin de sa santé.
Sa prévoyance allait aussi loin que la nôtre ;
 Elle allait jusqu'à leur porter
 Vivres et grains pour subsister.
 Puis, qu'un Cartésien s'obstine
A traiter ce Hibou de montre et de machine !
 Quel ressort lui pouvait donner
Le conseil de tronquer un peuple mis en mue ?
 Si ce n'est pas là raisonner,
 La raison m'est chose inconnue.
Voyez que d'arguments il fit :
« Quand ce peuple est pris, il s'enfuit ;
Donc il faut le croquer aussitôt qu'on le happe.
Tout, il est impossible. Et puis, pour le besoin
N'en dois-je pas garder ? Donc il faut avoir soin
 De le nourrir sans qu'il s'échappe.
Mais comment ? Otons-lui les pieds. » Or, trouvez-moi
Chose par les humains à sa fin mieux conduite.
Quel autre art de penser Aristote et sa suite
 Enseignent-ils, par votre foi ?

Ceci n'est point une fable ; et la chose, quoique merveilleuse et presque incroyable, est véritablement arrivée. J'ai peut-être porté trop loin la prévoyance de ce Hibou ; car je ne prétends pas établir dans les bêtes un progrès de raisonnement tel que celui-ci ; mais ces exagérations sont permises à la poésie, surtout dans la manière d'écrire dont je me sers.

Texte 47 :

Epilogue (Fables, XI, 1679)

C'est ainsi que ma Muse, aux bords d'une onde pure,
 Traduisait en langue des dieux
 Tout ce que disent sous les cieux

Tant d'être empruntant la voix de la nature.
    Truchement de peuples divers,
Je les faisais servir d'acteurs en mon ouvrage ;
    Car tout parle dans l'univers ;
    Il n'est rien qui n'ait son langage.
Plus éloquents chez eux qu'ils ne sont dans mes vers,
Si ceux que j'introduis me trouvent peu fidèle,
Si mon oeuvre n'est pas un assez bon modèle,
    J'ai du moins ouvert le chemin :
D'autres pourront y mettre une dernière main.
Favoris des neuf Soeurs, achevez l'entreprise ;
Donnez mainte leçon que j'ai sans doute omise :
Sous ces inventions il faut l'envelopper.
Mais vous n'avez que trop de quoi vous occuper :
Pendant le doux emploi de ma Muse innocente,
Louis dompte l'Europe ; et d'une main puissante,
Il conduit à leur fin les plus nobles projets
    Qu'ait jamais formés un monarque.
Favoris des neuf Soeurs, ce sont là des sujets
    Vainqueurs du temps et de la Parque.

Texte 48 :

Poème du Quinquina (1682, v. 1-54)

Je ne voulais chanter que les héros d'Ésope ;
Pour eux seuls en mes vers j'invoquais Calliope.
Même j'allais cesser, et regardais le port :
La raison me disait que mes mains étaient lasses ;
Mais un ordre est venu plus puissant et plus fort
Que la raison : cet ordre accompagné de grâces,
Ne laissant rien de libre au cœur ni dans l'esprit,
M'a fait passer le but que je m'étais prescrit.
Vous vous reconnaissez à ces traits, Uranie :
C'est pour vous obéir, et non point par mon choix,
Qu'à des sujets profonds j'occupe mon génie,
Disciple de Lucrèce une seconde fois.
Favorisez cet œuvre ; empêchez qu'on ne die
Que mes vers sous le poids languiront abattus :
Protégez les enfants d'une Muse hardie ;

Inspirez-moi ; je veux qu'ici l'on étudie
D'un présent d'Apollon la force et les vertus.

Après que les humains, œuvre de Prométhée,
Furent participants du feu qu'au sein des dieux
Il déroba pour nous d'une audace effrontée,
Jupiter assembla les habitants des cieux.
« Cette engeance, dit-il, est donc notre rivale !
Punissons des humains l'infidèle artisan :
Tâchons par tout moyen d'altérer son présent.
Sa main du feu divin leur fut trop libérale :
Désormais nos égaux, et tout fiers de nos biens,
Ils ne fréquenteront vos temples ni les miens.
Envoyons-leur de maux une troupe fatale,
Une source de vœux, un fonds pour nos autels. »
Tout l'Olympe applaudit : aussitôt les mortels
Virent courir sur eux avecque violence
Pestes, fièvres, poisons répandus dans les airs.
Pandore ouvrit sa boite ; et mille maux divers
S'en vinrent au secours de notre intempérance.
Un des dieux fut touché du malheur des humains ;
C'est celui qui pour nous sans cesse ouvre les mains ;
C'est Phébus Apollon ; de lui vient la lumière,
La chaleur qui descend au sein de notre mère,
Les simples, leur emploi, la musique, les vers,
Et l'or, si c'est un bien que l'or pour l'Univers.
Ce dieu, dis-je, touché de l'humaine misère,
Produisit un remède au plus grand de nos maux :
C'est l'écorce de kin, seconde Panacée.
Loin des peuples connus Apollon l'a placée :
Entre elle et nous s'étend tout l'empire des flots.
Peut-être il a voulu la vendre à nos travaux ;
Peut-être il la devait donner pour récompense
Aux hôtes d'un climat où règne l'innocence.
O toi qui produisis ce trésor sans pareil,
Cet arbre, ainsi que l'or, digne fils du Soleil,
Prince du double mont, commande aux neuf pucelles
Que leur chœur pour m'aider députe deux d'entre elles.
J'ai besoin aujourd'hui de deux talents divers :
L'un est l'art de ton fils, et l'autre, les beaux vers.

Texte 49 :

Remerciement à l'Académie française (1684, O. D., p. 640-644),
1. [L'autorité de l'Académie et l'esprit français]

Messieurs,

Je vous supplie d'ajouter encore une grâce à celle que vous m'avez faite :
c'est de ne point attendre de moi un remerciement proportionné à la grandeur de votre bienfait. Ce n'est pas que je n'en aie une extrême reconnaissance ; mais il y a de certaines choses que l'on sent mieux qu'on ne les exprime :
et bien que chacun soit éloquent dans sa passion, il est de la mienne comme
de ces vases qui, étant trop pleins, ne permettent pas à la liqueur de sortir.
Vous voyez, Messieurs, par mon ingénuité, et par le peu d'art dont j'accompagne ce que je dis, que c'est le cœur qui vous remercie, et non pas l'esprit.

En effet, ma joie ne serait pas raisonnable si elle pouvait être plus modérée. Vous me recevez en un corps où non seulement on apprend à arranger
les paroles ; on y apprend aussi les paroles mêmes, leur vrai usage, toute leur
beauté et leur force. Vous déclarez le caractère de chacune, étant, pour ainsi
dire, nommés afin de régler les limites de la poésie et de la prose, aussi bien
que ceux de la conversation et des livres. Vous savez, Messieurs, également
bien la langue des dieux et celle des hommes. J'élèverais au-dessus de toutes
choses ces deux talents, sans un troisième qui les surpasse ; c'est le langage de
la piété, qui, tout excellent qu'il est, ne laisse pas de vous être familier. Les
deux autres langues ne devraient être que les servantes de celle-ci. Je devrais
l'avoir apprise en vos compositions, où elle éclate avec tant de majesté et de
grâces. Vous me l'enseignerez beaucoup mieux lorsque vous joindrez la
conversation aux préceptes.

Après tous ces avantages, il ne se faut pas étonner si vous exercez une
autorité souveraine dans la république des lettres. Quelques applaudissements
que les plus heureuses productions de l'esprit aient remportés, on ne s'assure
point de leur prix, si votre approbation ne confirme celle du public. Vos
jugements ne ressemblent pas à ceux du Sénat de la vieille Rome : on en
appelait au peuple ; en France le peuple ne juge point après vous : il se sou-
met sans réplique à vos sentiments. Cette juridiction si respectée, c'est votre
mérite qui l'a établie ; ce sont les ouvrages que vous donnez au public, et qui
sont autant de parfaits modèles pour tous les genres d'écrire, pour tous les
styles ;

On ne saurait mieux représenter le génie de la nation, que par ce dieu qui savait paraître sous mille formes : l'esprit des Français est un véritable Protée ; vous lui enseignez à pratiquer ses enchantements, soit qu'il se présente sous la figure d'un poète ou sous celle d'un orateur ; soit qu'il ait pour but ou de plaire ou de profiter, d'émouvoir les cœurs et sur le théâtre et dans la tribune : enfin, quoi qu'il fasse, il ne peut mieux faire que de s'instruire dans votre école. Je ne sais qu'un point qu'il n'ait pu encore atteindre parfaitement : ce sont les louanges d'un prince qui joint aux titres de Victorieux et d'Auguste celui de Protecteur des Sciences et des Belles-Lettres. Ce sujet, Messieurs, est au-dessus des paroles ; il faut que vous-mêmes vous l'avouïez. Vous avez beau enrichir la langue de nouveaux trésors, je n'en trouve point qui soient du prix des actions de notre monarque. Quelle gloire me sera-ce donc de partager avec vous la protection particulière d'un roi que non seulement les académies, mais les républiques, les royaumes mêmes, demandent pour protecteur et pour maître!

Texte 50 :

Remerciement à l'Académie française (1684, O. D., p. 640-644),
2. [L'éloge de Louis le Grand, protecteur des arts]

J'en dirais beaucoup davantage s'il ne me fallait passer au monarque qui nous honore aujourd'hui de sa protection particulière : tout le monde sait de quel poids elle est : n'a-t-elle pas fait restituer des États dans le fond du nord dès la moindre instance que notre prince en a faire? Le nom de Louis ne tient-il pas lieu à nos alliés de légions et de flottes? Quelques-uns se sont étonnés qu'il ait bien voulu recevoir de vous le même titre que des souverains tiendraient à honneur qu'il eût reçu d'eux ; mais pour moi je m'étonnerais s'il l'eût refusé : y a-t-il rien de trop élevé pour les lettres? Alexandre ne considérait-il pas son précepteur comme une des principales personnes de son État? Ne s'est-il pas mis en quelque façon à côté de Diogène? N'avait-il pas toujours un Homère dans sa cassette? Je sais bien que c'est quelque chose de plus considérable d'être l'arbitre de l'Europe que celui d'une partie de la Grèce ; mais ni l'Europe ni tout le monde ne reconnaît rien que l'on doive mettre au-dessus des lettres.

Je n'entreprends ni ce parallèle, ni tout l'éloge de Louis le Grand ; il me faudrait beaucoup plus de temps que vous n'avez coutume d'en accorder, et beaucoup plus de capacité que je n'en ai. Comment représenterais-je en détail un nombre infini de vertus morales et politiques : le bon ordre en tout, la sagesse, la fermeté, le zèle de la religion et de la justice, le secret et la prévoyance, l'art de vaincre, celui de savoir user de la victoire, et la modération qui suit ces deux choses si rarement, enfin ce qui fait un parfait monarque ? Tout cela accompagné de majesté et des grâces de la personne ; car ce point y entre comme les autres : c'est celui qui a le plus contribué à donner au monde ses premiers maîtres. Notre prince ne fait rien qui ne soit orné de grâces, soit qu'il donne, soit qu'il refuse ; car, outre qu'il ne refuse que quand il le doit, c'est d'un manière qui adoucit le chagrin de n'avoir pas obtenu ce qu'on lui demande. S'il mets permis de descendre juqu'à moi, contre les préceptes de la rhétorique qui veulent que l'oraison aille toujours en croissant, un simple clin d'œil m'a renvoyé, je ne dirai pas satisfait, mais plus que comblé.

C'est à vous, Messieurs, que je dois laisser faire un si digne éloge. On dirait que la Providence a réservé pour le règne de Louis le Grand des hommes capables de célébrer les actions de ce prince : car, bien que tant de victoires l'assurent de l'immortalité, ne craignons point de le dire, les Muses ne sont point inutiles à la réputation des héros. Quelle obligation Trajan n'a-t-il pas à Pline le Jeune ? Les oraisons pour Ligarius et pour Marcellus ne font-elles pas encore à présent honneur à la clémence de Jules César ? pour ne rien dire d'Achille et d'Énée, qu'on n'a allégués que trop de fois comme redevables à Virgile et à Homère de tout ce bruit qu'ils font dans le monde depuis tant d'années.

Quand Louis le Grand serait né en un siècle rude et grossier, il ne laisserait pas d'être vrai qu'il aurait réduit l'hérésie aux derniers abois ; accru l'héritage de ses pères ; replanté les bornes de notre ancienne domination ; réprimé la manie des duels si funestes à ce royaume, et dont la fureur a souvent rendu la paix presque aussi sanglante que la guerre ; protégé ses alliés, et tenu inviolablement sa parole : ce que peu de rois ont accoutumé de faire. Cependant il serait à craindre que le temps, qui peut tout sur les affaires humaines, ne diminuât au moins l'éclat de tant de merveilles, s'il n'avait pas la force de les étouffer : vos plumes savantes les garantiront de cette injure ; la postérité, instruite par vos écrits, admirera aussi bien que nous un prince qui ne peut être assez admiré.

Texte 51 :

Discours à Madame de La Sablière (1684, O. D., p. 644-646)

Désormais que ma Muse, aussi bien que mes jours,
Touche de son déclin l'inévitable cours,
Et que de ma raison le flambeau va s'éteindre,
Irai-je en consumer les restes à me plaindre,
Et, prodigue d'un temps par la Parque attendu,
Le perdre à regretter celui que j'ai perdu?
Si le ciel me réserve encor quelque étincelle
Du feu dont je brillais en ma saison nouvelle,
Je la dois employer, suffisamment instruit
Que le plus beau couchant est voisin de la nuit.
Le temps marche toujours; ni force, ni prière,
Sacrifices ni vœux, n'allongent la carrière :
Il faudrait ménager ce qu'on va nous ravir.
Mais qui vois-je que vous sagement s'en servir?
Si quelques-uns l'ont fait, je ne suis pas du nombre;
Des solides plaisirs je n'ai suivi que l'ombre :
J'ai toujours abusé du plus cher de nos biens;
Les pensers amusants, les vagues entretiens,
Vains enfants du loisir, délices chimériques,
Les romans, et le jeu, poste des républiques,
Par qui sont dévoyés les esprits les plus droits,
Ridicule fureur qui se poque des lois,
Cent autres passions, des sages condamnées,
Ont pris comme à l'envi la fleur de mes années.
L'usage des vrais biens réparerait ces maux;
Je le sais, et je cours encore à des biens faux.
Je vois chacun me suivre : on se fait une idole
De trésors, ou de gloire, ou d'un plaisir frivole :
Tantales obstinés, nous ne portons les yeux
Que sur ce qui nous est interdit par les Cieux.
Si faut-il qu'à la fin de tels pensers nous quittent;
Je ne vois plus d'instants qui ne m'en sollicitent.
Je recule, et peut-être attendrai-je trop tard;
Car qui sait les moments prescrits à son départ?
Quels qu'ils soient, ils sont courts; à quoi les emploirai-je?

Si j'étais sage, Iris (mais c'est un privilège
Que la Nature accorde à bien peu d'entre nous),
Si j'avais un esprit aussi réglé que vous,
Je suivrais vos leçons, au moins en quelque chose :
Les suivre en tout, c'est trop ; il faut qu'on se propose
Un plan moins difficile à bien exécuter,
Un chemin dont sans crime on se puisse écarter.
Ne point errer est chose au-dessus de mes forces ;
Mais aussi, de se prendre à toutes les amorces,
Pour tous les faux brillants courir et s'empresser !
J'entends que l'on me dit : « Quand donc veux-tu cesser ?
Douze lustres et plus on roulé sur ta vie :
De soixante soleils la course entresuivie
Ne t'a pas vu goûter un moment de repos.
Quelque part que tu sois, on voit à tous propos
L'inconstance d'une âme en ses plaisirs légère,
Inquiète, et partout hôtesse passagère.
Ta conduite et tes vers, chez toi tout s'en ressent.
On te veut là-dessus dire un mot en passant.
Tu changes tous les jours de manière et de style ;
Tu cours en un moment de Térence à Virgile ;
Ainsi rien de parfait n'est sorti de tes mains.
Hé bien ! prends, si tu veux, encor d'autres chemins :
Invoque des neuf Sœurs la troupe tout entière ;
Tente tout, au hasard de gâter la matière :
On le souffre, excepté tes contes d'autrefois. »
J'ai presque envie, Iris, de suivre cette voix ;
J'en trouve l'éloquence aussi sage que forte.
Vous ne parleriez pas ni mieux, ni d'autre sorte :
Serait-ce point de vous qu'elle viendrait aussi ?
Je m'avoue, il est vrai, s'il faut parler ainsi,
Papillon du Parnasse, et semblable aux abeilles
A qui le bon Platon compare nos merveilles.
Je suis chose légère, et vole à tout sujet ;
Je vais de fleur en fleur, et d'objet en objet ;
A beaucoup de plaisirs je mêle un peu de gloire
J'irais plus haut peut-être au temple de Mémoire.
Si dans un genre seul j'avais usé mes jours ;
Mais quoi ! je suis volage en vers comme en amours.
En faisant mon portrait, moi-même je m'accuse,

Et ne veux point donner mes défauts pour excuse;
Je ne prétends ici que dire ingénument
L'effet bon ou mauvais de mon tempérament.
A peine la raison vint éclairer mon âme,
Que je sentis l'ardeur de ma première flamme.
Plus d'une passion a depuis dans mon cœur
Exercé tous les droits d'un superbe vainqueur.
Tel que fut mon printemps, je crains que l'on ne voie
Les plus chers de mes jours aux vains désirs en proie.
Que me servent ces vers avec soin composés?
N'en attends-je autre fruit que de les voir prisés?
C'est peu que leurs conseils, si je ne sais les suivre,
Et qu'au moins vers ma fin je ne commence à vivre;
Car je n'ai pas vécu; j'ai servi deux tyrans :
Un vain bruit et l'amour ont partagé mes ans.
Qu'est-ce que vivre, Iris? Vous pouvez nous l'apprendre.
Votre réponse est prête; il me semble l'entendre :
C'est jouir des vrais biens avec tranquillité;
Faire usage du temps et de l'oisiveté;
S'acquitter des honneurs dus à l'Etre suprême;
Renoncer aux Philis en faveur de soi-même;
Bannir le fol amour et les vœux impuissants,
Comme hydres dans nos cœurs sans cesse renaissants.

Texte 52 :

A M. de Saint-Evremond (18 décembre 1687, O. D., p. 677)

[...] J'en reviens à ce que vous me dites de ma morale, et suis fort aise
que vous ayez de moi l'opinion que vous en avez. je ne suis pas moins ennemi que vous du faux air d'esprit que prend un libertin. Quiconque l'affecte-
ra, je lui donnerai la palme du ridicule.

Rien ne m'engage à faire un livre;
Mais la raison m'oblige à vivre
En sage citoyen de ce vaste Univers;
Citoyen qui, voyant un monde si divers,
Rend à son auteur les hommages
Que méritent de tels ouvrages.

Ce devoir acquitté, les beaux vers, les doux sons,
  Il est vrai, sont peu nécessaires :
  Mais qui dira qu'ils soient contraires
  A ces éternelles leçons ?
On peut goûter la joie en diverses façons :
Au sein de ses amis épandre mille choses,
Et, recherchant de tout les effets et les causes,
A table, au bord d'un bois, le long d'un clair ruisseau,
Raisonner avec eux sur le bon, sur le beau,
Pourvu que ce dernier se traite à la légère,
  Et que la Nymphe ou la bergère
N'occupe notre esprit qu'en passant :
  Le chemin du cœur est glissant.
Sage Saint-Evremond, le mieux est de m'en taire,
Et surtout n'être plus chroniqueur de Cythère,
  Logeant dans mes vers des Chloris,
  Quand on les chasse de Paris [9].

Texte 53 :

A Monseigneur le duc de Bourgogne (Fables, livre XII, 1693)

Monseigneur,

Je ne puis employer pour mes fables de protection qui me soit plus glorieuse que la vôtre. Ce goût exquis et ce jugement si solide que vous faites paraître dans toutes choses au delà d'un âge où à peine les autres princes sont-ils touchés de ce qui les environne avec le plus d'éclat; tout cela, joint au devoir de vous obéir et à la passion de vous plaire, m'a obligé de vous présenter un ouvrage dont l'original a été l'admiration de tous les siècles aussi bien que celle de tous les sages. Vous m'avez même ordonné de continuer; et, si vous me le permettez de le dire, il y a des sujets dont je vous suis redevable, et où vous avez jeté des grâces qui ont été admirées de tout le monde. Nous n'avons plus besoin de consulter ni Apollon ni les Muses, ni aucune des divinités du Parnasse. Elles se rencontrent toutes dans les présents que vous a faits la nature, et dans cette science de bien juger des ouvrages de

9. Une note de l'édition de 1709, citée par P. Clarac (*O.D.*, p. 1011), précise qu'à cette époque on avait déporté un grand nombre de courtisanes vers l'Amérique (cf. *Manon Lescaut*, qui témoigne d'une situation identique, à l'époque de la Régence).

l'esprit, à quoi vous joignez déjà celle de connaître toutes le règles qui y conviennent. Les fables d'Esope sont une ample matière pour ces talents. Elles embrassent toutes sortes d'événements et de caractères. Ces mensonges sont proprement une manière d'histoire où on ne flatte personne. Ce ne sont pas choses de peu d'importance que ces sujets. Ces animaux sont les précepteurs des hommes dans mon ouvrage. Je ne m'étendrai pas davantage là-dessus : vous voyez mieux que moi le profit qu'on en peut tirer. Si vous vous connaissez maintenant en orateurs et en poètes, vous vous connaîtrez encore mieux quelque jour en bons politiques et en bons généraux d'armée; et vous vous tromperez aussi peu au choix des personnes qu'au mérite des actions. Je ne suis pas d'un âge à espérer d'en être témoin. Il faut que je me contente de travailler sous vos ordres. L'envie de vous plaire me tiendra lieu d'une imagination que les ans ont affaiblie. Quand vous souhaiterez quelque fable, je la trouverai dans ce fonds-là. Je voudrais bien que vous y pussiez trouver des louanges dignes du monarque qui fait maintenant le destin de tant de peuples et de nations, et qui rend toutes les parties du monde attentives à ses conquêtes, à ses victoires, et à la paix qui semble se rapprocher et dont il impose les conditions avec toute la modération que peuvent souhaiter nos ennemis. Je me le figure comme un conquérant qui veut mettre des bornes à sa gloire et à sa puissance, et de qui on pourrait dire, à meilleur titre qu'on en l'a dit d'Alexandre, qu'il va tenir les états de l'univers, en obligeant les ministres de tant de princes de s'assembler pour terminer une guerre qui ne peut être que ruineuse à leurs maîtres. Ce sont des sujets au-dessus de nos paroles : je les laisse à de meilleures plumes que la mienne, et suis avec un profond respect,

Monseigneur,

Votre très humble, très obéissant,
et très fidèle serviteur,

De la Fontaine.

Texte 54 :

Les Compagnons d'Ulysse (Fables, XII, 1693, I, v. 1-26)

A Monseigneur le Duc de Bourgogne

Prince, l'unique objet du soin des Immortels,
Souffrez que mon encens parfume vos autels.

Je vous offre un peu tard ces présents de ma Muse;
Les ans et les travaux me serviront d'excuse.
Mon esprit diminue, au lieu qu'à chaque instant
On aperçoit le vôtre aller en augmentant.
Il ne va pas, il court, il semble avoir des ailes.
Le héros dont il tient des qualités si belles
Dans le métier de Mars brûle d'en faire autant;
Il ne tient pas à lui que, forçant la victoire,
    Il ne marche à pas de géant
    Dans la carrière de la gloire.
Quelque dieu le retient : c'est notre souverain,
Lui qu'un mois a rendu maître et vainqueur du Rhin.
Cette rapidité fut alors nécessaire;
Peut-être elle serait aujourd'hui téméraire.
Je m'en tais : aussi bien les Ris et les Amours
Ne sont pas soupçonnés d'aimer les longs discours.
De ces sortes de dieux votre cour se compose;
Ils ne vous quittent point. Ce n'est pas qu'après tout
D'autres divinités n'y tiennent le haut bout :
Le sens et la raison y règlent toute chose.
Consultez ces derniers sur un fait où les Grecs,
    Imprudents et peu circonspects,
    S'abandonnèrent à des charmes
Qui métamorphosaient en bêtes les humains.

Texte 55 :

A Monseigneur le Duc de Bourgogne qui avait demandé à M. de La Fontaine une fable qui fût nommée le Chat et la Souris.
(Fables, XII, 1693)

Pour plaire au jeune Prince à qui le Renommée
    Destine un temple en mes écrits,
Comment composerai-je une fable nommée
    Le Chat et la Souris?

Dois-je représenter dans ces vers une belle
Qui, douce en apparence, et toutefois cruelle,

Va se jouant des coeurs que ses charmes ont pris
    Comme le chat et la souris?

Prendrai-je pour sujet les jeux de la Fortune?
Rien ne lui convient mieux, et c'est chose commune
Que de lui voir traiter ceux qu'on croit ses amis
    Comme le chat fait la souris.

Introduirai-je un roi qu'entre ses favoris
Elle respecte seul, roi qui fixe sa roue,
Qui n'est point empêché d'un monde d'ennemis,
Et qui des plus puissants, quand il lui plaît se joue
    Comme le chat de la souris?

Mais insensiblement, dans le tour que j'ai pris,
Mon dessein se rencontre; et, si je ne m'abuse,
Je pourrais tout gâter par de plus longs récits :
Le jeune Prince alors se jouerait de ma Muse
    Comme le chat de la souris.

Texte 56 :

Le Juge arbitre, l'hospitalier et le solitaire
(Fables, XII, 1693, XIX, v. 34-69)

Là, sous d'âpres rochers, près d'une source pure,
Lieu respecté des vents, ignoré du soleil,
Ils trouvent l'autre Saint, lui demandent conseil.
« Il faut, dit leur ami, le prendre de soi-même.
    Qui mieux que vous sait vos besoins?
Apprendre à se connaître est le premier des soins
Qu'impose à tous mortels la Majesté suprême.
Vous êtes-vous connu dans le monde habité?
L'on ne le peut qu'aux lieux pleins de tranquillité :
Chercher ailleurs ce bien est une erreur extrême.
    Troublez l'eau : vous y voyez-vous?
Agitez celle-ci. - Comment nous verrions-nous?
    La vase est un épais nuage

Qu'aux reflets du cristal nous venons d'opposer.
- Mes frères, dit le Saint, laissez-la reposer
   Vous verrez alors votre image.
Pour vous mieux contempler, demeurez au désert. »
   Ainsi parla le Solitaire.
Il fut cru ; l'on suivit ce conseil salutaire.
Ce n'est pas qu'un emploi ne doive être souffert.
Puisqu'on plaide, et qu'on meurt, et qu'on devient malade,
Il faut des médecins, il faut des avocats.
Ces secours, grâce à Dieu, ne nous manqueront pas :
Les honneurs et le gain, tout me le persuade.
Cependant on s'oublie en ces communs besoins.
O vous dont le public emporte tous les soins,
   Magistrats, princes et ministres,
Vous que doivent troubler mille accidents sinistres,
Que le malheur abat, que le bonheur corrompt,
Vous ne vous voyez point, vous ne voyez personne.
Si quelque bon moment à ces pensers vous donne,
   Quelque flatteur vous interrompt.
Cette leçon sera la fin de ces ouvrages :
Puisse-t-elle être utile aux siècles à venir !
Je la présente aux rois, je la propose aux sages :
   Par où saurais-je mieux finir ?

REPERES BIBLIOGRAPHIQUES

On ne trouvera ici, pour l'essentiel, que les ouvrages cités au fil de ce livre; pour une bibliographie plus complète, on peut se reporter à :

STEVENS, Edith, *A Critical Bibliography of La Fontaine 1900-1970*, North Carolina Univ., Chapell Hill, 1973.

VAN BAELEN, Jacqueline, « La Fontaine : répertoire bibliographique de la critique, 1955-1975 », *PFSCL*, n° 7 (1977), p. 121-174.

DANDREY, Patrick, « Bibliographie analytique 1980-1989 », *Le Fablier*, n° 3 (1991), p. 45-65.

Depuis 1989, cette revue recense régulièrement les publications ayant trait à La Fontaine.

SOURCES

ŒUVRES DE LA FONTAINE

Œuvres, édition établie par Henri Régnier, « Les Grands Ecrivains de la France », Paris, Hachette, 1883-1892, 11 vol.

Œuvres complètes, présentée par Jean Marmier (avec une préface de P. Clarac), Paris, Seuil, 1970, (collection « L'Intégrale »).

Œuvres diverses, texte établi et annoté par Pierre Clarac, Paris, Gallimard, « Bibliothèque de la Pléiade », 1967 (première édition 1942).

Contes et Nouvelles en vers, édition de Georges Couton, Paris, Garnier, 1961 (« Classiques Garnier »).

Fables, édition de Georges Couton, Paris, Garnier, 1962 (« Classiques Garnier »).

Le Songe de Vaux, édition illustrée avec introduction, commentaire et notes par Eleanor Titcomb, Genève, Droz, « TLF », 1967.

Fables, édition de Marc Fumaroli, Paris, Imprimerie Nationale, 1986; repris dans la collection « Pochothèque », Paris, Hachette, 1995.

Fables et Contes, édition présentée et annotée par Jean-Pierre Collinet, Paris, Gallimard, « Bibliothèque de la Pléiade », 1991.

Les Amours de Psyché et de Cupidon, édition critique de Michel Jeanneret, avec la collaboration de Stefan Schœttke, Paris, Hachette, « Le Livre de Poche classique », 1991.

Poésies et œuvres diverses, édition établie et présentée par Jean-Pierre Collinet, Paris, la Table Ronde, « La Petite Vermillon », 1994.

AUTRES TEXTES DU XVIIe SIECLE

ABLANCOURT, Nicolas Perrot d', *Lettres et préfaces critiques*, éd. R. Zuber, Paris, STFM, 1971.

[Allem, Maurice, éd.] *Anthologie poétique française, XVIIe siècle*, Garnier-Flammarion, 2 vol., 1966.

BALZAC, Jean-Louis Guez de, *Les Entretiens* (1657), éd. B. Beugnot, Paris, STFM, 1972.

BALZAC, Jean-Louis Guez de, *Œuvres diverses (1644)*, éd. R. Zuber, Paris, Champion, 1995.

BOILEAU, Nicolas, *Œuvres complètes*, éd. F. Escal, Paris, Gallimard, (« Bibliothèque de la Pléiade »), 1966.

CHAPELAIN, Jean, *Lettres*, éd Tamizey de Larroque, Paris, Imprimerie Nationale, 1880-1883, 2 vol.

CHAPELAIN, Jean, *Opuscules critiques*, éd. A. C. Hunter, Paris, Droz, 1936.

[Chauveau, Jean-Pierre, éd.] *Anthologie de la poésie française du XVIIe siècle*, Paris, Gallimard, « Poésie », 1987.

FENELON, François Salignac de la Mothe, *Œuvres*, éd. J. Le Brun, « Bibliothèque de la Pléiade », Paris, Gallimard, 1983.

HOBBES, Thomas, *De la Nature humaine* [1631, trad. d'Holbach, 1772], éd. E. Naert, Paris, Vrin, 1991 (3e éd.).

HUET, Pierre-Daniel, *Mémoires (1718)*, introduction et notes par Ph.-J. Salazar, Toulouse, S.L.C., 1993.

PATRU, Olivier, *Plaidoyers et Œuvres diverses*, Paris, S. Mabre-Cramoisy, 1681.

PELLISSON, Paul, « Discours sur les Œuvres de M. Sarasin », voir Viala (A.).

PERRAULT, Charles, *Contes*, éd. R. Zuber, Paris, Imprimerie Nationale, 1987.

[Picard, Raymond, éd.] *La Poésie française de 1640 à 1680*, Paris, SEDES, 1965-1969, 2 vol.

RACAN, Honorat de Bueil, seigneur de, *Vie de Monsieur de Malherbe*, Paris, Gallimard, 1991, (collection « Le Promeneur »).

Recueil de pièces galantes en prose et en vers de Madame la Comtesse de La Suze et de Monsieur Pellisson (1663-1691), Paris, G. Cavelier, 1693.

[Rubin, David Lee, éd.], *La Poésie française du premier XVII⁰ siècle, Textes et contextes*, Tübingen, Gunter Narr Verlag, 1986 (« Etudes Littéraies Françaises », 38).

SAINT-AMANT, Marc-Antoine Girard de, *Œuvres*, éd. J. Bailbé et J. Lagny, Paris, STFM, 5 vol., 1967-1975.

SCARRON, Paul, *Le Virgile Travesty*, éd. J. Serroy, Paris, Bordas (« Classiques Garnier »), 1988.

VAUGELAS, Claude Favre de, *Remarques sur la langue française*, 1647, éd. en fac-similé par J. Streicher, Paris, Droz, 1937.

VOITURE, Vincent, *Œuvres*, éd. M. A. Ubicini, Paris, Charpentier, 1855, (Genève, réimp. Slatkine, 1967).

BIBLIOGRAPHIE SECONDAIRE

TRAVAUX GENERAUX

BEUGNOT, Bernard :

— *La Mémoire du texte. Essais de poétique classique*, Paris, Champion, 1994 (coll. « Lumière classique », 3).

— *Le discours de la retraite au XVII⁰ siècle. Loin du monde et du bruit*, Paris, PUF, 1996 (collection « Perspectives littéraires »).

BRODY, Jules :

— *Boileau and Longinus*, Genève, Droz, 1958.

— « Platonisme et classicisme », [in] *French Classicism : A Critical Miscellany*, Prentice-Hall, 1966, p. 186-207.

— « What *was* French Classicism ? », *Continuum*, 1, 1989, p 51-77.

BURY, Emmanuel :

— « Le monde de l'honnête homme : aspects de la notion de « monde » dans l'esthétique du savoir-vivre », *Littératures classiques*, 22, 1994, p. 191-202.

— « Le classicisme et le modèle philologique. La Fontaine, Racine et La Bruyère », *L'Information littéraire*, 1990, 3, p. 20-24.

— « L'humanisme de Huet : *paideia* et érudition à la veille des Lumières », *P.-D. Huet*, éd. S. Guellouz, Paris-Seattle-Tübingen, *PFSCL* (« Biblio17 », 83) 1994, p. 197-209.

— « Comédie et science des mœurs : le modèle de Térence aux XVIᵉ et XVIIᵉ siècles », *Littératures classiques*, 27, 1996, p. 125-135.

— « Les salons à l'époque classique », [in] *Les Espaces de la civilité*, dir. A. Montandon, Mont-de-Marsan, Editions InterUniversitaires, 1995, p. 27-39.

— *Littérature et politesse. L'invention de l'honnête homme (1580-1750)*, Paris, PUF, (collection « Perspectives littéraires ») 1996.

— « Jean Baudoin, traducteur de l'espagnol » [in] *L'Age d'or de l'influence espagnole. La France et l'Espagne à l'époque d'Anne d'Autriche, 1615-1666* (Ch. Mazouer éd.), Mont-de-Marsan, Editions InterUniversitaires, 1991, p. 53-63.

— « Le Mythe arcadien » [in] *Et in Arcadia ego*. A. Soare éd., PFSCL, Biblio 17, 1996.

CHAUVEAU Jean-Pierre, et J.-C. Payen, *La Poésie des origines à 1715*, Paris, A. Colin, 1968.

CHAUVEAU, Jean-Pierre (dir.), *L'Epître en vers au XVIIᵉ siècle*, *Littératures classiques*, 18, 1993 (avec une section consacrée à La Fontaine, p. 213-285).

COLLINET, Jean-Pierre, « Allégorie et préciosité », *Cahiers de l'AIEF*, 28, 1976, p. 103-116.

COUTON, Georges, *Ecritures codées. Essais sur l'allégorie classique au XVIIᵉ siècle*, Paris, Klincksieck, 1991.

CURTIUS, Ernst Robert, *La Littérature européenne et le Moyen-âge latin*, Paris, PUF (« Agora ») 1986, 2 vol.

DECLERCQ, Gilles, *L'Art d'argumenter*, [s.l.], Editions Universitaires, 1992.

DENIS, Delphine, « Réflexions sur le style galant : une théorisation floue », *Littératures classiques*, 28 (1996), p. 147-158.

DOIRON, Normand, *L'Art de voyager. Le déplacement à l'époque classique*, Paris, Klincksieck, 1995.

FUMAROLI, Marc :

— *L'Age de l'éloquence*, Genève, Droz, 1980 (rééd. Albin-Michel, 1994).

— « Hiéroglyphes et Lettres : la "sagesse mystérieuse des anciens" au XVIIᵉ siècle », *XVIIᵉ siècle*, 158 (1988, 1), p. 7-20.

— *L'Inspiration du poète de Nicolas Poussin*, Paris, Réunion des Musées Nationaux, 1989.

GENETIOT, Alain :

— *La Poétique du loisir mondain de Voiture à La Fontaine*, Paris, Champion, 1996 (Collection « Lumière classique », n° 14).

— *Les Genres lyriques mondains (1630-1660)*, Genève, Droz, 1990.

GRAZIANI, Françoise, « La poétique de la *fable* : entre *inventio* et *dispositio* », *XVIIᵉ siècle*, 182 (1994, 1), p. 83-93.

HADOT, Pierre, *Qu'est-ce que la philosophie antique?*, Paris, Gallimard (Folio « Essais »), 1995.

HAIGHT, Jeanne, *The Concept of Reason in French Classical Literature 1635-1690*, Toronto, University of Toronto Press, 1982.

JAM, Jean-Louis, article « Sprezzatura », *Dictionnaire raisonné de la politesse et du savoir-vivre*, dir. A. Montandon, Paris, Seuil, 1995, p. 847-854.

LAFAY, Henri, *La Poésie française du premier XVIIᵉ siècle (1598-1630)*, Paris, Nizet, 1975.

LAFOND, Jean, « Augustinisme et épicurisme au XVIIᵉ siècle », *XVIIᵉsiècle*, 135, (1982,2), p. 149-168.

MAGNÉ, Bernard, « Le procès de la mythologie dans la querelle des Anciens et des Modernes » [in] *La Mythologie au XVIIᵉ siècle*, Marseille, CMR 17, 1982, p. 49-55.

MALE, Emile, *L'Art religieux après le Concile de Trente*, Paris, Armand Colin, 1932 (2ᵉ éd. 1951, réimprimé en 1984 avec une préface d'A. Chastel).

MARMIER, Jean, *Horace en France au XVIIᵉ siècle*, Paris, PUF, 1962 (voir chapitre IX, « La Fontaine et Horace », p. 311-339).

MOLINO, Jean, « Qu'est-ce que le style au XVIIᵉ siècle? », [in] *Critique et création littéraires en France au XVIIᵉ siècle*, Paris, CNRS, 1977, p. 337-356.

MOREAU, Pierre-François, *Hobbes. philosophie, science, religion*, Paris, PUF, 1989 (Coll. « Philosophies », 23).

MORLET-CHANTALAT, Chantal, *La Clélie de Mlle de Scudéry*, Paris, Champion, 1994 (Collection « Lumière classique », n° 2).

MUNTEANO, Basil, *Constantes dialectiques en littérature et en histoire*, Paris, Didier, 1967.

NERAUDAU, Jean-Pierre, *L'Olympe du Roi Soleil. Mythologie et idéologie royale au Grand Siècle*, Paris, « Les Belles Lettres », 1986.

NIDERST, Alain, *Madeleine de Scudéry, Paul Pellisson et leur monde*, Paris, PUF, 1976.

PAVEL, Thomas :

— *L'Art de l'éloignement. Essai sur l'imagination classique*, Paris, Folio « Essais », 1996.

— *Univers de la fiction*, Paris, Seuil (collection « Poétique »), 1988.

PELOUS, Jean-Michel, *Amour précieux, amour galant (1654-1675). Essai sur la représentation de l'amour dans la littérature et la société mondaines*, Paris, Klincksieck, 1980.

SALAZAR, Philippe-Joseph, « Les pouvoirs de la fable : mythologie, littérature et tradition (1625-1750) », *RHLF*, 1991, 6, p. 878-889.

SALEM, Jean, *Tel un Dieu parmi les hommes. L'éthique d'Epicure*, Paris, Vrin, 1989.

SPICA, Anne-Elisabeth, *Symbolique humaniste et emblématique. L'évolution et les genres (1580-1700)*. Paris, Champion, 1996 (coll. « Lumière classique », 8).

TOCANNE, Bernard, *L'Idée de nature en France dans la seconde moitié du XVIIe siècle*, Paris, Klincksieck, 1978.

VAN DELFT, Louis, *Littérature et anthropologie*, Paris, PUF, 1993.

VIALA, Alain :

— *et alii, L'Esthétique galante*, Toulouse, SLC, 1989.

— *Naissance de l'écrivain*, Paris, Editions de Minuit, 1985.

YOUSSEF, Zobeidah, *Polémique et littérature chez Guez de Balzac*, Paris, Nizet, 1972.

ZUBER, Roger :

— « La critique classique et l'idée d'imitation », *R.H.L.F.*, 1971, p. 385-399.

— « Atticisme et classicisme » [in] *Critique et création littéraires...*, Paris, CNRS, 1977, p. 375-387.

— « Les éléments populaires de la culture savante : les humanistes et le comique » [in] *Mélanges offerts à Robert Mandrou*, Paris, PUF, 1985, p. 283-290.

— « Malaises d'une littérature sans cour », dans *Précis de littérature française du XVIIe siècle*, dir. J. Mesnard, Paris, PUF, 1990, p. 171-186.

— « Siècles de rêve ou siècles de fait ? Remarques sur un concept classique » *XVIIe siècle*, 182, 1994, p. 65-70.

— *Les Belles Infidèles et la formation du goût classique*, Paris, Armand Colin, 1968 (rééd. revue, Albin Michel, 1995).

ETUDES SUR LA FONTAINE

ALLOTT, Terence, « La Fontaine éditeur de ses œuvres », *XVIIe siècle*, 1995, 2, p. 239-254.

BARCHILON, Jacques, « Wit and Humor in La Fontaine's *Psyché* », *French Review*, 26 (1962), p. 23-31.

BARED, Robert, *La Fontaine*, Paris, Seuil (« Ecrivains de toujours »), 1995.

BEUGNOT, Bernard :

— « L'idée de retraite dans l'œuvre de La Fontaine », *Cahiers de l'Association Internationale des Etudes Françaises*, 26 (1974), p. 131-142

— « Autour d'un texte : l'ultime leçon des *Fables* », [in] *Mélanges offerts à R. Pintard*, Paris, Klincksieck, 1975, p. 291-301.

BIARD, Jean-Dominique, *Le Style des Fables de La Fontaine*, Paris, Nizet, 1970 (1ère éd. anglaise 1966).

BORNECQUE, Pierre, *La Fontaine fabuliste*, Paris, SEDES, 1973.

BRODY, Jules, *Lectures de La Fontaine*, Charlottesville, Rookwood Press, 1994 (EMF Monographs).

BURY, Emmanuel :
— « La Fontaine traducteur », *XVII⁰ siècle*, 187 (1995, 2), p. 255-265.
— « Fable et science de l'homme : la paradoxale *paideia* d'un Moderne ». *Le Fablier*, 8, 1996.

CHUPEAU, Jacques, « La Fontaine et le refus du voyage », *L'Information littéraire*, 1968, 2, p. 62-72.

CLARAC, Pierre, *La Fontaine*, Paris, Hatier, 1969 (« Connaissance des Lettres »).

COLLINET, Jean-Pierre :
— « La Fontaine et le journalisme épistolaire » *Littératures classiques*, 18, 1993, p. 233-246.
— *La Fontaine en amont et en aval*, Pise, Goliardica, 1988.
— *La Fontaine et quelques autres*, Genève, Droz, 1992 (« Histoire des idées et critique littéraire », 308).
— *Le Monde littéraire de La Fontaine*, Parus, PUF, 1970 (réimpr. Slatkine Reprints, 1989).
— « La Fontaine : de la mythologie à l'affabulation » [in] *La Mythologie au XVII⁰ siècle*, Marseille, CMR 17, 1982, p. 265-274.

COUTON, Georges :
— *La Poétique de La Fontaine*, Paris, PUF, 1957.
— *La Politique de La Fontaine*, Paris, « Les Belles Lettres », 1959.
— « Le livre épicurien des *Fables* : essai de lecture du livre VIII », *Mélanges offerts à R. Pintard*, Paris, Klincksieck, 1975, p. 283-290.

DANDREY, Patrick :
— « Moralité » [in] *La Fontaine...*, n° spécial de *Littératures classiques*, 1992, p. 29-38.
— *La Fontaine ou la métamorphose d'Orphée*, Paris, Gallimard (« Découvertes »), 1995.
— *La Fabrique des Fables. Essai sur la poétique de La Fontaine*, Paris, Klincksieck, 1991 (collection « Théorie et critique à l'âge classique »).
— « Le cordeau et le hasard : réflexions sur l'agencement du recueil des *Fables* », *PFSCL*, XXIII, 44 (1996), p. 73-85.
— (éd.), *Jean de La Fontaine. Œuvres « galantes » (Adonis, Le Songe de Vaux, Les Amours de Psyché et de Cupidon)*, Paris, Klincksieck, « Parcours critique », 1996.

DARMON, Jean-Charles :

— « La Fontaine et la philosophie : remarques sur le statut de l'évidence dans les *Fables* », *XVIIe siècle*, 187 (1995, 2), p. 267-305.

— « La Fontaine et le plaisir », *Le Fablier*, 8,1996.

DEJEAN, Joan, « La Fontaine's *Psyché* : The Reflecting Pool of Classicism » [in] *L'Esprit créateur*, 21, n° 4 (Winter 1981), p. 99-109.

DEMEURE, Jean, « Les quatre amis de *Psyché* », *Mercure de France*, 15 janv. 1928, p. 331-366.

DOIRON, Normand, « Voyage et promenade chez La Fontaine : le papillon et la nymphe », *XVIIe siècle*, 187 (1995, 2), p. 185-202.

DONNE, Boris, « Le Parnasse de Vaux et son Apollon, ou la clé du *Songe* ? », *XVIIe siècle*, 187 (1995, 2), p. 203-223.

DUCHENE, Roger :

— « Les fables de La Fontaine sont-elles des contes ? » [in] *La Fontaine...*, n° spécial de *Littératures classiques*, 1992, p. 85-97.

— *La Fontaine*, Paris, Fayard, 1990.

— « La Fontaine ou les fausses confidences », [in] *L'Esprit et la Lettre, Mélanges offerts à Jules Brody*, éd. par L. van Delft, Tübingen, Günter Narr Vlg., 1991 (« Etudes Littéraires Françaises », 47).

DUMORA, Florence, « Le *Songe de Vaux*, « paragone » de La Fontaine », *XVIIe siècle*, 175 (1992, 2), p. 189-208.

FUMAROLI, Marc :

— « Politique et poétique de Vénus : l'*Adone* de Marino et l'*Adonis* de la Fontaine », *Le Fablier*, n° 5 (1993), p. 11-16.

— « De Vaux à Versailles : politique de la poésie » [in] *Jean de La Fontaine*, BNF/Seuil, 1995, p. 14-37.

GENETIOT, Alain, « La poétique de La Fontaine et la tradition mondaine : les six derniers livres des *Fables* », *L'Information littéraire*, 1992, 1, p. 18-27.

GOHIN, Ferdinand, *L'Art de La Fontaine dans ses fables*, Paris, Garnier Frères, 1929.

GRIMM, Jürgen :

— « Les épîtres en vers de La Fontaine », *Littératures classiques*, 18, 1993, p. 213-231.

— *La Fontaines Fabeln*, Darmstadt, Wissenschaftliche Buchgesellschaft, 1976 (« Erträge der Forschung », Bd. 57).

— *Le Pouvoir des fables*, *Etudes lafontainiennes* I, Paris-Seattle-Tübingen, PFSCL, 1994 (« Biblio17 », 85).

GROSS, Nathan, « Functions of Framework in La Fontaine's *Psyché* », *PMLA*, 84 (May 1969), p. 577-586.

GUTWIRTH, Marcel, *Un Merveilleux sans éclat. La Fontaine ou la poésie exilée*, Genève, Droz, 1987.

HUBERT, Judd D., « La Fontaine et Pellisson ou le mystère des deux Acante », *R.H.L.F.*, 1966, p. 223-237.

KOHN, Renée, *Le Goût de La Fontaine*, Paris, PUF, 1962.

LAFOND, Jean, « La beauté et la grâce. L'esthétique "platonicienne" des *Amours de Psyché* » *R.H.L.F.*, 1969, p. 475-490.

LAFOND, Jean, « L'architecture des livres VII à XII des *Fables* », *Le Fablier*, 1992, p. 27-31.

LAPP, John C., *The Esthetics of Negligence : La Fontaine's « Contes »*, New York, Cambridge U. P., 1971.

LESAGE, Claire (dir.), *Jean de La Fontaine*, Bibliothèque Nationale de France/Seuil, 1995.

LORIN, Théodore, *Vocabulaire pour les œuvres de La Fontaine*, Paris, Comptoir des Imprimeurs unis, 1852.

MARMIER, Jean, « Les livres VII à XII des *Fables* et leurs problèmes », *L'Information littéraire*, 1972, 5, p. 199-204.

MONGREDIEN, Georges, *Recueil des textes et des documents du XVIIe siècle relatifs à La Fontaine*, Paris, CNRS, 1973.

MOURGUES, Odette de, *O Muse, fuyante proie...*, *essai sur la poétique de La Fontaine*, Paris, José Corti, 1962.

NICHOLICH, Robert, « The Triumph of Language : The Sister Arts and Creative Activity in La Fontaine's *Songe de Vaux* » [in] *L'Esprit créateur*, 21, n° 4 (Winter 1981), p. 10-21.

RONZEAUD, Pierre (éd.), *La Fontaine, Fables, livres VII à XII*, n° spécial agrégation de *Littératures classiques*, 1992.

SALAZAR, Philippe-Joseph, « La Parole courtisane de La Fontaine : une "autobiographie" ? », *XVIIe siècle*, 187 (1995, 2), p. 225-238.

SPITZER, Léo, « L'art de la transition chez La Fontaine », dans *Etudes de style*, Paris, Gallimard (pour la traduction française), 1970, p. 165-207.

STEFENELLI, Arnulf, *Lexikalische Archaismen in den Fabeln von La Fontaine*, Passau, Andreas-Haller-Verlag, 1987.

SWEETSER, Marie-Odile :

— « *Adonis*, poème d'amour : conventions et création poétique » [in] *L'Esprit créateur*, 21, n° 4 (Winter 1981), p. 41-49.

— *La Fontaine*, Boston, Twayne, 1987.

— « Les épîtres dédicatoires des *Fables* ou La Fontaine et l'art de plaire », [in] *L'Epître en vers au XVIIe siècle*, (J.-P. Chauveau dir.), *Littératures classiques*, 18, 1993, p. 267-285.

TIEFENBRUN, Susan, « The Art and Artistry of Teaching in the *Fables* of La Fontaine » [in] *L'Esprit créateur*, 21, n° 4 (Winter 1981), p. 50-65.

TOURNON, André, « Les fables du Crétois »[in] *La Fontaine...*, n° spécial de *Littératures classiques*, 1992, p. 7-24.

VAN BAELEN, Jacqueline, « *Psyché* : vers une esthétique de la liberté », [in] *La Cohérence intérieure. Etudes sur la littérature française du XVIIe siècle présentées en hommage à Judd D. Hubert*, Paris, J.-M. Place, 1977, p. 177-186.

VINCENT, Michael, « Voice and Text : Representations of Reading in La Fontaine's *Psyché* », *French Review*, 57 (1983), p. 179-186.

WADSWORTH, Philip A. :

— « Ovid and La Fontaine », *Yale French Studies*, 32 (May 1967), p. 151-155.

— *Young La Fontaine*, Evanston (Illinois) Northwestern University Press, 1952.

— « Le douzième livre des *Fables* », *Cahiers de l'Association Internationale des Etudes Françaises*, 26 (1974), p. 103-115.

YOUSSEF, Zobeidah, « Epître et élégie chez La Fontaine » [in] *L'épître en vers au XVIIe siècle,* (J.-P. Chauveau dir.), *Littératures classiques,* 18, 1993, p. 247-266.

ZUBER, Roger, « Les animaux orateurs : quelques remarques sur la parole des *Fables* » [in] *La Fontaine...*, n° spécial de *Littératures classiques*, 1992, p. 49-56.

TABLE DES MATIERES

SNEL S.A.
rue Saint-Vincent 12 – B-4020 Liège
tél. 32(0)4 343 76 91 - fax 32(0)4 343 77 50
novembre 1996

Imprimé en C.E.E.

N° d'éditeur : 1562 — Composé par SEDES — Dépôt légal : novembre 1996